"Ashley Blake retrata com bom humor e ternura os contratempos das relações amorosas, familiares e de amizade." – KIRKUS REVIEWS

"Um novo clássico. Esta comédia romântica arranca risadas e suspiros e merece estar entre as grandes histórias de romance, como *Mensagem para você*, *Bonequinha de luxo* e *Sintonia de amor*." – KOSOKO JACKSON, autor de *I'm So Not Over You*

"*Delilah Green não está nem aí* retrata bem a sensação de descobrir que aquela pessoa por quem você tem uma quedinha também gosta de você. Ashley Herring Blake promete ser uma estrela do romance." – ROSIE DANAN, autora de *The Roommate*

"Encantador e divertido, *Delilah Green não está nem aí* nos hipnotiza com o poder redentor do amor. A incrível mistura de tensão sexual e afeição vai arrancar suspiros dos leitores." – KARELIA STETZ-WATERS, autora de *Satisfaction Guaranteed*

"*Delilah Green não está nem aí* é a realização de todos os seus sonhos românticos e eróticos protagonizados pela ex-garota má que era rejeitada por todos. E ainda tem todas as relações complicadas dela com a família postiça, para diversão extra. Você vai precisar de um belo banho frio depois desta leitura." – LANA HARPER, autora de *Payback's a Witch*

"Este livro reúne tudo que você poderia querer em um romance sáfico – sarcasmo, sensualidade e doçura –, além de uma análise profunda do que significa amar alguém e de como escolhemos demonstrar isso. Fãs de Alexandria Bellefleur e Talia Hibber⁺ ‒ ̃ ‒ ⸱ este espetáculo comovente." – THE N.

CB009467

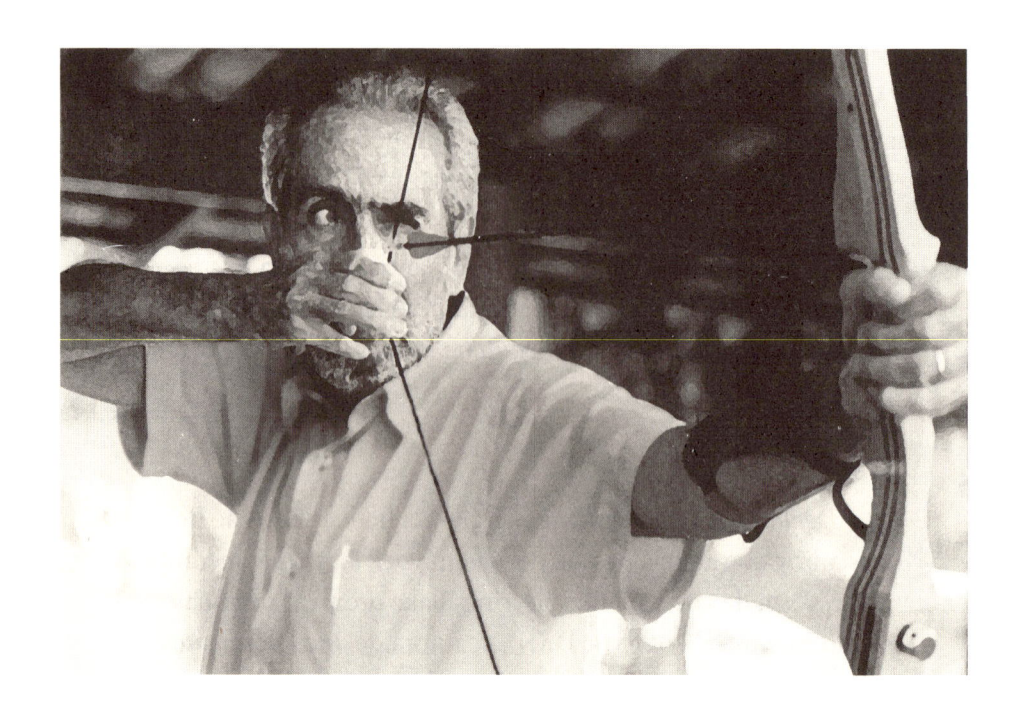

O ARQUEIRO

GERALDO JORDÃO PEREIRA (1938-2008) começou sua carreira aos 17 anos, quando foi trabalhar com seu pai, o célebre editor José Olympio, publicando obras marcantes como *O menino do dedo verde*, de Maurice Druon, e *Minha vida*, de Charles Chaplin.

Em 1976, fundou a Editora Salamandra com o propósito de formar uma nova geração de leitores e acabou criando um dos catálogos infantis mais premiados do Brasil. Em 1992, fugindo de sua linha editorial, lançou *Muitas vidas, muitos mestres*, de Brian Weiss, livro que deu origem à Editora Sextante.

Fã de histórias de suspense, Geraldo descobriu *O Código Da Vinci* antes mesmo de ele ser lançado nos Estados Unidos. A aposta em ficção, que não era o foco da Sextante, foi certeira: o título se transformou em um dos maiores fenômenos editoriais de todos os tempos.

Mas não foi só aos livros que se dedicou. Com seu desejo de ajudar o próximo, Geraldo desenvolveu diversos projetos sociais que se tornaram sua grande paixão.

Com a missão de publicar histórias empolgantes, tornar os livros cada vez mais acessíveis e despertar o amor pela leitura, a Editora Arqueiro é uma homenagem a esta figura extraordinária, capaz de enxergar mais além, mirar nas coisas verdadeiramente importantes e não perder o idealismo e a esperança diante dos desafios e contratempos da vida.

ASHLEY HERRING BLAKE

DELILAH GREEN NÃO ESTÁ NEM AÍ

ARQUEIRO

Título original: *Delilah Green Doesn't Care*

Copyright © 2022 por Ashley Herring Blake
Copyright da tradução © 2022 por Editora Arqueiro Ltda.

Publicado mediante acordo com a Berkley, selo da Penguin Publishing Group, uma divisão da Penguin Random House LLC.

tradução: Alessandra Esteche

preparo de originais: Camila Fernandes

revisão: Livia Cabrini e Rafaella Lemos

revisão técnica em diversidade: Bruno Ferreira

diagramação: Gustavo Cardozo

capa: Katie Anderson

imagem de capa: Leni Kauffman (frente de capa); Ann&Pen | Shutterstock (quarta capa)

adaptação de capa: Natali Nabekura

impressão e acabamento: Lis Gráfica e Editora Ltda.

CIP-BRASIL. CATALOGAÇÃO NA PUBLICAÇÃO
SINDICATO NACIONAL DOS EDITORES DE LIVROS, RJ

B568d

    Blake, Ashley Herring
       Delilah Green não está nem aí / Ashley Herring Blake ; tradução Alessandra Esteche. - 1. ed. - São Paulo : Arqueiro, 2022.
       336 p. ; 23 cm.

       Tradução de: Delilah Green doesn't care
       ISBN 978-65-5565-362-5

       1. Ficção americana. I. Esteche, Alessandra. II. Título.

22-78317   CDD: 813
                                  CDU: 82-3(73)

Meri Gleice Rodrigues de Souza - Bibliotecária - CRB-7/6439

Todos os direitos reservados, no Brasil, por
Editora Arqueiro Ltda.
Rua Funchal, 538 – conjuntos 52 e 54 – Vila Olímpia
04551-060 – São Paulo – SP
Tel.: (11) 3868-4492 – Fax: (11) 3862-5818
E-mail: atendimento@editoraarqueiro.com.br
www.editoraarqueiro.com.br

*Para Rebecca Podos, que encara comigo
todos os grandes mistérios*

CAPÍTULO UM

DELILAH ABRIU OS OLHOS ao ouvir a vibração que vinha da mesa de cabeceira. Piscou uma, duas vezes, até que o quarto estranho entrasse em foco. Deviam ser pelo menos duas da manhã, talvez mais. Tateou até achar o celular, lençóis brancos sedosos se enrolando em suas coxas nuas enquanto ela se virava para silenciar a chamada, que parecia barulhenta o bastante para acordar…

Ah, merda.

De novo. O nome da mulher deitada ao seu lado fugiu das suas lembranças da noite anterior, as letras quase impossíveis de ler entre as imagens da exposição de arte na pequena galeria Fitz, no Village. Algumas fotos de sua autoria nas paredes, um punhado de frequentadores assentindo e elogiando, mas nunca se interessando o bastante para comprar alguma coisa, o champanhe que não parava de circular… Tudo isso seguido daquele bar florido na MacDougal Street regado a muito, mas muito uísque.

Delilah virou a cabeça e olhou para a mulher que dormia ao seu lado. Corte curtinho, cabelo louro-escuro, pele aveludada, boca bonita, coxas grossas e mãos fenomenais.

Lorna?

Lauren.

Não. Lola. O nome dela com certeza era Lola.

Talvez.

Delilah mordeu o lábio e pegou o celular que ainda vibrava, estreitando os olhos para ver o nome piscando na tela iluminada na escuridão.

DesAstrid

Mal teve tempo de rir do modo como tinha registrado o nome da irmã postiça na lista de contatos antes de apertar *Ignorar*. Era instintivo. Segundo a experiência de Delilah, uma ligação às duas da manhã raramente era coisa boa, sobretudo se fosse Astrid Parker telefonando. E quem é que ainda liga para os outros? Por que Astrid não podia mandar uma mensagem de texto como um ser humano normal?

Tá, tudo bem, havia várias mensagens não respondidas no celular de Delilah, mas, em sua defesa, ela não andava prestando para muita coisa ultimamente. Estava com o aluguel perto de vencer e se preparava para a exposição na Fitz, onde seu trabalho só fora exposto porque ela conhecia a dona, Rhea Fitz, sua ex-colega garçonete que tinha recebido de herança da avó grana suficiente para abrir uma galeria. As semanas anteriores tinham sido um turbilhão entre servir mesas em meio período no River Café, no Brooklyn, e fotografar retratos e casamentos, que juntos mal davam para o aluguel e a comida. Ela estava a uma catástrofe de distância de ser obrigada a se mudar para Nova Jersey e, se seu objetivo era entrar no implacável mundo da arte nova-iorquino, morar em outra cidade não era uma opção. Sim, tinha vendido uma ou duas obras, mas sua fotografia era *de nicho*, como dissera um agente que se recusara a representá-la, e arte *de nicho* não era fácil de vender.

Então, sim, ela andava ocupada demais dando um duro danado para falar com a irmã. Além disso, Astrid nem gostava tanto assim dela. Fazia cinco anos que elas não se viam.

Já fazia mesmo tudo isso?

Que inferno, estava tarde. Delilah largou o celular no peito quando Jax surgiu em seus pensamentos pela primeira vez em um bom tempo. Meses. Ela fechou os olhos com força, voltou a abri-los e ficou olhando para o teto, coberto daqueles adesivos de estrelas que brilham no escuro. Sentou-se na cama com uma sensação gelada de pânico correndo nas veias. Estava em um alojamento de faculdade? Deus, por favor, não. Delilah tinha quase 30 anos, e as universitárias… bom, ela já tinha passado por essa parte da vida. Preferia mulheres da sua idade, sempre preferira, e ficava satisfeita em deixar para trás todos os abalos e suspiros dos seus 20 e poucos anos.

Foi relaxando conforme o quarto ficava mais nítido. Sentiu a maciez dos lençóis caros entre os dedos. O cômodo tinha vários móveis modernos, em linhas retas e madeira clara. Obras de arte sofisticadas enfeitavam as paredes, penduradas com maestria. Uma porta aberta levava à sala, da qual Delilah agora se lembrava claramente como o cenário onde – Lana? Lily? – a havia empurrado em um sofá branco muito elegante e tirado sua calcinha, jogando-a por sobre o ombro nu.

Com certeza não era uma mobília nível universitário. Nem mesmo nível Delilah Green – e ela já era bem adulta. Além disso, o que Lilith fazia com a boca definitivamente não era uma habilidade nível universitário.

Delilah voltou a se deitar, jogando-se na cama, amolecida pela lembrança. Seus olhos tinham acabado de se fechar quando o celular recomeçou a vibrar. Ela despertou, olhando para o mesmo nome improvável e apertando *Ignorar* pela segunda vez.

Layton se mexeu ao lado dela, virando-se e olhando para Delilah com os olhos semicerrados, o rímel manchado.

– Ah. Oi. Tudo bem?

– Tudo, tudo…

O celular vibrou de novo.

DesAstrid

– Não é melhor você atender? – perguntou Linda, o cabelo despenteado caindo adoravelmente sobre um de seus olhos azuis.

Nunca que o nome daquela deusa do sexo poderia ser Linda.

– Talvez.

– Então atende. Quando terminar, tem uma coisa que eu quero te mostrar.

Lydia – claro, por que não? – sorriu, empurrando os lençóis até o quadril por uma fração de segundo antes de puxá-los de volta até o queixo. Delilah riu, jogando o lençol para trás e levantando-se da cama completamente nua. Ela estava prestes a atender o celular assim, mas acabou pegando um roupão de seda – não era um roupão nível universitário de jeito nenhum – que estava pendurado em uma poltrona estofada cinza no canto do quarto. Não podia conversar pelada com a irmã postiça.

Vestindo o roupão, foi até a pequena sala-barra-cozinha-aberta e se sentou em um banquinho, apoiando os cotovelos no balcão de mármore gelado. Inspirou… expirou. Sacudiu as mãos, alongou o pescoço. Tinha que se preparar para conversar com Astrid, como uma boxeadora antes da luta. Luvas calçadas, protetor bucal no lugar. Em cima do balcão, o celular parou e o nome de Astrid desapareceu, só para voltar a surgir, como uma mensagem vinda diretamente do inferno. Melhor acabar logo com isso. Ela deslizou o dedo pela tela.

– Que foi?

– Delilah?

A voz aveludada de Astrid atravessou a linha. Era como uma Cate Blanchett americana, só que mais arrogante e menos rainha das bissexuais. Exatamente o tipo de voz que Delilah sempre soubera que a Astrid adulta teria.

– É – disse Delilah, e pigarreou. Sua voz tinha uma rouquidão de seis drinques e anos sem dormir direito.

– Você demorou pra atender.

Delilah soltou um suspiro.

– Está tarde.

– São só onze horas aqui no Oregon. Além do mais, imaginei que essa fosse a melhor hora pra conseguir falar com você. Você não vira morcego depois da meia-noite?

Delilah bufou.

– Viro, sim. Agora, se me der licença, quero voltar pra minha caverna.

Astrid ficou alguns segundos sem dizer nada, longos segundos que fizeram Delilah imaginar se a irmã ainda estava ali, mas ela não daria o braço a torcer. Só tinham falado ao telefone umas dez vezes desde que Delilah fora embora de Bright Falls, no dia seguinte da formatura, pegando um ônibus para Seattle com a mochila do colégio pendurada no ombro, enquanto Astrid partira em uma viagem para a França com suas melhores amigas asquerosas. Isabel, mãe de Astrid e *má-drasta* de Delilah, dera às duas garotas dinheiro suficiente para mantê-las longe por duas semanas. A única diferença foi que Astrid voltou, preparada para fazer faculdade em Berkeley, como a filha obediente que era, enquanto Delilah foi para Nova York e alugou uma espelunca de um quarto no Lower East Side. Ela era legalmente adulta e nada a faria ficar naquela casa um segundo a mais do que o estritamente necessário.

Não que Isabel lamentasse sua partida.

Nem Astrid, pelo que Delilah pôde perceber, embora, de vez em quando, coisas assim acontecessem. Mensagens ignoradas viravam ligações desastradas em que Astrid tentava fingir que não tinha transformado a infância de Delilah, que já era solitária, em um inferno. Delilah voltara a Bright Falls cinco ou seis vezes nos últimos doze anos – em alguns Natais e outras ocasiões especiais, além de um velório quando sua professora de arte favorita morrera. A última vez fazia cinco anos, quando Delilah fugira de Nova York com o coração recém-partido, imaginando que a familiaridade de Bright Falls pudesse servir como um bálsamo. Não serviu, mas rendeu a Delilah ideias para uma série de fotografias que fez sua ambição mudar de *fotógrafa freelancer que mal consegue pagar o aluguel* para *artista queer bem-sucedida com um apartamento incrível em Williamsburg.*

O que ela ainda não tinha alcançado, mas estava tentando.

– Então… vai me deixar na mão?

A voz de Astrid interrompeu suas reflexões e ela piscou, fazendo com que a cozinha de Lucinda voltasse ao foco.

– Deixar na mão, é? – Uma piada sacana estava na ponta da língua, mas Delilah a engoliu.

– Ah, meu Deus – disse Astrid. – Você tá falando sério? Diz que você não tá falando sério?

– Eu…

– Delilah, fala logo!

– Estou tentando! Dá pra calar a boca por dois segundos?

Astrid soltou o ar tão alto que o som zumbiu no ouvido de Delilah.

– Tá bom. Tá bom. Desculpa, é que estou estressada. Tem muita coisa acontecendo.

– Certo – falou Delilah, quebrando a cabeça para lembrar *o que é* que estava acontecendo. – É, então…

– Não, não, não, não. Você *não* vai me deixar na mão, Delilah Green. Diz que não vai fazer isso.

– Meu Deus, Desastrinho, que tal tomar um ansiolítico?

– Por favor, não me chame assim e *não* me deixe na mão.

Delilah ficou um instante em silêncio. Talvez ver sua arte nas paredes de uma galeria de verdade, por menores que fossem, e o sexo excelente de depois tivessem mexido um pouco com sua capacidade de raciocínio, e ela logo se lembraria do que quer que Astrid estivesse falando. Tirou o celular do ouvido, apertou o viva-voz e conferiu a data no aplicativo do calendário. Sábado, 2 de junho. Madrugada. Sexta, 1º de junho, com certeza era uma data que tinha ficado gravada em sua mente durante meses enquanto se preparava para a exposição na Fitz. Mas tinha mais alguma coisa, alguma coisa a ver com o mês de junho, Astrid e...

Ah, merda.

– Seu casamento – disse Delilah.

– Sim, meu casamento – falou Astrid. – Que estou planejando há meses e para o qual a mamãe insistiu que eu contratasse *você* como fotógrafa.

– Nossa, que animação...

– Eu chamaria de outra coisa.

– Me ajuda a te ajudar, Desastrinho.

Astrid bufou no telefone.

– Ainda estou arrasada por não ser uma das madrinhas – observou Delilah, sem expressão, mas, ao lembrar que a irmã postiça ia se casar com algum pobre coitado, seu coração acelerou com o horror e o alívio que a inundaram.

Por um lado, o casamento de uma Parker em Bright Falls era o último evento a que ela gostaria de comparecer naquele momento. Ou em qualquer momento. Tinha conhecido alguns agentes na exposição na Fitz e vendido uma obra – sim, a compradora estava dormindo no quarto ao lado, mas Loretta definitivamente assinara o cheque antes de se engraçar com Delilah. Pelo menos Delilah tinha quase certeza de que era assim que tinha acontecido, considerando que estava ocupada demais surtando ao ver alguém pagar por algo que ela criara.

Independentemente de qualquer coisa, aquele não era o momento para encheção de saco vinda de Astrid-barra-Isabel. Delilah sentia que estava prestes a conquistar algo, a ser *alguém*, e Bright Falls era um poço de desespero que sugava sua alma e onde ela não era ninguém.

Por outro lado – o lado que tentava manter Delilah alimentada e vestida –, Isabel Parker-Green tinha oferecido uma soma absurda para que ela fotografasse o casamento de Astrid e as duas semanas de eventos pré-matrimoniais. Agora que os detalhes da primeira ligação de Astrid a Delilah para falar sobre aquele feliz acontecimento voltavam à sua mente, com certeza eram cinco dígitos. Cinco dígitos *baixos*, mas cinco mesmo assim. Praticamente uns trocados para Isabel Parker-Green e para a maioria das pessoas que morava no Brooklyn, mas, para Delilah, que fazia um dólar durar dias, era soro na veia de sua conta bancária desidratada.

Com a quantia, que Astrid certamente sabia que Delilah não poderia recusar, a irmã postiça também deixara escapar uma manipulação *supersutil*: "A mamãe disse que seu pai ia querer que você fosse ao meu casamento." Delilah ainda estava ressentida, sobretudo porque sabia que Isabel tinha razão. Quando vivo, Andrew Green fora um homem de família extremamente dedicado que fazia questão de jantar à mesa toda noite, viajar nos feriados, preservar tradições natalinas, checar o dever de casa e aprender a fazer penteados para que Delilah não fosse a única garota na Feira Medieval sem uma coroa de tranças.

Um casamento seria inegociável. A gente ia pela família, ainda que fosse paga para isso e rangesse os dentes o tempo inteiro.

– Os eventos pré-casamento começam no domingo – disse Astrid. – Você concordou em acompanhar tudo, lembra? As informações que enviei por e-mail indicam que você está agendada do dia 3 ao dia 16. Assinei o contrato, concordando com todas as suas cláusulas, e…

– Sim, eu sei, eu sei – respondeu Delilah, passando a mão no cabelo.

Que merda, ela não queria passar duas semanas inteiras em Bright Falls. E era o Mês do Orgulho. Ela adorava o Mês do Orgulho em Nova York. E quem é que começava essas bobagens de casamento com tanta antecedência? Bom, Delilah sabia exatamente quem.

– Astrid…

– Delilah, não fode.

– Que boca suja, Astrid. O que a *Isabel* diria?

– Ela diria isso e coisa muito pior se você estivesse prestes a cancelar seus serviços para o casamento da única filha que ela tem assim tão em cima da hora.

Delilah respirou fundo, embora estivesse tentando não fazer isso.

A única filha que ela tem.

Ela quis lutar contra o instinto de reagir, deixar que as palavras passassem como vento, mas fracassou. Era um reflexo, aquele sentimento, resquício de uma infância com pai e mãe mortos e uma madrasta que, para começo de conversa, nunca quisera ficar com ela.

– Merda – resmungou Astrid, arrependida e irritada ao mesmo tempo, como se fosse culpa de Delilah ela ter esquecido que Isabel passara a ser a responsável pela filha do marido depois que ele morrera em consequência de um aneurisma quando a menina tinha 10 anos.

– Olha a boca suja de novo – disse Delilah, soltando uma risada apesar do nó na garganta. – Acho que eu até gosto dessa Astrid estressadinha.

A irmã ficou alguns segundos sem dizer nada, mas o silêncio durou tempo suficiente para que Delilah soubesse que estaria decolando do aeroporto JFK pela manhã.

– É só vir, tá bom? – pediu Astrid. – Está muito em cima da hora para achar alguém razoável para substituir você.

Delilah passou a mão no rosto.

– Tá.

– O que você disse?

– Tá bom – respondeu Delilah, praticamente gritando. – Eu vou, sim.

– Ótimo. Já reservei um quarto pra você na Caleidoscópio…

– Espera, eu não vou ficar com a mamãezinha querida?

– … e vou mandar a programação por e-mail. De novo.

Delilah grunhiu e desligou antes que Astrid pudesse desligar na cara dela, então largou o celular no balcão como se o aparelho estivesse pegando fogo. Tirou a tampa de uma garrafa de gim pela metade que estava ao lado da pia e bebeu um gole direto do gargalo. O álcool desceu queimando, fazendo suas narinas arderem e seus olhos lacrimejarem.

Duas semanas. Seriam só duas semanas.

Duas semanas e dinheiro suficiente para três meses de aluguel.

Ela pegou o celular, aquele traidor, e voltou para o quarto. O roupão de Lanier caiu no chão e ela encontrou, amarrotado ao lado da cômoda, o macacão preto sem alças que deixava as tatuagens de seus braços à mostra. Depois de vesti-lo, ficou uns dez segundos procurando a calcinha, a roxa rendada que era sua favorita, mas não a encontrou em lugar nenhum.

– Foda-se – disse, pendurando a bolsa no ombro e juntando a massa de cachos escuros em um coque bagunçado.

Achou o salto dez vermelho ao lado da foto imensa em preto e branco apoiada na parede. A imagem mostrava uma mulher branca com um vestido também branco de tecido fino e rímel escorrendo no rosto molhado, encarando a câmera. Ela estava em uma banheira, o vestido totalmente encharcado e transparente, os mamilos quase escondidos pela linha da água e os dedos agarrando a borda da banheira branca enferrujada. Era de Delilah, uma das quatro obras da exposição na Fitz. Lembranças de Leila-Lucy-Luna pagando pela imagem em dinheiro vivo e depois enfiando a língua na boca de Delilah afloraram. A porcaria do nome ainda brincava de esconde-esconde.

– Opa – disse a mulher, levantando a cabeça da pilha de travesseiros e olhando para Delilah com os olhos semicerrados, iluminada pela luz da cidade, o cabelo bagunçado. – Espera, você está indo embora?

– Hã, tô… – respondeu Delilah, calçando os sapatos e verificando se a carteira estava dentro da bolsa, as chaves, o cartão do metrô. – Valeu, foi legal.

Leah sorriu.

– Foi, sim. Tem certeza que não quer voltar pra cama?

Ela levantou uma sobrancelha enquanto a coberta caía só o suficiente sobre seu peito para revelar uma faixa de pele encantadora.

– Bem que eu queria – falou Delilah, indo para a porta.

A oferta era tentadora, mas sua mente já estava em outro lugar, em seu apartamento, vasculhando as roupas que precisava levar para o casamento e todos os brunches e chás e, meu Deus, despedidas de solteira que Astrid tinha planejado.

Astrid e seu pelotão de meninas malvadas.

London pareceu decepcionada.

– Ah. Tá. Bom… manda mensagem?

Delilah deu as costas para a mulher e foi em direção ao corredor, levantando a mão ao abrir a porta.

– Com certeza. Mando, sim.

Mas sabia que não ia mandar.

Nunca mandava.

No metrô, voltando para o apartamento em Bed-Stuy, ela se deu conta da realidade do que estava prestes a fazer. Voltar para Bright Falls era uma coisa, mas passar duas semanas à disposição de Astrid e Isabel seria insuportável.

E Delilah não tinha nenhuma intenção de facilitar as coisas para elas.

CAPÍTULO DOIS

CLAIRE ESVAZIOU A TAÇA DE VINHO pela segunda vez naquela noite e depois a apoiou na mesa de madeira rústica com uma força um tanto exagerada.

– Relaxa – disse Iris, sentada à sua frente, mexendo a laranja no coquetel de vodca e refrigerante.

– O que você acha que estou tentando fazer? – perguntou Claire, servindo um pouco mais de Syrah em sua taça.

Ela sabia que se arrependeria, porque vinho tinto sempre lhe dava dor de cabeça, mas Ruby ia passar a noite na casa de Josh pela primeira vez depois de dois anos, aí ela dissera a Iris que queria sair, espairecer, ficar longe de Josh e daquele sorriso implacável que dizia *Sou um cara legal!* e daqueles olhos castanhos reluzentes. Então ali estava ela, meio bêbada, na Taverna da Stella, o único bar de Bright Falls, tentando não hiperventilar. O jukebox neon, no canto do salão, tocava uma música country horrível.

– Acho que o álcool não está ajudando – comentou Iris.

Virou a cabeça e analisou as pessoas. A maioria eram caras jogando sinuca e um bando de universitários que tinham vindo passar o verão em casa.

– É, não está mesmo.

– Quer ir pra outro lugar? – Iris apertou sua mão. – Podemos voltar pra sua casa e ver um filme.

Claire balançou a cabeça. Estava inquieta, como quando experimentara maconha com Josh no último ano da escola e passara duas horas com o coração a mil. Precisava gastar um pouco de energia, e ficar sentada em um sofá bebendo e comendo restos de pizza não ia ajudar em nada.

– Eu só preciso de alguma distração – disse.

Iris ergueu as sobrancelhas.

– Que tipo de distração?

Sua voz saiu em tom de provocação, e Claire sabia exatamente aonde a amiga queria chegar. Iris estava sempre lendo romances e era famosa por tentar cultivar finais felizes para as amigas, ainda que só durassem uma noite.

– Tipo… – Iris fez um gesto com as mãos, instigando Claire a continuar. Claire revirou os olhos, mas sorriu.

– Tá, tá bom. Isso. Esse tipo de distração mesmo.

– É?

– É.

Iris juntou as mãos, batendo as palmas uma vez, e as esfregou como uma vilã malvada.

– Aí sim! Faz uma eternidade que você não transa com ninguém.

Claire soltou um "Shhh!" e se inclinou para a frente.

– Dá pra ser mais discreta?

– *Ser mais discreta* não vai te ajudar a pegar ninguém.

– Ah, meu Deus, será que dá pra você…

– Aí, Bright Falls! – disse Iris, em voz alta, colocando as mãos em volta da boca e se levantando.

Cabeças se viraram em sua direção, as bocas já sorrindo como sempre acontecia quando Iris Kelly erguia a voz.

– Quem aí quer uma chance com essa bela dama que está aqui comigo? Ela está precisando desesperadamente de uma boa trep…

– Ai, meu Deus, Iris!

Claire puxou a blusinha leve sem mangas da melhor amiga, quase torcendo para ter rasgado a bainha. Iris se jogou de volta na cadeira enquanto o rosto da outra ardia como se fosse o núcleo do Sol. Todos estavam olhando para elas, muitos erguendo a sobrancelha. Matthew Tilden, que fazia comentários extremamente inadequados sobre a bunda de Claire na escola, se virou no banco do bar e levantou a cerveja em um brinde na direção dela. Hannah Li, que era a professora do jardim de infância, pelo amor de Deus, abriu um sorriso tão lindo antes de piscar os cílios compridos que o estômago de Claire se revirou.

– Qual é a sua, Ris? – perguntou Claire.

– Achei que você quisesse conhecer alguém, ué – disse Iris, o sorriso desaparecendo enquanto ela se inclinava sobre a mesa, o cabelo ruivo incandescente caindo no rosto.

Iris dava mil por cento em tudo o que fazia. Claire ficava por volta dos dez.

– Eu queria. Eu quero. É que...

Claire soltou um suspiro. Ela não era boa nessa coisa de encontros, romance, sexo. Nunca tinha transado só por transar com ninguém, nunca tivera um amigo, ou amiga, colorido. Fora mãe aos 19 anos, não tinha tempo para isso. Mas ultimamente andava pensando em começar a sair de novo. *Pensando.* Ainda não tinha tomado uma atitude. Não tivera tempo. Entre administrar a livraria e ser mãe de uma pré-adolescente, ela caía na cama toda noite por volta das dez, assim que Ruby dormia.

– Faz quanto tempo? – perguntou Iris.

A boca de Claire se abriu e se fechou depressa. Fazia um tempo. Não, mais que um tempo.

– Tá – disse Iris. – Um tempão. Quem foi?

– O quê?

– A última pessoa com quem você transou. Caramba, a última pessoa com quem você *saiu.*

Claire bebeu mais um gole de vinho. A resposta deixaria o coração romântico de Iris escandalizado.

– Nathan.

Iris quase engasgou com a bebida.

– Nathan? Meu assistente? Com quem eu te incentivei a ficar porque vocês dois são absurdamente detalhistas e eu achei que talvez se dessem bem falando de sistemas de organização ou alguma coisa do tipo? O Nathan, que você levou pra jantar em um *food truck* de sanduíche de lagosta lá em Astoria e depois desapareceu, o que deixou o clima bem estranho pra mim lá na loja na semana seguinte? Esse Nathan?

Claire se ajeitou na cadeira, tirando os óculos de armação roxo-escura e limpando as lentes na blusa sem dizer nada.

– Isso foi há seis meses, Claire. *Seis meses.* Eu não sabia que o caso era tão grave.

Ela não tinha combinado com Nathan, só isso. Ele era um cara legal – lindo, com certeza, e bem que Claire se sentira atraída por ele –, mas naquela semana Ruby tinha brigado sério com a melhor amiga pela primeira vez, o que fizera Claire tentar, inutilmente, descobrir como ajudar a filha a lidar com o inferno que podiam ser as amizades no quinto ano. E ainda estava finalizando uma pequena reforma na livraria, seu maior projeto desde que assumira o negócio da mãe. Era importante, havia muitas coisas em jogo.

– E eu sei que você não dormiu com ele – disse Iris.

Claire levantou a sobrancelha.

– Ele é do tipo que sai contando vantagem?

– Não. Ele é elegantíssimo. Mas lembro muito bem que no dia seguinte você estava tensa como sempre.

Claire mostrou o dedo do meio para a amiga.

Iris bebeu um gole do coquetel e inclinou o corpo para a frente.

– Assim, por favor, *por favor*, me diz que a última vez que você transou não foi com o pai da sua filha linda, preciosa e dona do meu coração. Diz que não foi a última vez.

Claire ficou paralisada, a confissão na ponta da língua. Mas então percebeu que nem era verdade e levantou a mão em um gesto casual.

– Ah, fala sério, Iris, você sabe que não foi.

– Eu não sei de nada.

– Eu sempre conto tudo pra você.

Ou quase tudo. Ela e Josh tinham se separado havia nove anos. O coração dela ficava apertado só de lembrar: a gritaria, o choro, Ruby e seus olhinhos de criança de 2 anos arregalados e assustados enquanto a mãe e o pai, jovens demais, se digladiavam.

– Bom, eu devo estar com algum problema de memória – falou Iris, olhando o bar lotado ao redor. – Cadê a Astrid? Ela costuma anotar essas coisas.

– Que coisas? Minha vida sexual?

– De todas nós, inclusive a dela. – Iris levantou a mão, fingindo escrever no ar e falando com um sotaque elegante que não tinha nada a ver com Astrid. – Segunda-feira, 3 de maio, 21h23. Hoje deixei Spencer me penetrar, o que foi bastante excitante. Da próxima vez, talvez eu me aventure e tente a vaqueira invertida. Ele fica pedindo anal, mas eu…

– Meu Deus do céu, para com isso – disse Claire, rindo. – Ela *não anota* isso no planner.

– Ela escreve *alguma coisa* pós-coito. Isso eu garanto.

– Ela gosta de organização. E foi você quem personalizou o planner dela.

– É, e coloquei uma caixinha ao final de cada dia que diz *Sexo: sim, não, talvez*, só pra ela.

Claire caiu na gargalhada.

– Mentira que você fez isso!

Iris deu uma piscadinha e bebeu mais um gole. Elas eram melhores amigas desde o quinto ano, quando Iris e Claire se mudaram para Bright Falls. A única vez que se separaram foi durante os quatro anos que Astrid e Iris passaram na faculdade enquanto Claire lidava com uma surpresinha em forma de filha. As amigas voltaram para Bright Falls depois da formatura, o trio se reuniu e Claire nunca ficou tão aliviada. Astrid e Iris fizeram de tudo para apoiá-la nos primeiros anos de vida de Ruby, mas ela se recusava a deixar que as duas abandonassem a própria vida. Além do mais, Claire tinha Josh.

Até não ter mais.

Mesmo assim, conseguiu se virar, após ter um bebê aos 19 anos, se apaixonar perdidamente pela filha e sobreviver ao fim do relacionamento com Josh.

Mas nunca ficou tão feliz quanto ao ver as amigas voltando para Bright Falls. Astrid, com um diploma de administração de Berkeley, assumiu a empresa de design de interiores muito lucrativa de Lindy Westbrook quando a mulher se aposentou, e Iris trabalhou como contadora até economizar o bastante para abrir a Desejos de Papel, sua papelaria, perto da livraria da família de Claire na Linden Street, no centro da cidade. Iris era extremamente talentosa – vendia uma linha autoral de planners personalizados e tinha mais de 50 mil seguidores no Instagram – e Astrid revitalizou praticamente sozinha metade das casas de Bright Falls.

Agora Claire administrava quase sem a ajuda de ninguém a Livraria Rio Selvagem, que sua avó abrira nos anos 1960, e estava fazendo de tudo para trazê-la para este século. A mãe a deixava fazer o que quisesse, mas para fazer o que ela queria – instalar um café, pendurar obras de artistas locais nas paredes, abrir um e-commerce – era preciso dinheiro, muito dinheiro. Até então, tinha conseguido renovar as prateleiras e paredes e montar uma pequena área de leitura, com sofás de couro macios no meio da loja, mas só isso. Ainda assim, era um começo.

Claire bebeu mais um gole de vinho, o que esvaziou a taça.

– Nicole Berry.

Claire disse o nome baixinho, mas ainda assim o som causou uma leve fisgada em algum lugar em seu peito. Ela não tinha só transado com Nicole, elas tinham namorado. Durou cinco semanas, até que Claire quis apresentá-la a Ruby e Nicole se apavorou imediatamente. Ela gostava de Nicole. Muito. Poderia até chegar a amá-la, se Nicole tivesse dado uma chance ao relacionamento.

Iris fez uma careta.

– Nicole.

– É, Nicole – disse Claire, com uma leveza que contradizia seus sentimentos. – Ela era linda, né?

E como era. Cabelo sedoso, pernas compridas com as quais ela envolvia o quadril de Claire de um jeito que…

Ao lembrar, ela apertou as coxas uma contra a outra. Meu Deus, fazia muito tempo mesmo.

– Ah, claro, sim, maravilhosa – respondeu Iris, com delicadeza. Ela sabia quanto o fim daquele relacionamento tinha doído. – E isso faz dois anos. *Dois anos*, Claire. Faz dois anos que você não…? – Ela balançou os seios discretamente, e havia bastante deles para balançar.

– Ah, fala sério, ninguém tem tempo pra sexo, Ris. – Foi sua resposta brilhante.

Iris olhou para ela como quem diz *ah, coitadinha*.

– Isso não é verdade, e você sabe disso. Eu transo o tempo todo.

– *Você* tem namorado.

– E *você* tem um vibrador.

Ela levantou a taça vazia em um brinde.

– Ah, isso eu tenho mesmo.

– E ele está muito, muito cansado.

Claire riu, mas não pôde negar. Tinha carregado a bateria pelo menos duas vezes no último mês.

Iris bateu o copo na taça da amiga e Claire esvaziou os pulmões pela primeira vez naquela noite. Desde que Josh tinha voltado para a cidade, dois meses antes – jurando que desta vez era para ficar, que ia abrir uma construtora em vez de ficar só fazendo bicos para a empresa do amigo, Holden, que queria estar presente na vida de Ruby –, ela estava no limite.

E, com Astrid girando que nem um pião desgovernado, o casamento com

Spencer se aproximando como uma nuvem escura no horizonte... bom, digamos que Claire merecia umas bebidas.

– Como estão as coisas? – perguntou Iris, lendo a mente da amiga como sempre. – Com Josh.

Claire deu de ombros.

– Ruby adora o pai.

– E vamos deixar por isso mesmo?

Claire soltou um longo suspiro. Josh era o pai da menina, e ela sempre o amara. Mas, caramba, se ele alimentasse as esperanças de Ruby só para desaparecer mais uma vez, ela o mataria. Tipo, literalmente. Seria uma morte lenta e dolorosa. Ela já tinha pessoas demais em sua vida em quem não podia confiar e não queria que Ruby crescesse com os mesmos fantasmas.

Deu uma olhada no celular. Tirando o horário e a foto do rosto sorridente da filha, não havia nada na tela. Nenhuma mensagem de Josh. Sua visão embaçou a ponto de ela perceber que mais uma bebida a deixaria negligente, e ela não faria isso na frente de Josh. Ele nunca usaria isso contra ela – ou, pelo menos, era o que pensava –, mas Claire estava tentando dar um bom exemplo de responsabilidade parental.

– É melhor eu ir embora – disse.

– Mas e a sua distração?

Ela levantou a mão.

– Isso pode ficar pra depois.

– Astrid ainda nem chegou.

Claire massageou as têmporas. Tudo em sua vida se fundindo em uma dor de cabeça atrás dos olhos.

– Quero dar uma olhada na Ruby lá na casa do Josh antes que ela vá dormir.

– Dar uma olhada no Josh, você quer dizer.

– Você me julga?

Iris balançou a cabeça.

– De jeito nenhum. Você sabe disso, né?

Claire tirou umas notas da carteira.

– Eu sei.

– Eu te amo, sua necessitada de sexo.

Claire riu.

– É bom mesmo.

– Pra sempre. – Ela estendeu a mão e deteve a de Claire, que ainda segurava a carteira. – Então vamos fazer isso sem pressa.

– Isso o quê?

– Te arranjar um encontro. Achar alguém que te interesse.

– Tá bom – disse Claire, cautelosa. – O que você…

– Um número de telefone. Só isso. É só pedir o telefone de alguém esta noite. Comece por aí.

Os ombros de Claire imediatamente se curvaram. Ela sempre conhecera as pessoas com quem se relacionara de maneira orgânica. Josh era seu namorado de escola. Nicole era uma autora local que escrevia livros de culinária vegana e tinha ido à livraria autografar sua obra mais recente de sobremesas à base de vegetais. Claire organizara a tarde de autógrafos, elas começaram a conversar e pronto. Iris havia armado o encontro com Nathan. Ela nunca tinha conhecido ninguém em um bar, mas, vendo Iris fazer isso pelo menos umas dez vezes desde que saíram da escola, sempre ficou imaginando como era, a emoção e o frio na barriga.

Claire se obrigou a relaxar. Fora para isso que tinha saído, afinal de contas. Queria… alguma coisa. Precisava de alguém – ainda que fosse apenas uma *possibilidade* – para garantir que não ia ter uma recaída com Josh. Não estava apaixonada por ele, sabia disso. Mas seu corpo ficava idiota perto dele. Sempre fora assim.

Isso não mudava o fato de que a ideia de abordar uma pessoa estranha e simplesmente dizer *E aí?*, no melhor estilo Joey de *Friends*, a deixava enjoada.

– A partir de amanhã – disse Iris, sentindo o surto iminente da amiga –, vamos ficar amarradas durante duas semanas inteiras com as baboseiras do casamento.

– Baboseiras?

Iris a ignorou.

– Estamos falando de brunches, toalhinhas de renda, manicures e uma despedida de solteira totalmente assexuada.

Claire riu, lembrando que Astrid tinha proibido qualquer objeto fálico em sua festa. Nada de canudinhos e bolos em formato de pênis e, acima de tudo, nada de vibradores. Iris estava muito decepcionada.

– Isso sem falar que vamos precisar ter aquela conversinha com a Astrid – disse Iris, abaixando o tom de voz e se inclinando para a frente –, e talvez ela vá nos odiar pelo resto da vida.

Claire fechou os olhos e respirou lentamente pelo nariz. Desde que Astrid tinha deixado até mesmo Iris chocada e sem palavras alguns meses antes ao anunciar que ia se casar com Spencer Hale, com quem estava namorando havia menos de três meses e com quem suas melhores amigas mal tinham interagido, Claire e Iris estavam vivendo em um leve estado de pânico. Ele era lindo e rico, além de ser o único dentista da cidade, e parecia não conseguir terminar uma refeição sem fazer algum pedido ridículo para Astrid.

Pode me passar o sal, bebê?

Pode pedir pro garçom trazer mais uma cerveja, bebê?

Você não queria o resto das fritas, né, bebê?

E o pior era que Astrid sempre atendia, ainda que a porra do sal estivesse bem na frente daquela carinha de bom moço de Spencer.

Iris e Claire sempre diziam que iam conversar com ela sobre isso, traçar um plano, mas as semanas viraram meses e elas ainda não tinham encontrado uma maneira de explicar a Astrid que o tal amor da sua vida era um completo babaca. Porque ele era o pior tipo de babaca, sorrateiro e sorridente. Muitas vezes, Claire não sabia dizer o que exatamente a incomodava tanto naquele homem. Só que, sempre que estava no mesmo ambiente que ele, se sentia na presença de uma cobra venenosa, o que não era exatamente um motivo para dizer a Astrid que não era amor, era cilada. Além disso, Astrid gostava de fatos, números, e nem Claire nem Iris tinham isso para dar, só uma sensação ruim que não conseguiam deixar para lá.

– E aí? – perguntou Claire.

– E aí que as próximas duas semanas vão ser um saco, e você nunca vai encontrar alguém na Casa de Chá da Vivian nem no spa do Vinhedo Lírio Azul.

Claire hesitou.

– Ué, podem acontecer umas coisas bem safadinhas em um spa.

– Não nos do tipo que Astrid frequenta.

– Nunca se sabe.

Iris se inclinou para a frente.

– Você está me dizendo que pegaria a massagista se ela estivesse a fim?

Tipo… – ela baixou o olhar até a região supostamente negligenciada do corpo de Claire e ergueu as sobrancelhas – … pegaria *mesmo*?

– Pegaria, ué.

– Duvido.

Claire levantou as mãos e as deixou cair novamente.

– Tá, tá bom, eu prefiro ter um encontro primeiro. Pode me crucificar.

– Eu sei. Você não é do tipo casual, e tudo bem. Por isso, um número de telefone. Sei que você detesta o Tinder e outros apps tipo o Salad Match.

– Eu não detesto, é que… Espera aí, o que é Salad Match?

– Você encontra sua alma gêmea considerando seu gosto por salada. Existe mesmo.

– Meu Deus.

– Pois é.

Claire esfregou os olhos embaixo dos óculos. O mundo dos encontros era assustador. Não que ela se aventurasse muito nele. Tinha se arriscado de leve com Nicole, e fora o bastante.

– Eu tenho uma filha pra criar, Ris.

O olhar de Iris suavizou, e ela estendeu a mão para apertar a da Claire.

– Eu sei. Você deu duro, abriu mão de um monte de coisa e agora tem uma filha incrível.

Claire sentiu a garganta quase se fechar com a emoção na voz da amiga.

– Ris…

– Que é mais um motivo pra se dar ao luxo de um orgasmo que não seja autoinduzido.

Claire sorriu e Iris ficou com aquele brilho nos olhos, o mesmo de quando estava criando um planner ou quando comprava um jogo novinho de canetas. Aquele brilho de *não trabalhamos com desistências*.

– Tá. – Claire endireitou a postura, jogou os ombros para trás e alongou o pescoço para um lado e para o outro, como se estivesse se preparando para uma luta de boxe. – Tá. Eu consigo.

– É claro que consegue.

– Eu sou gata, né?

– Gata e fodona.

Ela sacudiu as mãos.

– Só um telefone. Não deve ser tão difícil.

– É fácil. Todo mundo aqui quer seu telefone.

– Eu não diria todo mundo.

– Eu diria. – Iris estendeu a mão e deu um tapinha nas costas de Claire, gritando: – Vai lá, gostosa! – Então se sentou e voltou a beber o drinque com um sorriso animado no rosto.

Claire se virou na cadeira e encarou o balcão envernizado, observando a agitação por alguns segundos. Ela olhou para Iris por sobre o ombro.

– Um telefone.

– Um telefone. Só isso. Um telefone *válido*, de uma pessoa que você ache mesmo bonita ou interessante ou o que quer que esteja acendendo esse fogo aí hoje em dia.

Claire mostrou a língua para a amiga.

– Guarda essa língua pra coisas mais interessantes, amada – disse Iris, piscando.

Claire riu.

– Tá bom. Tá bom.

Ela se virou de novo, respirando fundo. A Taverna da Stella estava cheia. Era assim nos finais de semana – e em qualquer outra noite, para falar a verdade. Bright Falls era um charme, e ela adorava a cidade, mas só tinha um punhado de lojas, cuja maioria fechava às seis em ponto, e poucos restaurantes, então o único bar da cidade ficava sempre cheio mesmo. Ela observou as mesas ao redor, esperando encontrar Hannah Li mais uma vez. Ela com certeza ficaria mais à vontade para abordar uma mulher ou uma pessoa não binária.

Desde que se assumira bi, ainda no colégio, sempre se sentira mais atraída por outras pessoas lgbtq+ ou lésbicas mais femininas. Josh fora uma das poucas exceções, e uma exceção e tanto. Ainda assim, ela conhecia todas as mulheres queer da cidade, e metade delas já era casada ou estava namorando – inclusive Iris, que se descobrira bi no segundo ano da faculdade e sempre seria mais irmã que parceira em potencial. Então a possibilidade de haver uma solteira na Taverna da Stella era quase inexistente.

E Hannah não parecia estar em lugar nenhum, nem à mesa onde estava antes nem junto do balcão.

Claire estava prestes a se virar de volta para Iris, pronta para desistir, quando seus olhos se fixaram em um jeans preto justo.

A mulher era branca e tinha acabado de chegar ao bar, com uma mala de rodinhas. Seu cabelo era preto e cacheado, bem volumoso. Ela estava de costas para o salão, e Claire não conseguiu tirar os olhos quando ela se inclinou sobre o balcão para pedir um drinque a Tom, o barman da noite, ficando na ponta dos pés de bota preta. Tatuagens cobriam seus braços nus. Meu Deus, Claire adorava um braço bem tatuado.

E aquele jeans. Aquele jeans era lindo.

– É isso aí! – disse Iris atrás dela.

Claire se virou.

– Você nem sabe para quem estou olhando.

– Ai, me poupe. – Iris fez um gesto com o copo em direção à mulher tatuada. – Você tem uma preferência clara, e ela preenche todos os requisitos, toda taciturna e misteriosa.

Claire abriu a boca para protestar, mas, quando Iris tinha razão, não havia por que discutir. Passou as mãos pela calça, se certificou de que a gola da blusa estava certinha e ajustou os óculos. Então se levantou e caminhou até o balcão.

CAPÍTULO TRÊS

O CHEIRO DA TAVERNA DA STELLA era exatamente o mesmo da última vez que Delilah estivera ali – álcool, suor e serragem da serraria que ficava nos arredores da cidade, trazida na sola das botas de trabalhadores grandes e corpulentos.

Ela não tinha planejado passar no bar quando saísse do carro que chamara pelo aplicativo de motoristas. Mas bastaram quinze segundos observando o centro escuro de Bright Falls para lembrar que a cidade inteira fechava assim que o sol desaparecia, mesmo aos sábados. A pousada onde ia ficar com certeza não tinha licença para vender bebidas alcoólicas, e ela jamais conseguiria lidar com a irmã postiça e a madrasta sem um pouco de coragem líquida.

Depois de entrar, no entanto, ela hesitou, ficando de pernas bambas de repente quando as risadas e a música alcançaram seus ouvidos. Fazia cinco anos que não ia a Bright Falls. Cinco anos que tinha deixado Nova York, deixado Jax e sua boca mentirosa por isto: o aconchego da cidade, todas aquelas caras que se conheciam desde sempre, aquele clubinho do qual ela nunca sentira fazer parte, mas que ainda assim a fascinava. Desde que havia se mudado de Seattle para lá com o pai, ela com 8 anos, ele com uma aliança novinha no dedo, era assim, parecia que ela estava do lado de fora de uma casa iluminada e acolhedora, na chuva, batendo na janela. E tudo ficara ainda pior com a morte do pai, dois anos depois, deixando Delilah com uma madrasta e uma irmã postiça que não tinham a menor ideia do que fazer com ela.

Delilah respirou fundo e olhou para o balcão. Ficava a uns trinta passos de onde ela estava, um mar de corpos entre ela e uma bebida. Ela morava em Nova York. Era artista. Uma artista que estava passando por perrengues, sim, mas uma artista, caramba. Essa cidade, sua *família*, não ia derrotá-la. Nunca mais.

Ela tirou a jaqueta cinza e a largou por cima da mala. O ar úmido e alcoólico pareceu grudar em seus braços, mas era melhor que sufocar de casaco. Virando o corpo para encostar no menor número possível de pessoas, manteve a cabeça baixa e andou rápido até o bar. Ali, soltou o ar aliviada. O barman era um desconhecido, não alguém com quem ela havia estudado no ensino médio e que a encararia franzindo os olhos como se ela fosse um quebra-cabeça que ele não conseguia resolver. Ela era praticamente invisível nos tempos de escola, um fantasma com uma nuvem de cabelos escuros rebeldes e olhos azuis que ela mantinha no piso de lajotas sujas, a gótica esquisita, enquanto Astrid brilhava como uma estrela no baile.

– Uísque, puro – disse, deixando a mala ao lado de uma banqueta e apoiando os braços no balcão.

O cara – *Tom*, dizia seu crachá – sorriu, piscou para ela e serviu a dose com um gesto exagerado, despejando-o de uma altura de uns 60 centímetros.

Ela ficou olhando para ele, tamborilando as unhas curtas pintadas de cinza no balcão reluzente.

Ele colocou a bebida na frente dela e se apoiou no balcão. Cabelo bagunçado, barba aparada, olhos castanho-escuros. Provavelmente era bonitinho para quem apreciava a forma masculina.

– Obrigada – disse ela, virando o copo.

A bebida desceu queimando, aquecendo-a de um jeito que fez aquele maldito casamento parecer suportável. Porém, ela sabia que não ia durar.

– Você é daqui? – perguntou ele.

Ela se segurou para não revirar os olhos.

– Não faço seu tipo – disse.

O sorriso dele fraquejou.

– Não?

– Não.

– Acho que talvez faça.

Delilah bateu no copo, pedindo mais uma dose, e ele obedeceu de um jeito ainda mais exagerado que antes, lançando o copo *e* a garrafa no ar. Ah, como ela queria que ele tivesse derrubado tudo. Ao entregar-lhe a bebida, ficou olhando para ela com expectativa. Ela bebeu mais devagar desta vez, encarando-o com um olhar capaz de abrir um buraco na parede, na esperança de que ele corresse para longe.

Ele não correu.

Ela se sentou na banqueta, sabendo que aquilo talvez acabasse com ela saindo do armário para um desconhecido, como tinha feito tantas vezes, o que provavelmente seria acompanhado de alguma piada horrível sobre fazer um ménage, que aquele babaca acreditaria ser sexy.

Enquanto repassava a lista de roteiros *Sou lésbica* na cabeça, alguém se aproximou do balcão ao seu lado. Pelo canto do olho, ela viu que era uma mulher branca com cabelo castanho-claro em um coque frouxo, franja grossa penteada para o lado, óculos de armação roxo-escura e blusa vintage coral estampada de bolinhas brancas. Delilah virou mais um pouco a cabeça, observando o jeans escuro de cintura alta que abraçava um quadril curvilíneo, os braços macios e as unhas pintadas de lavanda, com as pontas lascadas.

E a mulher também se virou, e seus olhos se encontraram.

Delilah respirou fundo.

A mulher era maravilhosa. Olhos castanho-escuros, cílios longos, maçãs do rosto salientes e uma boca de um vermelho vivo, com o lábio inferior carnudo, que Delilah logo quis mordiscar. Ela se lembrou de ter exatamente essa fantasia no colégio, sempre que Claire Sutherland ia à Casa das Glicínias fazer o que quer que Astrid e seu clã faziam enquanto Delilah ficava no quarto sozinha. Claire fora uma das garotas que, sem saber, ajudaram Delilah a se descobrir lésbica. Era curvilínea e fazia o estilo nerd sexy, e Delilah viu que continuava assim, o quadril e a bunda um pouco mais largos do que no colégio. Ela ainda estava um espetáculo.

E agora, doze anos depois, a julgar pelo sorriso amigável que enfeitava a bela boca de Claire, ela com certeza não estava reconhecendo Delilah.

De jeito nenhum.

Não era exatamente uma surpresa. Na infância, Delilah vira Claire e aquela ruiva escandalosa, Iris, com Astrid sempre de longe. Depois que o pai de Delilah morrera, quando elas tinham 10 anos, Isabel havia se fechado completamente em seu luto por um tempo. Então, Astrid e Delilah tiveram que se virar praticamente sozinhas naquele primeiro ano. Astrid se apegara às novas amigas em busca de consolo, e Delilah se refugiara nos livros que ganhara do pai, nos mundos fantásticos onde órfãos eram heróis e a criança esquisitinha sempre se destacava no final. Tinha curiosidade em relação às amigas de Astrid, sobretudo porque nunca tivera nenhuma. Perdera a mãe aos 3 anos, e a natureza caladona do pai fizera com que os dois acabassem ficando cada um em seu mundinho. Delilah era observadora, atenta, e o pai sempre a elogiara por isso. Mas, depois da morte dele, tudo em Delilah de repente se tornara estranho e indesejável. Ela ouvia os sussurros quando Iris e Claire estavam na casa: *Por que a sua irmã é tão esquisita? É ela ali espiando a gente? Ah, meu Deus, não dá nem pra ver o rosto dela de tanto cabelo.* Astrid mandava as duas ficarem quietas e Isabel dizia coisas benevolentes como: *Ah, Delilah, você não quer assistir ao filme com a gente?*, mas as três garotas ficavam caladas, obviamente paralisadas pelo medo de que Delilah aceitasse, e Isabel não fazia nada para de fato impor sua sugestão.

Então Delilah mantinha distância e só falava quando alguém lhe perguntava alguma coisa, o que não acontecia com frequência. A solidão acabou ficando tão pesada que tinha a sensação de que ia sufocar sentada no quarto sozinha. Tinha pesadelos em que morria assim e ninguém percebia sua ausência por várias semanas.

Quando ela e Astrid chegaram ao ensino médio, todas já tinham uma rotina. Delilah era o mais discreta possível, vagando por seu mundo interior e só interagindo com alguns colegas das aulas de arte. Isabel as obrigava a jantar em família todas as noites, fazia caridade e tinha obsessão pelo sucesso, pela beleza e pelo status de Astrid. E Astrid, embora Delilah às vezes a visse resistir à mãe cada vez mais controladora, virou a queridinha da cidade, sempre sorridente e cercada por admiradores.

Inclusive Claire Sutherland. Então é claro que agora ela não reconhecia Delilah. Além disso, os últimos anos tinham sido gentis com Delilah. Ela enfim descobrira como cuidar do cabelo cacheado para deixá-lo especialmente bonito, e todas as tatuagens que cobriam seus braços tinham sido feitas nos últimos cinco anos. Ela sabia que estava diferente de quando era adolescente e de quando tinha 25 anos, na última vez que estivera na cidade. Usava menos maquiagem e roupas com um caimento melhor.

Ainda assim, o vazio no olhar de Claire era como um tapa na cara.

– Oi – disse Claire, e baixou o olhar, os cílios parecendo abanar as bochechas, os lábios se curvando no menor dos sorrisos.

Ela colocou uma mecha solta de cabelo atrás da orelha e respirou fundo.

Delilah levantou a sobrancelha. Será que ela estava…? É, estava, sim. Claire Sutherland estava corando, o rosa florescendo em suas bochechas redondas como se ela tivesse saído no vento. Ela observou a postura de Claire: um joelho dobrado, o quadril levemente empinado, os braços apoiados no balcão pertinho do braço de Delilah, a ponto de quase sentir os pelinhos na pele de Claire. Ela olhou para Delilah, sorriu e ficou ainda mais rosada, voltando a abaixar o olhar.

Claire Sutherland estava dando em cima dela.

Dela. Delilah Green, a Alma Penada da Casa das Glicínias. Foi como Astrid, Claire e Iris a chamaram certa vez. Elas tinham por volta de 14 anos e estavam na cozinha – a cozinha que o *pai* de Delilah tinha projetado – quando Delilah entrou para pegar uma maçã. As três estavam falando, rindo, fazendo uma bagunça enquanto assavam biscoitos ou sei lá o quê. Mas a conversa, a movimentação, tudo parou no instante em que Delilah entrou. Suas bochechas arderam – ela se lembrava disso, do fogo que parecia prestes a tomar conta de seu corpo sempre que as amigas da Astrid estavam na casa. Nunca conseguia decidir se era de vergonha, raiva ou desespero por se encaixar.

– Oi, Delilah – disse Claire, naquele dia.

Delilah também se lembrava disso. Claire sempre a cumprimentava, mas ela nunca entendeu *por quê*. Delilah levantou a mão em resposta, o gesto rígido e sem jeito de uma garota solitária de 14 anos, pegou uma das maçãs orgânicas de seis dólares que Isabel insistia em comprar da tigela que ficava em cima da ilha da cozinha e fugiu.

– Nossa – ela ouviu Iris dizer quando saiu. – Por que ela sempre anda assim, na surdina?

– Iris – disse Claire, mas quase rindo.

– O que foi? Ela parece um fantasma, assombrando os corredores da Casa das Glicínias. Não, espera, ela parece uma alma penada.

– Qual é a diferença? – perguntou Astrid.

– Sei lá. Alma penada dá mais medo?

Então Iris soltou um *uuuuuu* trêmulo e as três caíram na gargalhada. No andar de cima, Delilah se fechou no quarto e mordeu a maçã, mastigando com tanta força que se lembrava de ter ficado com medo de quebrar um dente.

E agora ali estava ela, a Alma Penada da Casa das Glicínias, sentada na Taverna da Stella com a atraente Claire Sutherland sorrindo para ela.

– E aí? – disse Delilah, virando-se no banco para ficar de frente para Claire.

Isso permitiu que Claire visse claramente seu rosto, que, olha só, não tinha mudado tanto assim desde os tempos do colégio. Claro, as sobrancelhas naturalmente grossas estavam sob controle e ela havia aprendido a pegar leve no delineador, mas ainda assim…

Ela inclinou a cabeça olhando para Claire, dando-lhe a oportunidade de reconhecê-la.

Claire apenas inclinou a cabeça também, com um sorrisinho discreto nos lábios.

– O que você está bebendo? – perguntou ela.

Delilah ficou olhando para ela por um segundo. Podia dizer a verdade. *Devia* dizer a verdade. Devia abrir a boca naquele instante e dizer: *E aí, lembra de mim?*

Ou…

Podia flertar com aquela mulher maravilhosa – talvez até mais que isso, realizando todos os sonhos que tivera com Claire Sutherland – e ver no que dava. Claire obviamente estava a fim dela. Do contrário, não estaria ali naquele instante, piscando daquele jeito. Uma sensação gostosa e confusa encheu o peito de Delilah ao pensar em acordar ao lado da amiga malvada de Astrid… e *só então* falar a verdade.

O bônus? Astrid viraria bicho.

– Uísque – respondeu Delilah.

Claire fez um gesto pedindo uma dose a Tom e se apoiando no balcão enquanto esperava. Quando o copo deslizou entre seus dedos – após Tom servi-lo sem nenhuma cerimônia enquanto franzia a testa para Delilah –, ela percebeu que as mãos de Claire estavam tremendo.

– Está com frio? – perguntou Delilah, apontando para o uísque.

Claire riu.

– Não. Eu acho… acho que estou nervosa.

Delilah quase caiu na gargalhada. Era perfeito demais.

– Por quê?

Claire bebeu um gole e se virou para ela. Delilah abriu um pouco as pernas, o suficiente para que Claire quase ficasse entre elas. Ela esperava mais um rubor, mas Claire só abaixou o olhar e levantou uma das sobrancelhas.

– Ou talvez eu não tenha motivo para estar nervosa – disse.

– Talvez não – respondeu Delilah.

Claire estreitou os olhos e Delilah se perguntou se ela estava juntando as peças.

– É sempre um risco conversar com uma mulher em um bar – falou Claire. – Não que eu faça isso com frequência.

– Um risco?

Claire assentiu.

– Você pode ser hétero.

Delilah riu, mas não revelou nada.

– E você não é?

– Ah. – E o rubor voltou. – Não, não mesmo.

Delilah se lembrou de quando Claire se assumira bi no colégio. Tinha sido um dia de glória, um dia lindo com os tons do arco-íris. Não que Delilah tivesse alguma ilusão de que Claire pudesse se interessar por ela na época, mas tinha percebido que gostava de garotas na sétima série, e Claire Sutherland então também gostava de mulheres? A jovem Delilah saboreou aquela informação, guardou-a, usou-a para ter confiança quando chegou a Nova York, quando seus dias de alma penada em Bright Falls ficaram para trás e ela percebeu que era bem charmosa e sabia chamar a atenção, que outras mulheres lgbtq+ e pessoas não binárias *gostavam* dela.

– Hum – disse Delilah, apoiando o queixo na mão. – Isso é mesmo um dilema.

Claire riu de novo. Era um som agradável e totalmente despretensioso. Ela não estava de joguinho. Estava só… *fazendo charminho*.

– Você não vai me dar uma pista?

– Ainda não decidi.

– Bom, eu adoraria uma ajudinha. Não sou muito boa nisso.

– No quê?

– Paquerar.

Delilah arregalou os olhos, exagerada.

– *Isso* é você paquerando?

– Ah, meu Deus – disse Claire, baixando o rosto nas mãos.

– Brincadeira – respondeu Delilah, bebendo um gole do bourbon. – Eu sei exatamente o que está acontecendo aqui. Você está tentando me recrutar para uma seita. Já entendi tudo.

Claire levantou a cabeça e riu, os olhos brilhando atrás dos óculos.

– Você me pegou. O profeta está pronto para raspar sua cabeça e marcar um unicórnio na sua bunda.

– Um unicórnio?

– É uma seita queer.

Desta vez foi Delilah quem riu.

– Bom, nesse caso, estou dentro.

Claire abriu os lábios, só um pouquinho.

– Sério? Então você é…

Ela fez uma pausa, esperando que Delilah completasse a frase. Delilah se aproximou até sua boca ficar bem pertinho do ouvido de Claire, os joelhos tocando o quadril dela. Seu cheiro era de campo, de ar fresco, com alguma flor delicada no fundo. Delilah fez cena ao inspirar seu aroma. Ou talvez nem fosse cena. Aquela mulher era engraçada, bonita, tinha uma insegurança encantadora e, por uma fração de segundo, Delilah esqueceu quem ela era.

– Sou muito, *muito* lésbica – sussurrou, soltando as palavras devagar e deixando que seu lábio inferior tocasse a orelha de Claire, que inspirou com suavidade, o som fazendo o estômago de Delilah vibrar.

Claire se afastou, as pupilas totalmente dilatadas.

– É muito bom saber disso.

– Não é? – indagou Delilah.

Elas ficaram olhando uma para a outra por um instante enquanto Delilah pensava em como agir. A pergunta *Qual é o seu nome?* ia surgir a qualquer momento, e ela estava se divertindo demais para estragar aquilo com a verdade. Mas, antes que pudesse se decidir, uma voz familiar interrompeu a música country que ecoava do jukebox.

– … cadê a Claire? Não me diga que ela ficou presa dando uma de babá do Josh.

Ao ouvir o nome dela, tanto Claire quanto Delilah viraram a cabeça na direção da voz. Astrid estava a uns três metros delas, tirando a capa de chuva, com certeza de alguma marca bem cara, falando sem parar com uma ruiva – Iris Kelly, terceira integrante do trio de Astrid – que já estava sentada bebendo alguma coisa incolor.

– Ah, minha amiga chegou – disse Claire.

Delilah resmungou algo, vendo a irmã postiça servir o resto da garrafa de Syrah naquela que devia ser a taça de Claire, enchendo-a quase até a boca.

– Vai com calma, mulher – Delilah ouviu Iris dizer.

– Ela está um pouco estressada – comentou Claire. – Vai se casar daqui a duas semanas.

Delilah se virou para olhar para Claire, que continuava linda, sem perceber nada.

– É mesmo?

Claire assentiu, se aproximou e sussurrou:

– Com um babaca.

Delilah ergueu as sobrancelhas. Ela não conhecia Steven… Spencer? Não, Simon. Isso, Simon. Nunca tinha visto o sujeito, mas aquele comentariozinho, vindo de uma integrante do bando de Astrid, era… interessante.

– É mesmo? – perguntou. – Por que babaca?

Claire deu de ombros.

– Spencer é… – Droga, era Spencer! – exigente.

– Então parece um casal perfeito.

As palavras escaparam, e Claire franziu a testa, semicerrando de leve os olhos. Ela abriu a boca, mas, antes que pudesse dizer alguma coisa, a voz de Astrid as interrompeu mais uma vez.

– Você não vai acreditar no que minha irmã fez – disse Astrid, bebendo um golão do vinho. – Bom, *quase* fez, mas é bem a cara dela…

Ela parou o falatório quando viu Delilah.

– Espera… – falou Claire, se afastando.

Delilah ficou olhando para ela, dava para ver as peças se encaixando. Ela abriu aquela boca linda e arregalou os olhos atrás dos óculos.

– Ah, meu…

– Delilah? – disse Astrid.

Ela se levantou, a taça de vinho ainda na mão. Estava com um jeans skinny escuro, uma camiseta branca justa e um blazer preto sob medida que provavelmente custava mais que o armário inteiro de Delilah. O cabelo louro ia até os ombros, e uma franja desalinhada até as sobrancelhas. Argolas douradas pendiam de suas orelhas e um anel com um diamante gigantesco brilhava no dedo.

– E aí, maninha? – respondeu Delilah, e levantou o copo em um cumprimento antes de virar o restante da bebida. Ela ia precisar.

CAPÍTULO QUATRO

O ROSTO DE CLAIRE QUEIMAVA enquanto ela olhava para aquela mulher, cujo sorriso sedutor tinha virado um sorrisinho irônico. Raiva, confusão, surpresa – tudo isso a atingiu como uma onda.

Aquela era Delilah? A irmã reclusa de Astrid que fora embora assim que fizera 18 anos sem olhar para trás? Ou quase sem olhar para trás, pelo menos. Claire se lembrou de Astrid dizendo todos os anos que Delilah tinha prometido voltar para o Natal e outras datas comemorativas, mas que só apareceu uma ou duas vezes. Teve aquela vinda na primavera uns cinco anos antes, mas Claire não se lembrava de tê-la visto na cidade.

Não que tivesse tentado. Depois de Delilah ter passado a infância inteira praticamente agindo como se Astrid não existisse, Claire tinha poucos motivos para procurá-la e ainda menos vontade. Além disso, cinco anos antes, estava lidando com as consequências de mais um sumiço de Josh, tentando consolar a filha de 6 anos que estava arrasada. Um terremoto poderia ter partido a cidade ao meio e talvez ela nem percebesse.

Ela piscou olhando para a mulher – para *Delilah* –, tentando entender como não tinha percebido. As tatuagens eram novas, e agora ela conseguia ver seu rosto de verdade, enquanto na época do colégio ele estava sempre coberto pelo cabelo, que escondia Delilah do mundo. Claire achava que nem sabia qual era a cor dos olhos da irmã postiça de Astrid, mas agora estava claro como o dia.

Azul.

Tipo, azul-safira. Olhos escuros, profundos e fixos em Claire, desafiadores em conjunto com as sobrancelhas retas.

– Bom te ver, Claire – disse Delilah, largando o copo agora vazio sobre o balcão.

Claire tentou pensar em uma resposta, algo inteligente e forte, mas só conseguiu pensar em um brilhante "Éééé…" enquanto Delilah descia da banqueta e vestia a jaqueta cinza-escuro. Ainda sentia o coração palpitando na garganta, a respiração vibrando no peito com aquele lábio roçando sua orelha.

Delilah. O lábio de Delilah Green.

– O que você está fazendo? – perguntou Astrid quando Delilah foi em direção à mesa.

– Vim beber – respondeu Delilah.

– Puta merda, você está muito diferente – disse Iris.

– E você está exatamente igual – respondeu Delilah.

– Vou aceitar isso como um elogio – declarou Iris, sorrindo para ela.

Delilah deu de ombros e bebeu um gole do vinho de Astrid. Claire continuava paralisada no balcão, os dedos pegajosos segurando o copo. Ela repassou a noite até ali, cada momento desde que a vira entrando no bar. Tinha ficado mesmo *tão* a fim da mulher a ponto de não ligar os pontos? Claramente, porque ainda sentia uma discreta pulsação entre as pernas, que começara no instante em que Delilah tinha se virado para ela, afastando os joelhos e ocupando todo o espaço que queria. O oposto da Delilah Green do colégio.

O oposto da Claire Sutherland adulta, para ser sincera.

Ela balançou a cabeça, virou o restante do bourbon e foi até o grupo.

– Como foi o voo? – perguntou Astrid à irmã.

Delilah riu.

– Não precisamos fazer isso.

Astrid piscou, surpresa, mas depois sua boca se contraiu.

– Tá bom. Boa noite. Você vai lá amanhã?

Delilah soltou um suspiro e bebeu mais um gole do vinho de Astrid.

– Você me mandou a programação das próximas duas semanas. Três vezes. Sei onde preciso estar.

– Eu não sei o que você sabe.

– A gente se vê amanhã ao meio-dia – disse Delilah, bebendo mais um gole.

– Ah, merda – resmungou Iris.

Até Claire ficou tensa. Astrid havia garantido que a programação ficasse gravada na mente de todas elas, e *meio-dia* com certeza não era a resposta certa.

Previsivelmente, o rosto de Astrid se contorceu.

– Dez horas. Dez da manhã para o brunch na Casa de Chá da Vivian. Lembra? Delilah, diz que você lembra.

Atrás do copo, Delilah sorriu e Claire quase gritou com ela. Estava deixando Astrid tensa de propósito.

– Argh, é só ir pra lá, tá? – disse Astrid, pegando a bebida de volta.

Um pouco de vinho tinto espirrou, caindo na mesa de madeira.

– Senhor, sim, senhor – concordou Delilah, com a voz suave, e foi em direção à porta, levando a mala.

Ela olhou para Claire uma vez, um olhar intenso e indecifrável. Claire ergueu o queixo, tentando parecer indiferente, como se flertasse abertamente com as irmãs de suas melhores amigas o tempo todo e soubesse o tempo todo quem Delilah era, é claro. Mas então Delilah levantou uma sobrancelha e deu um sorrisinho irônico de quem não acreditava naquela pose e Claire foi a primeira a desviar o olhar.

Quando Delilah saiu, ela se sentou à mesa e pegou o vinho da mão de Astrid. Queria virar a taça como se fosse água, mas ainda precisava dirigir até em casa e já estava um pouco tonta. Uísque e Syrah provavelmente não eram uma boa mistura. Ela não sabia se a cabeça estava girando por causa do álcool ou de Delilah.

– Então… – começou Iris enquanto elas se acomodavam à mesa. Estava com um sorriso malicioso nos lábios. – Você pegou o telefone ou não?

– Ah, cala a boca – respondeu Claire, e virou o vinho assim mesmo.

– O quê? – perguntou Astrid, fazendo sinal para que Gretchen, a atendente que mantinha todas as mesas felizes, trouxesse mais uma taça. – Telefone de quem?

– De ninguém – disse Claire, olhando para Iris com os olhos semicerrados.

Astrid já estava tensa o bastante com o casamento, e isso porque ela nem fazia ideia de que suas melhores amigas detestavam seu futuro marido. Ela certamente não precisava lidar com o fato de que, nem dez minutos antes, a irmã postiça malvada deixara Claire toda perturbada com um sussurro de nada. Se havia algum assunto delicado na vida de Astrid, esse assunto era Delilah Green. E, para falar a verdade, Claire também estava tentando esquecer completamente aquela interação.

Por sorte, Astrid parecia estar bem distraída. Ela apoiou os cotovelos na mesa, massageando as têmporas com os dedos.

– Estou com dor de cabeça. Faz dez minutos que ela está aqui e eu já estou com dor de cabeça.

Iris estendeu a mão e apertou o braço de Astrid.

– Vai dar tudo certo.

– Não sei o que eu… – Ela respirou fundo e bebeu um gole do vinho. – Não sei o que passou pela cabeça da minha mãe pra pedir que ela fotografasse o casamento.

– Nem eu – falou Iris, e Claire olhou para ela irritada.

– Ela devia estar pensando que amava o pai da Delilah – falou Claire com delicadeza. – E a Delilah é… bom, ela é… – Ela olhou para Iris com os olhos arregalados, pedindo ajuda em silêncio.

– Ela é… parte da… família? – completou Iris devagar, subindo a entonação no final como se fosse um pergunta.

Os ombros de Astrid despencaram.

– É. Ela é, sim. – Então sua coluna ficou reta como uma vareta e ela levantou a mão. – Pelo menos é o que minha mãe diz, e é ela quem assina os cheques. É óbvio que Delilah não viria sem um incentivo.

– Sua mãe ainda usa cheque? – perguntou Iris, e Claire a chutou embaixo da mesa.

– Sabia que ela quase deu pra trás? – disse Astrid, ignorando Iris. – Passei semanas tentando entrar em contato com ela, mandando e-mail, mensagem de texto, mensagem de voz. Ontem eu tive que ligar pra ela às duas da manhã pra conseguir falar com ela.

– Então ela é vampira – concluiu Iris, virando uns cubos de gelo do copo na boca. – Isso explica muita coisa.

– Ris – disse Claire, lançando-lhe mais um olhar irritado.

O relacionamento entre Delilah e Astrid não era nada típico. A mãe de Delilah morrera quando ela tinha só 3 anos – câncer de colo do útero, se Claire lembrava direito – e o pai dela se casara com Isabel, mãe de Astrid, quando as duas tinham 8 anos. Assim, as duas praticamente cresceram juntas.

Astrid contara a elas que Delilah era uma criança quieta desde o início, apegada demais ao pai, o que Claire achava que fazia sentido. Ela sabia bem como era cuidar de uma criança sozinha. Também sabia bem como era ser uma garotinha com apenas um dos pais com quem contar – era uma existência precária, desesperada, quase alimentada pelo pânico. Mas então o pai de Delilah morrera de repente de um aneurisma quando as garotas tinham 10 anos e, como ela não tinha avós nem tios, Isabel acabara como sua única responsável.

Claire se lembrava da primeira vez que fora ao casarão de tijolos em estilo georgiano de Astrid Parker para nadar na piscina azul cristalina que ficava nos fundos. Delilah era uma sombra, olhando para elas por trás daquela massa de cabelo e dos pilares de pedra do pátio. Astrid perguntara duas ou três vezes se ela queria vir brincar, mas Delilah nunca queria, e Iris nunca tinha nada de muito agradável a dizer sobre ela. A sombra acabou desaparecendo, e os anos se passaram sem que nada mudasse. Delilah era um fantasma, um espectro. Claire sempre tentava ser gentil com ela – Iris era mais de implicar, mas elas eram crianças e Delilah era estranha. Elas não sabiam lidar com a estranheza.

Desde que se tornara mãe, Claire às vezes pensava em Delilah. Pelo menos, pensava na garotinha esquisita que ela fora. A própria filha era uma criança peculiar, artística e precoce, que se perdia com frequência nos próprios pensamentos. Ela se perguntava se Delilah também era assim e simplesmente não tivera mãe ou pai que a ajudassem a lidar com isso. Isabel não era muito maternal, e Astrid também era só uma criança.

Nesse momento, Astrid tirou o cabelo do rosto e levantou a taça.

– Tudo bem. Vai dar tudo certo.

– Vai – disse Claire, batendo a taça na dela.

Iris se juntou às amigas, mas olhou para Claire e mexeu os lábios dizendo *telefone* antes de beber um gole.

Claire mostrou o dedo para ela.

As três mulheres estavam bem alteradas quando o celular de Astrid, que estava em cima da mesa, tocou. Ela pegou o aparelho para ler a mensagem, os olhos vidrados parecendo meio loucos, se fosse para Claire ser sincera. Ela e Iris trocaram olhares. Sabiam exatamente quem era. Também sabiam que a noite de bebedeira e farra das melhores amigas estava prestes a chegar ao fim.

– Tenho que ir – anunciou Astrid.

Iris mexeu os lábios falando a frase junto com ela e Claire segurou a risada. Porque, para falar a verdade, não era engraçado.

– É o Spencer.

– São só nove e meia – disse Iris.

– Eu sei, mas ele está cansado – respondeu Astrid, pegando a bolsa.

– E daí? – perguntou Iris.

Claire quis chutá-la. Astrid já estava estressada o bastante.

– E daí que eu também estou cansada – respondeu Astrid, levantando da cadeira. – Vejo vocês de manhã?

– Às onze em ponto – falou Iris.

– Nem brinca – disse Astrid.

Iris riu, se levantou e beijou Astrid no rosto.

– Às dez com guizos e colar com pingente de pinto.

– Você é uma pessoa horrível – declarou Astrid, sorrindo.

– Você me ama.

– Amo mesmo.

Astrid deu a volta para abraçar Claire antes de sair pela porta.

– Mais uma rodada? – perguntou Iris.

– É melhor eu ir também – respondeu Claire. – Tenho que abrir a livraria antes do brunch.

– Você sabe que a Brianne pode fazer isso.

Claire assentiu, mas não disse nada. Brianne, sua gerente muito competente, *ia* fazer isso, mas ela estava começando a ficar incomodada. Ruby geralmente ia para a cama às nove e meia. Ela queria dar boa-noite à filha e se certificar de que seria mesmo uma boa noite, que Josh não ia deixá-la ficar acordada até meia-noite assistindo a filmes ruins e comendo quilos de açúcar como na última vez que ele estivera na cidade.

Tá, tudo bem, ele não tinha dado quilos de açúcar para a filha, mas substituíra o jantar por biscoitos caseiros com gotas de chocolate.

– Você não me engana, sabia? – disse Iris, já pegando a carteira. – Está bem pra dirigir?

Claire olhou para o bar ainda cheio, fazendo uma autoavaliação. Não estava bêbada, mas se sentia alterada o bastante para não querer arriscar.

– Não, mas posso ir andando até a casa do Josh.

Ele morava no centro, a duas quadras dali.

Iris levantou a sobrancelha.

– Mas não pode ir andando da casa do Josh até a sua.

Claire deu de ombros. Se acabasse dormindo no sofá, acordando para garantir que Ruby se levantasse em um horário razoável e comesse um pouco de proteína antes do brunch, tudo bem.

Do lado de fora estava escuro. Uma garoa leve arrepiou o cabelo de Iris e embaçou os óculos de Claire, que enlaçou o braço no da melhor amiga enquanto andavam pela calçada de paralelepípedos. Os postes de luz espalhavam um brilho âmbar pelo centro da cidade, transformando a chuva leve em gotículas douradas que flutuavam pelo ar. Alguns comércios hasteavam bandeiras do arco-íris para o Mês do Orgulho. Na esquina da Main com a Serenby, Iris se despediu de Claire dando um tapinha na bunda da amiga.

– Estou indo transar, só pra você saber – disse Iris, apontando o polegar para a entrada do prédio onde ela alugava o apartamento do último andar com o namorado, Grant.

– Ninguém gosta de quem fica se gabando – respondeu Claire.

Iris riu, mas Claire percebeu seus olhos semicerrados, como sempre pareciam ficar ultimamente quando se tratava de Grant. Ele era engenheiro químico em Portland, e fazia dois anos que estavam juntos. Mais importante, ele estava desesperado para ter filhos. Queria se casar e fazer pelo menos quatro ruivinhos, misturas dele com Iris, passar as férias de verão na Disney e ser técnico do time da escola.

Iris… bom, não queria. Ela amava os gêmeos do irmão, ia visitá-los em São Francisco com frequência, mimava-os, mandava presentes de aniversário exagerados e tinha fotos deles espalhadas pela porta da geladeira. Adorava Ruby e era a *Tia Iris* em todos os aspectos. Mas não queria ter filhos. Nunca quisera. Era uma questão complicada entre ela e Grant, e Claire temia que estivesse ficando mais complicada.

– Tudo bem entre vocês? – perguntou.

Iris levantou uma das mãos.

– Mesma discussão, novo dia.

Claire envolveu Iris em um abraço e a beijou no topo da cabeça. Iris amoleceu, só por um segundo, então beliscou a bunda da amiga antes de se afastar, avançando pela calçada.

Claire ficou olhando para ela por um instante antes de ir também, passando em frente à Livraria Rio Selvagem, com suas leituras recentes favoritas na vitrine e uma bandeira do arco-íris que ela colocara ali no Mês do Orgulho, três anos antes, e acabara decidindo deixar o ano inteiro. A Desejos de Papel veio em seguida, o toldo listrado de verde e branco esvoaçando na brisa úmida. O apartamento de Josh ficava a uma quadra dali, em um prédio recém-reformado, em cima de um estúdio de acupuntura que tinha se instalado apenas alguns meses antes, mais ou menos na mesma época em que ele voltara à cidade. Provavelmente não ia durar. Quase nada durava naquela esquina, e as pessoas da cidade brincavam que o lugar era amaldiçoado.

Por coincidência, o escritório de arquitetura de Andrew Green – pai de Delilah – tinha sido a última empresa próspera a ocupar aquele espaço.

Claire balançou a cabeça, afastando mais um pensamento em forma de Delilah, e entrou pelo portão externo, subindo as escadas. Ficou alguns segundos à porta do apartamento de Josh, ouvindo. A música escapava para o corredor, aquele indie folk rock que Josh amava, e ela também ouviu Ruby rindo.

Então, nada de cama às nove e meia, pelo jeito.

Jogando os ombros para trás, ela levantou a mão e bateu.

E esperou.

E esperou mais um pouco.

Pensou em simplesmente abrir a porta e entrar – a menina crescera dentro do seu corpo, afinal –, mas decidiu tentar bater mais uma vez antes de dar uma de SWAT.

Finalmente, a música baixou e a porta se abriu, revelando o pai da filha dela coberto de maquiagem da cabeça aos pés. Seus lábios estavam pintados de rosa, as pálpebras de um roxo com glitter e as unhas de azul.

– Oi – disse ele. Estava sem fôlego e com um sorriso largo, como se estivesse gargalhando. – Algum problema?

Ela deixou seus olhos descerem até os dedos dos pés dele, pintados.

– Eu é que devia fazer essa pergunta.

Ele piscou, aturdido, e ela viu surgir em seu olhar aquele medo de que houvesse, sim, algum problema, de que ele tivesse feito algo errado.

– Está tarde – disse ela, apenas, e ele ficou ali parado.

– Ah. É, bom... – Ele apontou com o polegar para a sala, onde Claire viu uma espécie de forte de cobertores montado entre os sofás. – Estamos fazendo uma transformação.

– Estou vendo.

– Perdi a noção da hora.

– Hum.

Ele deu uma batidinha com o dedo no batente da porta, e ela levantou uma sobrancelha.

– Ah, merda, desculpa – disse ele, abrindo a porta. – Entra, claro.

– Obrigada, eu só queria dizer boa-noite.

– Aham – respondeu ele, em tom inexpressivo.

O interior do apartamento era todo tinta fresca e poucos móveis – que Claire tinha quase certeza de que já estavam no apartamento quando Josh o alugou –, mas mesmo a simplicidade do lugar não era capaz de esconder a bagunça. A cozinha pequena, aberta para a sala, estava coberta de potes e panelas usadas. Havia molho vermelho salpicado na bancada e pedaços de macarrão seco grudados em um escorredor. O forno ainda estava ligado.

Claire colocou as mãos na barriga, imaginando se o aparelho teria continuado a produzir calor *a gás* a noite inteira se ela não tivesse aparecido. Avançou alguns passos, se certificou de que não havia nada assando – não havia – e desligou o forno com um vigor um pouco maior que o necessário.

– Eu ainda não limpei a cozinha depois do jantar – disse Josh. – Claro.

Ela só assentiu. Já estava sentindo tudo – raiva, tristeza, medo, mais alguma coisa que não conseguia definir – a ponto de transbordar. A qualquer momento aquilo tudo extravasaria, mas ela se esforçou para reprimir, como sempre fazia.

– Mãe! – gritou Ruby, e sua cabecinha surgiu debaixo do forte de cobertores.

Ela também estava coberta de maquiagem, um trabalho muito melhor que o rosto de Josh. Claire imaginou que eles tinham maquiado um ao outro. Josh era um bom desenhista, tinha as mãos firmes e estáveis.

– Ei, Coelhinha – disse Claire, indo até o forte e se abaixando.

Dentro, havia cordões de luzinhas acesas presos às paredes de algodão com pregadores de roupas e um ninho de colchas, que rodeava Ruby como uma nuvem. Pelo menos ela estava de pijama.

– O que é tudo isso?

– O papai fez. Não é legal?

– Muito legal.

– Ele também cozinhou. Você sabia que ele cozinhava?

Sabia. Quando estavam juntos, ele preparava todas as refeições. Claire detestava cozinhar, sempre detestara. Quando eram só ela e Ruby, ela dava um jeito, fazia um esforço nas Terças do Taco e tinha aperfeiçoado os ensopados de forno, mas era só jogar umas coisas na assadeira. Josh *cozinhava*.

– Eu acho que me lembro sim – comentou.

Josh se sentou ao lado dela, cruzando as pernas como criança e sorrindo. O cabelo dele estava comprido em cima, curto nas laterais e ridiculamente fofo ao brilho das luzinhas. Seus olhos castanhos brilharam para ela. Os olhos de *Ruby*. A filha também tinha puxado o cabelo dele, grosso e ondulado, com algumas mechas louras em meio ao castanho.

– Ele fez molho caseiro com um monte de tomates frescos, alho e azeite e, ah… – Ruby se jogou nas colchas, com a mão na barriga. – Estava muito gostoso.

– Parece uma delícia – disse Claire. – Não está na hora de ir pra cama?

Ruby se acalmou e voltou a se sentar, mas demorou um pouquinho para conseguir que seu corpo obedecesse. Com pernas e braços compridos, estava naquela fase desajeitada e magrela.

– Estou de férias.

– Eu sei, amor, mas…

– E estou na casa do papai. – A filha olhou para ela, aquele olhar fulminante a que Claire tinha se acostumado nos últimos tempos. – Aqui, é ele quem manda.

Ao lado dela, Josh pigarreou.

– Hã… Rube…

– A gente ia ver *Divertida Mente*.

Claire olhou para Josh, que só abriu aquele sorriso ridículo como fazia sempre que acontecia algo do tipo. O sorriso que dizia: *Sou só uma criança grande. Fazer o quê, né?*

– São dez horas – falou ela.

– Mas é sábado – respondeu Ruby.

Claire deixou seus olhos percorrerem o forte. Dez horas não era nada de mais, ela sabia disso. Nem dez e meia. Onze horas, para uma criança de 11 anos, era demais. Mas um filme acabaria só meia-noite, e Ruby ficava uma fera quando não dormia o suficiente. Ficava irritada e resmungona, chorando por qualquer coisinha, e Claire teria que lidar com tudo isso no dia seguinte quando Josh a deixasse em casa. E ele saberia de tudo isso se sua participação na vida delas fosse consistente. Mas, naquele instante, sentada diante do forte de cobertores mais incrível que ela já tinha visto, tinha que admitir, *ela* seria a vilã se dissesse isso – como sempre acontecia no que dizia respeito a Josh.

– Rubes – disse ele, se aproximando da filha. – Acho que é melhor a gente parar por aqui. Sua mãe tem razão; está tarde, e podemos assistir ao filme outra hora.

Claire fechou os olhos, esperando para ver como a filha reagiria. Ela sabia que Josh só estava tentando ajudar, mas agora que ele tinha ficado do lado dela, estava só acrescentando mais uma dinamite a uma bomba-relógio.

– Argh, tá bom! – gritou Ruby, desdobrando as pernas, rastejando para fora do forte e ficando em pé. Ela cerrou os punhos, o maxilar ficou retesado. – Por que você veio aqui hoje, hein?

– Ruby – disse Josh, com firmeza.

– É só uma noite, e agora você estragou tudo como sempre!

Os olhos de Ruby se encheram de lágrimas e o coração de Claire ficou apertado.

Era verdade que nos últimos meses a filha andava um pouco mais mal-humorada, mais temperamental. Claire tinha lido que isso era normal na idade dela – os hormônios estavam agitados, e os últimos anos do ensino fundamental tinham sido os piores da própria vida, mas isso – as lágrimas repentinas e o grito em reação à mera sugestão de que ela fosse para a cama – acontecia sempre que Josh estava na cidade. Era como se Ruby vivesse em um nível baixo mas constante de pânico, sempre com medo de ele ir embora, sempre *esperando* que ele fosse embora. Então cada momento que ele passava com a filha era uma joia rara, um prêmio, e qualquer coisa que Claire fizesse para manter o mínimo de normalidade era recebida com escândalos e olhares cortantes.

Claire ficou em pé e tentou se aproximar da filha. Às vezes, um abraço resolvia.

– Vou escovar os dentes – disse Ruby, afastando o braço da mãe com um tapa.

Às vezes, não.

– Quer vir pra ver se eu vou passar fio dental? – perguntou Ruby.

Claire estremeceu por dentro, mas sabia que não podia deixar a menina falar assim com ela, não importavam as circunstâncias.

– Já chega – declarou.

Ruby revirou os olhos e saiu pisando firme em direção ao corredor que levava aos quartos. Uma porta bateu, e Josh se assustou. Claire já estava acostumada.

Eles ficaram um instante em silêncio enquanto Claire tentava achar algo para dizer. Ela queria levar a filha para casa, colocá-la na cama e ficar vendo-a dormir, mas sabia que não tinha essa opção. A menos que quisesse declarar guerra, e não queria. Hoje, não.

Josh pigarreou.

– Olha, eu...

– A gente se vê amanhã – disse ela, virando-se e indo para a porta.

Ela sabia que era melhor nem tentar dar boa-noite para Ruby e, sinceramente, estava tão irritada que não confiava em si mesma. Detestava brigar com a filha, mas detestava *isso* ainda mais – essa sensação de que era uma mãe chata, uma estraga-prazeres que tinha acabado com o glitter, as luzinhas e o tempo que Ruby tinha com o pai.

– Claire, espera aí.

Ela parou à porta e vasculhou a bolsa procurando as chaves. Tinha certeza de que agora estava sóbria.

– O brunch do casamento da Astrid é amanhã às dez, então preciso que a Ruby esteja em casa às nove.

– Meu Deus, a Astrid vai casar? – perguntou Josh, parando com ela à porta e se apoiando na parede.

Ela olhou para ele, piscando.

– Eu te contei.

Ele assentiu, embora ela soubesse que ele não lembrava.

– Coitado do cara.

– Ah, para com isso – disse ela, mas abriu um sorriso.

Josh tinha estudado com todas elas, então sabia que Astrid era complicada. Meticulosa, difícil, mais tensa que Claire, até, mas *coitado do cara* não era lá muito exato naquela situação. Estava mais para *coitada da Astrid*.

– Quando é o casamento? – perguntou Josh.

– Daqui a duas semanas.

– Estou convidado? – perguntou, sorrindo.

– Eu não contaria com isso – respondeu ela, abrindo a porta.

Josh segurou a porta para Claire, o braço pairando sobre sua cabeça, e ela sentiu seu aroma familiar – roupa recém-lavada e o frescor do pós-barba. Mesmo com toda a maquiagem no rosto dele, os joelhos dela bambearam, só por um instante.

Já tinha amado aquele homem. Fora com ele seu primeiro beijo com um cara, a primeira vez com um cara, o primeiro relacionamento da vida. Ela havia ficado com Kara Burkes no ensino médio, em um Halloween, pouco tempo depois de se assumir bi, mas nunca tivera um namoro sério antes de Josh.

Ele se aproximou dela, seu cheiro ficando ainda mais forte.

Ela fechou os olhos e soube que tinha que sair dali imediatamente.

Tinha cometido aquele erro muitas vezes, transar com Josh quando ele voltava. A emoção e o estresse de sua aparição na vida delas – e o que tudo aquilo poderia significar – se acumulando como uma tempestade até irromper e eles acabarem na cama juntos. Nem Iris sabia disso. A última vez tinha sido dois anos antes, logo antes de ela começar a namorar Nicole.

– Claire – disse ele, se aproximando ainda mais, a fala mansa.

Era por *isso* que ela precisava tanto conseguir o telefone de alguém na Taverna da Stella. Ela fechou os olhos com força e Delilah Green surgiu em sua mente. Aquilo com certeza era um tiro que tinha saído pela culatra.

– Olha, desculpa por hoje – continuou ele. – Não era minha intenção piorar ainda mais as coisas.

– Não era?

Os olhos dele se encheram de mágoa.

– Não. Poxa.

Ela soltou um suspiro e remexeu as chaves.

– Eu sei. É que…

– Eu sei, não sou confiável. Mas desta vez é diferente. Juro.

Claire olhou para ele, toda a história entre os dois se avolumando ao seu

redor como cipós sufocantes. Ele estendeu a mão e colocou uma mecha de
cabelo atrás da orelha dela. Ela quase se aproximou dele. Teria sido tão fácil.

– Eu tenho que ir – disse ela, recuando e saindo pela porta antes que
fizesse algo idiota, como beijá-lo.

Ela sabia que não passaria disso, não com Ruby no apartamento, mas,
mesmo assim, não precisava daquela complicação. Nem queria. Só estava
com tesão, só isso. Sabia que não amava Josh, não assim. Mas sua pele estava ávida. A missão de conseguir um telefone proposta por Iris tinha sido
provocação suficiente.

Ou talvez não tivesse sido a missão.

Quando voltou à casinha que ela economizara durante anos para poder
chamar de sua, seu corpo ainda estava eletrizado. Na cama, colocou uma
das mãos entre as pernas, desesperada para se livrar daquela ânsia e assim
conseguir dormir. Mas, quando seus dedos começaram a se movimentar,
não foi Josh que ela visualizou. Nem mesmo a mulher anônima com quem
fantasiava em momentos como aquele. Não, a pessoa tinha uma profusão
de cachos escuros, olhos azuis como safira e tatuagens que subiam pelos
seus braços como cobras.

CAPÍTULO CINCO

QUANDO DELILAH ABRIU OS OLHOS, não fazia ideia de onde estava.

Chita.

Muita chita.

Flores cor-de-rosa enormes a engoliam em um mar de colchas e travesseiros. Até o papel de parede florescia como um jardim primaveril. Não era exatamente raro ela acordar na cama de outra pessoa, mas também não acontecia todos os dias. E as mulheres com quem passava a noite não eram do tipo que enchia a casa de estampas florais.

Uma dor de cabeça se dilatava atrás dos olhos e o estômago se revirou quando Delilah se sentou. Ela se lembrava vagamente de ter misturado bourbon e vinho na noite anterior, e foi assim que sua mente voltou para a Taverna da Stella e a Pousada Caleidoscópio em Bright Falls.

Meu Deus.

Ela caiu sobre os travesseiros – que tinham um aroma leve de gardênia ou outra flor enjoativa – e esfregou as têmporas antes de dar uma olhada no celular. Acabava de passar das nove. Ainda tinha bastante tempo para se arrumar e chegar no horário combinado para tirar fotos banais em preto e branco de gente hétero mordiscando *petits-fours* no brunch de Astrid.

Meu Deus, o brunch de Astrid.

Ela fechou os olhos com força e inspirou pelo nariz bem devagar. Por um instante, pensou em ficar na cama e não aparecer. Só Astrid já era péssima, mas Isabel certamente estaria lá, e Delilah nunca sabia como agir na presença da madrasta impecável. Era como conversar com uma estátua de mármore – bela, fria, a expressão facial sempre travada. Delilah se lembrava de uma época em que Isabel sorria, até ria, olhando para seu pai como se ele tivesse não só colocado a Lua no céu, mas feito com que brilhasse só para ela. Isabel tinha amado Andrew Green de verdade. Sabia muito bem disso.

Era Delilah Green sem Andrew que a mulher não compreendia, assim como Delilah não compreendia Isabel. Mas a madrasta sempre parecera aceitar muito bem a incompreensão mútua, e isso doía mais que qualquer outra coisa.

Delilah puxou a coberta até cobrir a cabeça e abriu seu e-mail, esperando ter recebido algo da Fitz sobre uma venda ou talvez uma resposta de um dos agentes de fotografia a quem ela havia enviado seu portfólio nos últimos meses.

Nada.

Clicou na aba de enviados e abriu o último e-mail mandado a um agente que ela queria tanto que a representasse que seria capaz de abrir mão de sexo por dez anos se isso garantisse o negócio. Leu a mensagem mais uma vez, ficando um pouco mais calma com seu profissionalismo e o conhecimento claro que tinha da área. Então clicou no link para seu portfólio on-line, rolando a tela com imagens de seus melhores trabalhos.

Eram todas em preto e branco, todas de mulheres ou pessoas não binárias, todas com vestidos ou ternos de casamento e água e alguma espécie de caos. Sua favorita mostrava uma mulher negra e uma branca, as duas de vestidos de renda meio esfarrapados, com galhos e folhas presos nos cabelos e de mãos dadas, entrando no Lago Champlain no meio de uma tempestade. Não era a foto mais segura que ela já tinha produzido, mas, caramba, tinha valido a pena. A luz estava perfeita, com as gotas de chuva reluzindo como balas de prata no ar e o desespero evidente no modo como ela fizera com que as modelos – Eve e Michaela, duas mulheres que conhecia do trabalho de garçonete no River Café – se agarrassem uma à outra. O efeito era encantador e assustador ao mesmo tempo, trauma e esperança. Era lindo.

Era *bom*.

E, ainda assim, sua caixa de entrada continuava acumulando teias de aranha.

Ela passou para a conta do Instagram, onde tentava publicar uma foto por dia. Coisas estranhas que fotografava pelas calçadas, fotos únicas que tirava em casamentos lgbtq+, qualquer coisa que combinasse com a marca que estava tentando construir – queer, feminista, zangada e bonita.

Nicho.

Suas fotos não pareciam convencer a maioria dos agentes quadradões de Nova York, mas convenciam a internet. Tinha quase 200 mil seguidores no Instagram e não conseguia mais acompanhar os comentários. As fotos que retratavam a diversidade sexual e de gênero eram as que mais chamavam atenção, e ultimamente as pessoas andavam perguntando se ela vendia suas obras on-line. Era encorajador, mas a ideia de administrar um e-commerce – envios, taxas, notas – fazia a cabeça dela girar.

Abriu uma das fotos que tinha tirado no aeroporto JFK no dia anterior. Uma selfie com tripé no Terminal Quatro, em frente à palavra *Rainhas,* impressa na parede em letras grandes azuis e pretas em um fundo branco. Ela toda de preto, olhando para o lado, com uma das botas apoiada na parede e uma expressão… bom, bem queer e zangada.

E meio que bonita, para ser sincera.

Ela ficou alguns minutos editando a foto, ajustando o contraste e o tom, e a publicou sem legenda porque nunca colocava legenda. Estava prestes a travar a tela do celular quando chegou uma notificação de e-mail. Não era de agente nenhum nem de ninguém da galeria Fitz, mas o assunto chamou sua atenção como um puxão no cabelo.

Possível exposição no Whitney

Delilah se sentou, o edredom floral escorregando para o colo. As pontas dos dedos formigavam enquanto ela encarava aquelas palavras impossíveis mas reais, enviadas por um endereço de e-mail oficial do Museu Whitney.

Sua mão tremeu quando ela abriu a mensagem:

Para: delilah@delilahgreen.com
De: alex.tokuda@thewhitney.org

Cara Delilah,

Olá, meu nome é Alex Tokuda e cuido da curadoria do Museu Whitney em Nova York. Passamos os últimos meses nos preparando para a exposição *Vozes Queer*, com lançamento previsto para 25 de junho, que vai expor obras de artistas queer de todo o país.

Delilah já tinha ouvido falar da exposição *Vozes Queer*, é claro. Embora a cidade de Nova York fosse o lar de mais de 8 milhões de pessoas, a fotografia queer ainda era um mundo pequeno – um *nicho*, para os babacas –, e o Whitney criar uma exposição inteira só para vozes queer era… bom, era algo importantíssimo. Delilah daria qualquer coisa para participar da exposição, mas nem podia enviar suas obras para avaliação. O Whitney negociava com agentes, donos de galeria experientes, fotógrafos famosos. Eles não recebiam e-mails de mulheres lésbicas de jeans preto rasgado que faziam fotos de casamento e serviam espumante rosé no River Café.

Ela engoliu em seco e continuou lendo.

Peço desculpa por escrever no fim de semana, mas, em nome da transparência total, estou meio surtando aqui. Ontem, uma pessoa que você e eu conhecemos, Lorelei Nixon, me mostrou uma de suas obras, *Submersa*, que me tocou muito. Estou escrevendo para convidá-la a participar da exposição. Compreendo que está em cima da hora. Costumamos reservar artistas com meses de antecedência, para que tenham bastante tempo de se prepararem. Então, mais uma vez, peço desculpas. Hoje de manhã uma das pessoas convidadas teve que retirar seus trabalhos da exposição em razão de uma questão pessoal, e logo pensei em você. Sinto que seu estilo e sua perspectiva têm tudo a ver com a exposição, e essa experiência seria uma oportunidade maravilhosa de compartilhar seu trabalho com um público mais amplo. Como é uma exposição coletiva, estamos pedindo a cada artista que prepare dez obras de seu portfólio.

Por favor, me responda o mais rápido possível. Precisamos das suas obras prontas para emoldurar no máximo até 20 de junho.

Atenciosamente,

Alex Tokuda
Assistente de Curadoria, Whitney
elu/delu*

Lorelei Nixon… Lorelei Nixon. Quem diabos era Lorelei Nixon? Delilah leu o e-mail mais uma vez, parando no nome da obra a que Alex se referia, *Submersa*. Delilah conhecia bem a foto, é claro. Era dela, afinal, e ela é que tinha escolhido aquele nome – uma noiva em uma banheira enferrujada cheia de água leitosa, o rímel escorrendo no rosto, olhando para a câmera. O que ela não sabia era por que uma pessoa chamada Lorelei tinha a foto para poder mostrá-la a…

Lorelei.

A lembrança fez o sangue correr quente por suas veias.

Lorelei.

Esse era o nome da mulher que tinha comprado *Submersa* e levado Delilah para casa e para o quarto. Corte curtinho louro, talentosa na cama. Não Lola, nem Leah, nem Laura, mas *Lorelei*.

O que queria dizer que aquilo era real. Estava mesmo acontecendo. O Whitney queria as fotografias de Delilah em suas paredes. Claro, eles só queriam porque alguém mais importante ou famoso tivera que desistir, mas e daí?

Ela, Delilah Green, ia expor no Whitney. No *Whitney*. LaToya Ruby Frazier, uma fotógrafa negra cujo trabalho impressionava muito Delilah – e só alguns anos mais velha que ela – já tinha exposto no Whitney. Sara VanDerBeek, Leigh Ledare. Aquilo era muito importante. Tinha o potencial de ser *o acontecimento* que ia mudar o rumo da carreira dela. Mudar sua vida.

E ela estava naquela porcaria de Bright Falls.

Sentiu uma onda de pânico ao ler o e-mail de Alex mais uma vez caçando os detalhes. Dia 25 de junho, dali a quase três semanas, mas precisavam das obras até o dia 20, só quatro dias depois do casamento infernal de Astrid. Ela mordeu o lábio inferior, imaginando quanto Astrid encheria seu saco se ela a deixasse na mão agora.

---

* Pronomes da linguagem neutra que se referem geralmente a pessoas não binárias, como Alex, que não se identificam com os gêneros masculino e feminino. (N. da E.)

Não que ela se importasse tanto assim com a possibilidade de a irmã postiça perder a cabeça, mas, quando sua mente a imaginou largando a bomba em cima de Astrid, comprando uma passagem de volta para Nova York e entrando em seu apartamento sem os 15 mil que Isabel ia pagar pelo casamento, ela soube que ia dar merda.

Delilah precisava do dinheiro. Simples assim. O Whitney podia abrir muitas portas, até gerar algumas vendas, mas as vendas não eram garantidas, e a exposição em si não pagaria o aluguel nem garantiria um queijo quente de jantar no bar da esquina.

Ainda assim, ela não deixaria essa oportunidade passar de jeito nenhum. Já tinha algumas obras que amava muito – talvez até algumas da exposição na Fitz – e, na volta, teria alguns dias para ajustá-las, tirar novas fotos se precisasse, trabalhar na sala escura compartilhada onde alugava um espaço no Brooklyn.

Ela só teria que ficar 72 horas sem dormir. Nem comer. Nada de mais.

O Whitney.

Seu peito se expandiu, e ela sentiu uma necessidade inescapável de gritar. E foi o que fez, um gritinho baixo, enquanto respondia a Alex aceitando o convite com entusiasmo, mas com muito profissionalismo.

Tinha acabado de clicar em enviar quando alguém bateu à porta. Delilah ficou paralisada, tentando lembrar se tinha pedido serviço de quarto ou alguma outra coisa em seu estado levemente embriagado ao fazer o check-in na noite anterior. Não se lembrou de nada do tipo, mas se recordava vagamente de ter colocado um aviso de *Não perturbe* na porta. O melhor a fazer era mergulhar no mar de flores de algodão até irem embora. Contudo, assim que tomou essa decisão, ouviu o som inconfundível de uma chave entrando na fechadura e em seguida a porta se abrindo com tudo, revelando uma Astrid com dois copos de café para viagem da cafeteria da cidade, equilibrados no braço esquerdo, e uma chave pendurada na mão direita.

Delilah largou o celular e puxou o edredom até o queixo.

– Mas que po...

– Eu sabia – disse Astrid, interrompendo Delilah. – Sabia que você ainda estaria na cama.

Ela deixou os cafés em cima da cômoda, aquele móvel que poderia muito bem ser uma flor gigante de papel machê, e colocou as mãos na cintura.

– São nove e meia.

– Como é que você conseguiu a chave do meu quarto? – perguntou Delilah, apontando para o chaveiro dourado rosé, que, obviamente, tinha o formato de uma rosa.

– Nell é minha cliente.

– Nell?

– A dona.

– Ah, sim. A boa e velha Nell.

Astrid soltou um suspiro.

– A maioria das pessoas se conhece nesta cidade, Delilah, e eu reformei a sala e a cozinha dela no inverno passado.

– Então umas almofadas e um sofá de couro dão direito a invasão de privacidade? Isso não é ilegal?

Astrid fez uma careta, deixando bem claro que o que ia dizer em seguida era muito doloroso para ela.

– Sou sua irmã.

Delilah esfregou os olhos – aquela palavra sempre caía de um jeito esquisito em seu estômago.

– Bom, você devia ter reformado este quarto de hotel horroroso.

Os ombros de Astrid relaxaram, só um pouquinho, e ela olhou para a festa das rosas.

– Meu Deus, é hediondo mesmo.

– Acho que sonhei a noite toda que estava sendo estrangulada por uma tulipa.

– Ah, essas flores são peônias – disse Astrid, passando a mão na almofada que ficava em cima da cadeira de balanço de vime perto da janela.

Delilah mostrou o dedo do meio para ela.

– Acho que é melhor que a Everwood. Aquele lugar parece ter saído de um filme de terror.

A Pousada Everwood, a única outra hospedaria em um raio de 80 quilômetros e que ficava nos limites da cidade. Era famosa pela Dama Azul, suposto fantasma de uma mulher desprezada do início do século XX, que vagava com uma pedra de lápis-lazúli reluzente pendurada no pescoço e assombrava um dos quartos da casa vitoriana à procura do amor perdido. Além disso, o lugar era sinistro, com móveis de madeira escura, tapetes antigos que provavelmente eram da época da própria Dama Azul e teias de aranha em todos os cantos. Pru Everwood, a dona, ainda a administrava como se fosse uma pousada, até onde Delilah sabia, mas agora estava mais para uma armadilha para turistas.

– Eu adoraria pôr as mãos naquele lugar – falou Astrid, passando a mão sobre a cômoda e esfregando um dedo no outro para ver se tinha poeira. – Ficaria lindo se Pru fizesse uma reforma.

– Pru já tinha 100 anos quando a gente era criança. Duvido que ela tope – disse Delilah, empurrando as cobertas e se colocando de pé.

– Opa, ei, meu Deus! – Astrid cobriu os olhos como se tivesse sido atacada pelo sol.

– O que foi?

– Você está pelada.

– Eu estou de calcinha.

– *Só* de calcinha.

– Desculpa, não esperava que alguém aparecesse com a porra da chave.

– Tá, tudo bem, se veste logo ou vamos nos atrasar.

– Eu tinha pensado em ir assim.

Os ombros de Astrid caíram e ela ficou encarando Delilah.

– Tá bom, tá bom – disse Delilah, pegando e vestindo o sutiã preto que estava no chão. – Que tal assim?

– Eu vou entrar escondida aqui às duas da manhã e pregar todas as suas roupas íntimas nas paredes.

– Seria uma barulheira. Acho que eu acordaria.

As narinas de Astrid se dilataram. Delilah deu um sorriso irônico: seu plano estava se desenrolando com perfeição. Já que seria obrigada a fotografar esse casamento – principalmente agora que teria uma montanha de trabalho com a exposição do Whitney –, então, caramba, ia se divertir, e não conseguia pensar em nada mais divertido que irritar Astrid. E Isabel também, se possível, embora a mulher fosse como uma parede de granito recém-polida. Astrid, ao contrário, era fácil de irritar.

– É pra mim? – perguntou ela, indo em direção aos cafés.

Astrid pegou um dos copos e o segurou junto do peito.

– Só se você vestir uma calça.

– É bom que seja meu café favorito.

– Calça. Ou vestido. Se é que você tem um.

– Meu Deus, espero que seja meu café favorito. Se não for, acho que vou ter que voltar pra Nova York.

– Como se eu soubesse qual é o seu café favorito.

– Americano com dois dedos de espuma de leite de soja, óbvio.

– Você é uma esnobe com esses cafés.

Delilah deu de ombros. Era verdade. Seu apartamento no Brooklyn era cheio de móveis comprados em lojas de departamentos e montados de qualquer jeito, mas ela jamais beberia um café ruim. Preferia ficar sem café.

– O que você está fazendo? – perguntou Astrid, quase gritando, quando Delilah tirou o sutiã por cima da cabeça e o jogou de volta no chão.

– Não dá para usar esta blusa com sutiã.

Delilah vestiu a regata de seda preta que tinha planejado usar no dia, sua favorita, principalmente pelo decote modesto e pela cava baixa quase a ponto de ser inadequada, revelando metade de suas costelas. Ela se virou para tirar a calça de linho de cintura alta da mala e quase sorriu ao ver Astrid cada vez mais horrorizada. Devia ter enxergado a lateral de seu peito.

– Nós vamos à Casa de Chá da Vivian – disse.

– Eu sei.

Delilah vestiu a calça creme, enfiando a regata para dentro e alisando as pregas antes de calçar uma sandália de salto preta e pendurar umas correntes douradas fininhas no pescoço. A composição acabou ficando muito elegante. E, pelo suspiro resignado que soltou, Astrid concordava.

– Só não se vire de lado perto da mamãe, tá? – pediu.

– Eu não me atreveria. – Ah, se atreveria. Se atreveria, sim.

– E faça alguma coisa com esse cabelo.

Delilah sorriu mostrando todos os dentes.

– Você é tão agradável.

Astrid estremeceu.

– Estou quase no limite, tá?

Delilah decidiu ignorar isso e foi até o banheiro, escovando os dentes durante dois minutos inteiros, como recomendado pelos dentistas. Então passou um pouco de rímel e um batom vermelho-cereja – meu Deus, Isabel ia adorar aquele batom – antes de dar uma olhada no cabelo no espelho.

Estava enorme, com cachos e espirais se espalhando loucamente. Geralmente, ela dormia com o cabelo empilhado em cima da cabeça ou envolto em um lenço de seda para evitar acordar assim, mas, na noite anterior, bom, ela estava com jet lag e meio bêbada, além de um pouco agitada depois da interação com Claire Sutherland.

– E aí, quem vai estar lá hoje? – perguntou, pegando um pote do seu gel de cabelo favorito, de mirtilo, tirando uma gota do tamanho de uma moeda de um centavo e misturando-a com um pouco de água antes de passar no cabelo, mecha por mecha.

– Bom, a mamãe, claro – respondeu Astrid. – E a mãe, a avó e a irmã do Spencer. As garotas.

As garotas.

– Ah, o clã.

– Não chame elas assim – disse Astrid, aparecendo na porta.

Ela estava com um vestido marfim justo, um colar simples de pérolas no pescoço e um anel de diamante no dedo.

– Qual o problema? Um clã é um grupo de mulheres poderosas, feministas e fodonas.

– Por algum motivo, acho que não é esse o significado que você atribui.

Delilah deu um meio sorriso e olhou para Astrid pelo espelho.

– Então… a Claire parece estar bem.

A postura de Astrid ficou rígida, e ela olhou para o reflexo de Delilah com os olhos semicerrados.

Meu Deus, ela facilitava demais as coisas. Delilah inclinou a cabeça com um ar inocente, arregalando os olhos como se fosse ingênua.

– *Muito* bem.

– Não faça isso.

– Isso o quê?

– Claire não faz seu tipo.

Delilah se virou e cruzou os braços.

– Ah, eu acho que ela faz, sim.

– Bom, você não faz o estilo dela.

Delilah ergueu as sobrancelhas.

– Você acha?

– Tenho certeza.

– Não foi o que pareceu ontem à noite.

Astrid endireitou ainda mais a postura, se é que isso era possível. Ela parecia uma vareta seca no inverno, prestes a quebrar.

– O que aconteceu ontem à noite?

Delilah deu de ombros e voltou a ficar de frente para o espelho.

– Bom... você sabe.

– Não sei, não. Claire *jamais* daria em cima de você.

Isso doeu um pouco, mas Delilah tentou não deixar transparecer. Ela mexeu um pouco mais no cabelo, enrolando um cacho perto da orelha para o lado certo.

– Por que não?

Astrid riu, um som amargo.

– Hum, porque ela *gosta* das pessoas?

Delilah abriu a boca com tudo, uma resposta inteligente na ponta da língua, mas não saiu nada. Ela demorou um segundo para se recompor, para lembrar que precisava do dinheiro daquele trabalho, que não era a mesma garota da escola, que não precisava da porra da aprovação de Astrid e que Claire Sutherland claramente estava a fim dela na noite anterior.

Ela não tinha dúvida de que isso deixaria Astrid completamente louca, sem falar em Isabel, que adorava Claire e Iris como se fossem suas filhas. E eis que surgia Delilah Green, a sapatão malvada, para corromper suas doces meninas. Meu Deus, aquela mulher devia ter amado muito seu pai para querer Delilah no casamento.

– Eu acho que sou exatamente o tipo da Claire Sutherland – declarou.

– Eu só quis dizer que ela não é de ficadas casuais, Del. E... bom, *você* é.

Delilah cerrou os dentes. Ela detestava quando Astrid a chamava de Del. A irmã postiça não disse nada que não fosse verdade, pelo menos considerando o que ela sabia. Delilah nunca havia contado a Astrid sobre Jax, que tinha conhecido sete anos antes em um casamento lgbtq+ em que estava trabalhando. O que começara com uma ficada com a madrinha levara Delilah a se apaixonar completamente pela primeira e única vez na vida, a dividir um apartamento no Brooklyn depois de meros seis meses e a sonhar em passar anos agarrada com ela no sofá assistindo a filmes e voltando para casa correndo do trabalho para beijar aquela mesma boca.

No fim das contas, Jax tinha outros sonhos.

Antes dela, Delilah não era do tipo que tinha relacionamentos. E depois...

bom, com certeza não tivera nenhum relacionamento depois. Não valia a pena, e Jax tinha deixado bem claro que Delilah também não valia, mesmo após quase dois anos juntas. Mas Delilah gostava de sexo. Ela *adorava* sexo, e Nova York estava cheia de pessoas exatamente como ela, mulheres e pessoas não binárias que queriam simplesmente isso – pele, respiração e boca, uma noite com alguém em sua cama sem nenhum tipo de compromisso pegajoso.

Mas ouvir Astrid, sua *irmã*, que aliás era parte do emaranhado de motivos pelos quais Delilah não se envolvia em relacionamentos, dizer que ela jamais conseguiria ficar com alguém como Claire Sutherland? Essa insinuação fez com que ela se sentisse com 14 anos de novo, a garota excêntrica, que era motivo de piada para Astrid e *as garotas* na cozinha.

Delilah se virou para ela.

– Você está enganada.

Astrid balançou a cabeça.

– Deixa a Claire em paz, tá? Ela já tem problemas suficientes.

Delilah franziu a testa. Ela se lembrava de ouvir que Claire tivera uma bebê, que não fora para a faculdade como o resto do clã e ficara em Bright Falls administrando a livraria da família. Ah, caramba, isso era difícil mesmo, ter um emprego, um teto e uma empresa bem-sucedida.

– É mais um motivo para ela se divertir um pouco.

– Deixa isso para lá, tá? Vamos.

Mas ela não queria deixar para lá. Queria ter *razão*. Para variar, queria ganhar de Astrid Parker e ser mais que apenas a mulher que precisava do dinheiro da irmã postiça para pagar o aluguel no fim do mês, queria ser mais que a garota deslocada. Até a menor das vitórias, Delilah Green, a alma penada, levando uma das princesas perfeitas de Astrid para a cama, era como uma droga correndo em suas veias.

– Vamos fazer uma aposta – disse.

– Uma aposta – respondeu Astrid, a voz monótona.

– Aposto que consigo fazer Claire perceber que sou *exatamente* o tipo dela até o dia do seu casamento.

Astrid revirou os olhos.

– Você está falando sério? Não vou fazer uma aposta com a vida amorosa da minha melhor amiga. E que vantagem eu teria?

– Ganhar? Ter razão? Sei que você adora isso.

– Eu já ganhei – falou Astrid. – Ela nunca faria isso.

– Por que não?

– Porque ela me ama e é minha melhor amiga, dois conceitos que eu sei que são totalmente desconhecidos para você.

Ela cuspiu as palavras, que tiveram o efeito desejado. De repente, os pulmões de Delilah ficaram sem ar, mas ela não demonstrou, mantendo a expressão indiferente enquanto se recompunha por dentro.

Além disso, desta vez, Astrid Parker estava enganada. Delilah não esperava que ela aceitasse a aposta, claro, mas a sugestão bastava. Esse era um desafio que tinha certeza de que venceria, principalmente porque fora Claire quem tinha começado aquilo tudo na noite anterior, na Taverna da Stella, olhando para Delilah daquele jeito.

– Vamos logo, pode ser? – perguntou Astrid.

Delilah sorriu para seu reflexo no espelho, puxando a cava da regata para relevar um pouco mais dos seios. Astrid bufou antes de se virar e ir até o quarto pisando firme.

– Prontinha – cantarolou Delilah, pendurando a bolsa da câmera no ombro.

– Toma – disse Astrid, enfiando o copo de café na mão dela.

Delilah bebeu um gole, o amargor do café puro fazendo-a estremecer. Não era seu favorito de jeito nenhum.

Enquanto a Pousada Caleidoscópio era lotada de flores, a Casa de Chá da Vivian no centro de Bright Falls era lotada de cristais. Lustres, saleiros e pimenteiros em cima das mesas cobertas por toalhas de linho branco, vasos cheios de minilírios creme e velas marfim bruxuleantes dentro de globos redondos e cristalinos como enfeite de centro. Tudo era creme, branco, marfim ou dourado, como se uma cerimonialista da elite tivesse entrado ali e vomitado por toda parte.

Delilah estava ali havia trinta segundos quando Isabel surgiu.

– Aí está ela – disse a madrasta.

Delilah se preparou, mas logo percebeu que Isabel nem estava falando com ela.

Estava falando com Astrid.

– Um pouco em cima da hora, não, querida? – indagou Isabel, pairando como um morcego em sua caverna.

Estava com um terninho marfim, a cor combinando perfeitamente com o vestido de Astrid, porque é claro que combinaria, e um salto marfim de sete centímetros. A mulher já tinha 1,75 de altura sem seu precioso salto agulha e estava beirando os 60 anos, mas era incapaz de ir a qualquer lugar sem eles. Não, Isabel Parker-Green tinha que pairar sobre seus subordinados, ou eles podiam esquecer qual era seu lugar.

Astrid ficou tensa. Seu ombro parecia uma parede de tijolos encostado no de Delilah.

– Na minha época, a noiva chegava cedo a todos os eventos para receber os convidados – continuou Isabel. Ela estendeu a mão e alisou o tecido já lisinho no quadril de Astrid. – Mas quem sou eu, não é? Acho que eu devia agradecer por você não ter conhecido Spencer em um site qualquer. – Ela disse *site* como se fosse um palavrão que alguém como Isabel jamais pronunciaria.

– Desculpe, paramos pra comprar café – respondeu Astrid, soltando o ar com força.

Isabel franziu a testa. Ou pelo menos pareceu tentar. Delilah viu uma contração perto de sua boca pintada de rosa, mas a pele ali apenas voltou à sua formação perfeita, os soldados movidos a botox preparados para a inspeção.

– Café? Antes de vir a uma casa de chá? Astrid, francamente, eu...

Delilah largou a bolsa da câmera em cima da mesa impecável, dourada e branca mais próxima. Os cristais chacoalharam.

– Onde posso me instalar?

Ela disse aquelas palavras com tanta doçura que seus dentes doeram. E seus planos eram combiná-las com um olhar penetrante na direção de Isabel, mas, assim que chamou atenção para sua presença, se arrependeu. Quando a madrasta virou seu Olho de Sauron na direção dela, o coração de Delilah começou a bater forte. Suas mãos ficaram pegajosas e ela sentiu uma vontade quase incontrolável de cobrir o rosto com o cabelo. Mas resistiu. Tinha quase 30 anos, pelo amor de Deus. Agora, morava em Nova York, era uma mulher adulta. Ia expor no Whitney. Era capaz de lidar com uma conservadora da alta sociedade de uma cidade pequena.

Mas aquela conservadora da alta sociedade de uma cidade pequena tinha sido responsável por Delilah durante a maior parte de seu desenvolvimento. Fora em Isabel que seu pai, doce e ingênuo, confiara para prover e cuidar de sua única filha, e Delilah ainda estava esperando pela parte do *cuidado*.

Os olhos de Isabel percorreram os braços tatuados, fixando-se, Delilah tinha quase certeza, nas glicínias em tons de cinza que desciam por seu antebraço esquerdo e terminavam nos raios de sol em seu pulso. As glicínias eram as flores favoritas de seu pai e o motivo pelo qual ele dera aquele nome à casa, plantando a flor roxa com cuidado para que ela tomasse a fachada como uma guardiã. Quando Delilah fizera a primeira tatuagem, cinco anos antes, tinha que ser de glicínias. Não pela casa da qual ela não via a hora de fugir, mas pelo pai que sonhava com uma família, pela vida que ele queria dar a ela.

– Delilah, querida, é você? – perguntou Isabel, algo próximo de um sorriso tentando se instalar em seus lábios paralisados. Ela foi até Delilah com os braços abertos, colocando as mãos nos ombros da enteada e dando dois beijinhos no ar. – Faz tanto tempo, quase não reconheci você.

Ela arrastou aquele *tanto* por uns mil anos.

– Sou eu. – Foi a resposta brilhante de Delilah.

– Você parece… bem – disse Isabel.

– Ah, obrigada, *mãe* – respondeu Delilah.

Isabel estremeceu de leve. Ela nunca lhe pedira que a chamasse de mãe nem qualquer outra palavra que não Isabel, e Delilah sabia muito bem quando usar o termo.

– Você também.

Isabel mostrou os dentes, sua versão especial de um sorriso caloroso.

– Você vai ao jantar amanhã à noite, não é?

Na programação extremamente detalhada que tinha recebido de Astrid, entre o brunch de domingo e uma viagem de dois dias a um vinhedo no Vale Willamette, estava o jantar de segunda na Casa das Glicínias. Delilah tinha esperança de evitar o covil de Isabel durante sua estadia em Bright Falls, mas o próprio casamento aconteceria no quintal, além do ensaio e do jantar do dia seguinte.

Ainda assim, só de pensar em entrar naquela casa seu estômago se embrulhava.

– Ela vai, sim – respondeu Astrid, já que Delilah ficou parada ali franzindo os lábios, e deu uma cotovelada sutil na costela da irmã postiça.

– Não vejo a hora – disse Delilah.

– Mas não vai *perder* a hora – emendou Astrid, com mais uma cotovelada.

Delilah olhou para ela com o canto do olho. Sério? Mas, pensando bem, a ideia de chegar atrasada e com muita pompa, interrompendo o silêncio digno de museu do covil de Isabel, parecia mesmo algo que gostaria de fazer. E, com aquele velho ar de superioridade que Isabel exalava, e Astrid ali dando ordens como se fosse sua dona – o que ela meio que seria durante as duas semanas seguintes –, Delilah sentiu a ansiedade familiar borbulhando no peito, a pressão para agradar e ganhar nem que fosse um olhar de soslaio.

E aquela sensação a deixava pê da vida. Ah, ela ia chegar com pompa, sim.

– Fico muito feliz – declarou Isabel, e gesticulou indicando os braços de Delilah. – São novas, né?

As glicínias eram apenas uma das muitas tatuagens. Delilah tinha mais flores subindo o braço esquerdo; um pássaro arqueado sobre o ombro direito, uma gaiola vazia logo abaixo; uma garotinha segurando uma tesoura, a linha cortada de uma pipa flutuando perto do cotovelo; uma árvore com metade coberta de folhas verdejantes, metade nua no inverno; mais pássaros entre mais árvores e flores, voando livres. Delilah adorava suas tatuagens. Cada uma delas a fazia se sentir ela mesma, dona de si, uma sensação que só havia experimentado depois de sair da Casa das Glicínias.

– São, sim – respondeu Delilah.

Isabel retorceu a boca, ou tentou, e assentiu enquanto continuava analisando Delilah, como que em uma inspeção.

– Bom, são lindas. E que bom poder exibi-las aqui na Casa de Chá da Vivian.

Ela mostrou os dentes de um jeito que indicava que não era nada bom.

Delilah também mostrou os seus. Não ia deixar aquela mulher vencer. Passaria catorze dias naquela cidade chata e, desta vez, *ela* ia ganhar, caramba.

Tirou a câmera da bolsa, colocou a lente certa para fotos espontâneas e pendurou a alça no pescoço, se esforçando para levantar bem os braços e virar o corpo de um jeito que Isabel pudesse ver a lateral de seu seio. Que talvez até tenha… sacudido um pouco. Ela soube que tinha alcançado seu objetivo quando a madrasta respirou fundo, virou-se sobre o salto agulha e marchou em direção a uma mulher que Delilah imaginou ser a cerimonialista do casamento, a julgar pelo coque banana, pelos trajes profissionais e pelo iPad.

– Eu achava que você ia esconder isso aí – disse Astrid, apontando com a cabeça para a costela de Delilah.

Delilah deu um meio sorriso e envolveu a câmera com as mãos para esconder o fato de que estavam tremendo.

– Ah, fala sério, você sabia que eu não ia perder a oportunidade de arrepiar os pelos de alta costura da Mamãezinha Querida, né?

E sacudiu os ombros para a frente e para trás, só uma vez, fazendo os seios pequenos ondularem sob a blusa.

Os lábios de Astrid se contraíram e, por uma fração de segundo, Delilah poderia jurar que a irmã quase sorriu, mas então a porta principal se abriu e o sorriso desapareceu, substituído pela carranca preocupada de sempre, aquela tensão nos lábios que a deixava a cara de Isabel. Ela revirou os olhos para Delilah e foi em direção às mulheres que se espalhavam pelo salão em uma profusão de vestidos e rendas.

Delilah aproveitou o instante de liberdade e foi em direção a uma mesa com uma fonte de champanhe onde uma torre de taças se erguia orgulhosa, já cheias do líquido dourado reluzente e de um toque de suco de laranja. Ela enfiou a bolsa da câmera ali embaixo, a toalha de cetim marfim escondendo tudo, antes de pegar uma taça do topo. Normalmente, não bebia enquanto trabalhava.

Mas a situação não tinha nada de normal.

Do outro lado do salão, viu Isabel olhando para ela com aquela expressão de julgamento – os lábios franzidos, os olhos semicerrados. Ou talvez fosse só o botox. De qualquer modo, Delilah ergueu a taça em um brinde e bebeu o conteúdo em dois goles. As bolhas queimaram sua garganta, mas seus membros logo se aqueceram. Ela respirou fundo algumas vezes, se preparando para o trabalho. Era capaz de se misturar às paredes, como qualquer fotógrafo de eventos, se movimentando no automático até que o dia chegasse ao fim. Já tinha feito isso milhares de vezes. Duas horas, no máximo. Aquele grupo sem graça não ficaria ali mais tempo que isso.

Quando sentiu que estava forte o bastante, virou-se. Mais algumas pessoas tinham chegado: uma mulher mais velha com um cabelo que mais parecia uma touca tingida de louro, que ela imaginou ser a mãe do noivo, uma outra mulher de idade próxima à dela que demonstrava tanta felicidade quanto Delilah por estar ali e uma senhora mais velha que parecia estar julgando Isabel abertamente por ainda não ter garantido que ela estivesse com uma bebida nas mãos. Delilah gostou dela no ato.

Ela ergueu a câmera e fotografou a interação, capturando o sorriso falso e o maxilar tenso de Isabel. Que encantadora. Bem mãe da noiva.

Delilah sorriu consigo, pensando em todos os momentos nada lisonjeiros que poderia imortalizar nas duas semanas seguintes, se quisesse. Tinha fotografado muitos casamentos nos últimos dez anos e, se tinha aprendido alguma coisa, era que eles despertavam o pior das pessoas.

Começou a circular lentamente pelo salão, fotografando a comida – havia *petits-fours*, é claro, todos cobertos e enfeitados com glacê dourado, branco e marfim – e as mesas postas. Imaginando que devia tirar algumas fotos da noiva, foi em direção a Astrid. Iris e Claire estavam lá, as três reunidas e conversando em voz baixa. Quando Delilah se aproximou, percebeu um tom tenso e preparou a câmera para congelar o momento no tempo.

Mas então Claire se virou e Delilah viu seu rosto perto da cabeça loura de Astrid. Os olhos dela estavam vermelhos e cheios de lágrimas, e ela os enxugava com um lenço de papel, sem parar, tentando impedir que as lágrimas formassem um rastro de rímel.

Meu Deus, ela era maravilhosa até chorando. Delilah inclinou a cabeça para observá-la melhor: o cabelo estava preso em um coque com mechas sedosas emoldurando seu rosto. O vestido de renda verde-musgo justo ao corpo deixava as canelas à mostra e trazia mangas rendadas que desciam até os cotovelos. Ele tinha um decote perfeito e um laço de cetim marcava a cintura curvilínea. Parecia um vestido saído de *O grande Gatsby*. Ela trazia um porta-vestido pendurado em um dos braços.

– Eu sabia que isso ia acontecer – disse Claire. – Caramba, eu sabia. Sabia que ele ia fazer isso. Sinto muito, Astrid.

– Ah, deixa disso – pediu Astrid, com a mão no braço de Claire. – Está tudo bem. Não tem problema Ruby chegar atrasada.

Iris bufou ao seu lado, e Astrid deu uma cotovelada na amiga.

– Sério – continuou Astrid, olhando para Claire. – Só quero que ela esteja aqui.

Claire assentiu.

– Ele está vindo. Pelo menos, disse que estava.

Astrid acariciou o braço de Claire e Iris disse alguma coisa sobre coragem líquida, indo direto para a mesa de champanhe. No espaço que ela deixou, Claire levantou o olhar, que cruzou com o de Delilah. Talvez fosse sua imaginação, mas ela podia jurar que as pupilas de Claire se dilataram um pouco atrás dos óculos e que seus lábios se abriram, só um pouquinho.

Só o suficiente.

Ah, Astrid estava muito, muito errada. Delilah ia ganhar, sim.

CAPÍTULO SEIS

CLAIRE QUERIA MATAR JOSH. Estripá-lo. Esfolá-lo vivo. Cozinhá-lo em um caldeirão em seu próprio sangue.

Naquela manhã, ela acordou antes das sete e mandou mensagem para ele.

Bom dia! Já acordaram?

Uma mensagem simples e descontraída. Nada muito exigente. Ela até introduziu a pergunta com um cumprimento alegre, pelo amor de Deus. Passou uma hora e ele não respondeu, mas tudo bem. Às oito horas ainda daria tempo de tirar Ruby da cama e levá-la para casa até as nove para que ela pudesse colocar o vestido que Astrid comprara para ela usar no brunch. Era lavanda, todo de renda e cetim, e Ruby tinha detestado. Claire não teve coragem de dizer isso a Astrid. Dois anos antes, Ruby teria adorado o vestido, mas agora parecia recusar qualquer coisa que não fosse jeans, cores escuras e as camisetas de banda dos anos 1990 da mãe, que tinha achado em uma caixa no sótão, meses antes. Claire tinha conseguido convencer Ruby a engolir o ranço e ser educada – o vestido custava mais que a roupa vintage que ela mesma usava, afinal, e Ruby amava Astrid –, mas também sabia que o humor da filha andava um pêndulo e que seria melhor ela se vestir na própria casa, e não na Casa de Chá da Vivian.

Por isso, pedira a Josh que levasse a filha para casa às nove naquela manhã.

Mas passou das nove e nada.

Cadê vocês?, escreveu ela às 9h01.

Indo!, respondeu ele, mas obviamente eles *não* estavam *indo*, porque quando o relógio bateu 9h40 Claire teve que sair ou correria o risco de se atrasar, e uma das madrinhas não podia se atrasar para um evento de casamento no mundo de Astrid Parker. Claire foi até o apartamento de Josh e bateu à porta às 9h50. Ninguém atendeu, e ela estava prestes a ter um ataque de pânico, porque agora não só conseguia imaginar aquele tique no olho de Astrid quando ela ficava estressada, como seu cérebro de mãe estava criando milhões de cenários aterrorizantes, de um acidente de carro a Josh sequestrando sua filha e fugindo para o Canadá.

Cadê vocês, porra?, escreveu ela quando estacionou em frente à Casa de Chá da Vivian, as mãos tremendo e os olhos cheios de lágrimas. Talvez o *porra* chamasse a atenção dele. Ela nunca usava essa palavra, guardando-a para momentos como aquele, quando fantasiava sobre arrancar uma parte vital do corpo de Josh.

A caminho!, respondeu ele. Claire queria enrolar aquele ponto de exclamação feliz no pescoço dele. **Paramos para comprar donuts!** E ele teve a audácia de inserir um emoji de donut e um coração verde.

Agora ela estava no meio do salão extravagante da Casa de Chá da Vivian, pisando um chão de mármore, os olhos vermelhos e inchados, enquanto Delilah Green fotografava tudo.

Ou talvez não. Ela não chegara a levar a câmera ao rosto desde que a tinha visto, mas *estava* perto demais enquanto Claire desabafava, absurdamente gostosa com aquela regata de seda preta e aquela calça creme elegante que deixavam seu corpo já esbelto ainda mais atraente.

E aquelas tatuagens, meu Deus. Os olhos de Claire se fixaram em uma delas, raios e gotas de chuva caindo de um céu cinza em um copo cheio de mar. Uma tempestade em um copo d'água.

Na noite anterior, ela mal tinha distinguido os desenhos. Estava ocupada demais tentando agir como se não fosse a mãe exausta de uma pré-adolescente angustiada enquanto dava em cima da irmã distante de Astrid. E Delilah obviamente sabia quem ela era… Não, ela não podia pensar nisso agora. Precisava concentrar suas energias em não cometer um assassinato. Tirou os olhos de Delilah quando a porta principal da Casa de Chá da Vivian se abriu atrás dela, e Josh e Ruby entraram rindo.

– Bom dia, senhoras! – cumprimentou Josh ao vê-las, fazendo os óculos escuros deslizarem pelo nariz e revelando os olhos reluzentes.

Iris rosnou.

– Joshua – disse Astrid, cruzando os braços e encarando-o.

– Soube que devo dar os parabéns – comentou ele, mas então ergueu as mãos com as palmas para cima e fez um movimento de balança. – Ou meus pêsames ao noivo. Um ou outro.

– Tchau, Joshua – falou Astrid.

– Quê? Eu não fui convidado? – perguntou ele, com aquele sorrisinho irônico e sedutor que havia colocado Claire em todo aquele apuro, para começo de conversa.

Astrid respondeu alguma coisa, porque não conseguia ficar de boca fechada quando Josh abria a dele, mas Claire ignorou os dois. Se conversasse com ele agora, arrancaria sua cabeça. Já tinha aprendido a não interagir com ele quando estava irritada assim. Sempre acabava sentindo que tinha exagerado, como se fosse incapaz de relaxar e o que quer que Josh tivesse feito não fosse tão sério assim.

E, ultimamente, nada a irritava mais que isso.

Claire foi até a filha e a envolveu em um abraço.

– Oi, amor.

– Oi, mãe. – Ruby estava com o jeans preto e a camiseta preta de sempre, desta vez com a capa do álbum *Sixteen Stone*, do Bush.

– Você se divertiu?

– Muito. Compramos donuts, e o papai me deixou tomar café.

Claire ignorou a última parte.

– Que ótimo, fico feliz. Vamos trocar de roupa? – Ela estendeu a capa com o vestido para Ruby e abriu um sorriso radiante.

Ruby pegou a capa, mas seus ombros se curvaram.

– Eu preciso mesmo?

– Querida, a gente já conversou sobre isso.

– Eu sei, mas… o vestido pinica. E eu detesto essa cor. É cor de criancinha.

– Não é, não. Eu uso lavanda o tempo todo.

– É, mas você é minha *mãe*.

Ela disse *mãe* no mesmo tom com que diria a palavra *escorpião*.

Claire forçou um sorriso e puxou Ruby pelo cotovelo, avançando até o corredor que levava aos banheiros.

– Só hoje. Eu prometo.

– O papai disse que eu não preciso usar o vestido.

Claire cerrou os dentes. *Eu vou matá-lo. Assá-lo no espeto.*

– O papai não está no comando agora. E é pela Tia Astrid. Você ama a Tia Astrid.

– Se a Tia Astrid *me* amasse, ela me deixaria ser eu mesma.

Claire sentiu o sangue sumir do rosto. Quase conseguia ouvir Josh dizendo exatamente essas palavras para Ruby, de um jeito bondoso, delicado, como se fosse a coisa mais natural do mundo fazer o que a gente quiser, sem se importar com as consequências e com as outras pessoas.

– Ruby, eu...

Mas ela não sabia como responder àquilo. Não sabia como discordar. Toda a sua sabedoria de mãe desapareceu da mente e ela sentiu um peso cair sobre seus ombros, aquela sensação pesada de ser incapaz de vencer.

– Posso ver?

A cabeça de Claire se virou de repente e ela viu Delilah Green parada a uma curta distância, apoiada na entrada do corredor, inclinando a cabeça para Ruby.

– Ver o quê? – perguntou Claire.

Mas pelo jeito Delilah não estava falando com Claire. Estava olhando para Ruby e repetiu a pergunta, apontando para a capa nos braços da garota.

– Hã... pode? – respondeu Ruby. – Quem é você?

Delilah sorriu e foi até ela.

– A irmã postiça malvada.

Deu uma piscadinha para Ruby, e a filha da Claire deu um sorriso largo, com os olhos enrugadinhos e tudo.

– Ah, já ouvi falar de você – disse Ruby, ainda sorrindo.

– Ruby – advertiu Claire, mas Delilah só riu.

– Ouviu, é?

Ruby assentiu. Claire não se lembrava de ter falado sobre Delilah perto da filha, mas Iris não tinha papas na língua quando ia à casa delas à noite. Depois de uma bebida, ela falava ainda mais que o normal, e a menina gostava de ficar à espreita quando já devia estar na cama. Claire tinha pegado a filha no flagra mais de uma vez, deitada de bruços no corredor, fora do campo de visão delas, o queixo apoiado nas mãos, os olhos arregalados e ávidos como se estivesse ouvindo segredos sobre um tesouro escondido.

– O que você ouviu? – perguntou Delilah, inclinando a cabeça.

Ruby abriu a boca e Claire viu tudo. O que quer que tivesse a dizer para Delilah não seria necessariamente gentil. O rosto da filha ficou corado e a garota engoliu em seco.

– Hum… – disse Ruby.

Claire soube que era melhor interferir, fazer alguma coisa, dizer alguma coisa. Ela vasculhou a mente atrás de uma distração, mas logo o sorriso de Delilah… desapareceu.

Uma sensação desagradável se apossou do estômago de Claire, vergonha, culpa ou constrangimento, ela não tinha certeza. Só sabia, no entanto, que Delilah também havia percebido que o que quer que Ruby tinha ouvido não seria lisonjeiro.

– Deixa pra lá – pediu Delilah, agitando a mão e dando uma puxadinha na capa que estava nos braços de Ruby. – Deixa eu ver este vestido.

Ruby soltou um suspiro profundo. Claire também, para falar a verdade. Ela com certeza não queria uma reprise das tiradas de Iris bêbada – ou, em alguns casos, totalmente sóbria – sobre a Alma Penada da Casa das Glicínias. Não que as coisas que Iris dizia fossem necessariamente mentiras – Delilah tinha mesmo deixado Bright Falls e Astrid, apesar da infância estranha que passaram juntas, sem olhar para trás –, mas ver o sorriso provocante de Delilah sumir, como se um cobertor pesado tivesse sido jogado sobre ela no meio de um verão sufocante… bom, Claire não estava preparada para isso.

– É horrível – garantiu Ruby, abrindo o zíper. – Olha.

Delilah estendeu a mão, puxando a renda e o cetim para fora da capa. Claire não tinha certeza, mas parecia que seus dedos estavam tremendo, só um pouquinho, quando ela tocou no vestido. Franziu as sobrancelhas, os lábios curvados para baixo.

– Nossa, é mesmo – disse.

Ruby caiu na gargalhada, e de repente qualquer empatia que Claire tivesse sentido desapareceu.

– Você está falando sério? – perguntou, o mais baixo que conseguiu. Na verdade, queria gritar. Ela não precisava daquilo. Só precisava que Ruby vestisse a roupa.

– Eu não mentiria sobre uma coisa tão importante – disse Delilah, olhando nos olhos de Claire.

Não havia nenhuma malícia ali, nenhum sarcasmo. Só… caramba, Claire não sabia dizer *o que* havia ali. Delilah ficou olhando para ela por um instante a mais que o usual, os cantos dos lábios carnudos se curvando para cima, bem de leve. Sardas se espalhavam pelo nariz e pelas bochechas. Na noite anterior, à luz fraca da Taverna da Stella, Claire não tinha percebido as sardas. Agora, no entanto, eram claras como o dia, e ela sentiu uma vontade ridícula de traçar um desenho com o dedo nelas.

Claire balançou a cabeça e deu um passo para trás.

– Ruby, você precisa trocar de roupa, tá?

– Mãe – protestou Ruby, choramingando.

Claire sentiu mais sangue subindo até o rosto. Aquilo ia se transformar em uma briga, ela estava sentindo. Uma briga enorme e lacrimejante, bem ali na Casa de Chá da Vivian, no primeiro evento do casamento de Astrid. Ela respirou fundo para acalmar o estômago que se revirava, tentando pensar no que dizer para Ruby, as palavras mágicas que fariam tudo ficar bem, mas não conseguiu pensar em nada.

Ela teve a sensação terrível de que seus olhos começavam a arder, pareciam inchados. Estava tão cansada. Estava muito, muito cansada de ser a vilã da história.

– Escuta – disse Delilah, tirando o vestido da capa e pendurando-o no braço. – Vamos ver o que a gente consegue fazer com isso. O que acha?

Mais uma vez, ela estava olhando para Ruby, não para Claire. Ruby abaixou os braços e seu rosto se iluminou.

– Sério? – perguntou. – Tipo o quê?

– Bom – começou Delilah, indo em direção ao banheiro –, por acaso, eu tenho bastante experiência em transformar uma peça de roupa que detesto em uma coisa de que eu quase gosto, e acho que você também deve ter algumas ideias.

Seus olhos desceram até o esmalte de Ruby – turquesa vívido alternado com um tom escuro de ameixa – e subiram até seu cabelo, que Claire ainda nem tinha percebido. Os cachos da filha estavam soltos de um lado, mas do outro uma trança escama de peixe muito bem feita descia até o ombro. Ela nem sabia que Ruby sabia fazer esse tipo de trança. E, ao olhar mais de perto, percebeu uma fita listrada de preto e prata no meio do penteado.

– Talvez – respondeu Ruby, sorrindo, e Delilah a arrastou para o banheiro, a porta pesada de carvalho se fechando atrás delas.

Claire ficou parada ali um tempão, tentando entender o que tinha acabado de acontecer. Sentia-se boba e um pouco envergonhada por não ter pensando em *perguntar* a Ruby o que ela mudaria no vestido. Era um vestido. Já estava pronto. Astrid o comprara para a filha, e provavelmente custava mais que todas as outras roupas de Ruby juntas, compradas em lojas de departamentos, peças baratas que em um ano não iam mais servir. Claire adorava roupas, adorava descobrir peças únicas em brechós e lojas vintage que expressavam sua personalidade, mas ela nunca *transformava* nada. Nunca nem tinha pensado em fazer isso.

Ainda assim, por trás da sensação enorme de vergonha, tinha outra coisa mais forte.

Alívio.

Delilah ia fazer com que sua filha trocasse de roupa. Elas não teriam nenhuma briga em público que terminaria com Ruby gritando que a odiava. Claire colocou as mãos sobre a barriga, respirando e deixando o ar entrar no espaço novo que descobrira ali.

– Claire? – Astrid veio pelo corredor, o salto batendo no chão de mármore. – Está tudo bem? Estamos prontas para começar.

Claire fez que sim e apontou o polegar em direção ao banheiro.

– Ruby só está trocando de roupa.

– Ah, ótimo. Espero que ela goste do…

Mas sua voz foi interrompida quando a porta do banheiro se abriu com tudo. Ruby saiu primeiro, Delilah logo atrás. O vestido tinha sido totalmente transformado. Bom, não totalmente. A estrutura continuava ali, mas *só* ela. A sobreposição de renda tinha desaparecido, ficando o forro de cetim, sem mangas, com decote cavado e barra até logo acima dos joelhos de Ruby. No lugar das sandálias lavanda que estavam na capa, Ruby tinha calçado os coturnos pretos que ganhara de Claire no seu aniversário, em abril.

O efeito era… perfeito.

Ruby parecia ela mesma, muito mais do que Claire imaginara que seria possível estando na Casa de Chá da Vivian. Além disso, ela estava *sorrindo*, e isso era o bastante para Claire.

– O quê… Como… Quando… – gaguejou Astrid, de boca aberta. – O que aconteceu?

– Delilah consertou meu vestido – disse Ruby, orgulhosa. Colocou as mãos na cintura e fez uma pose. – Não está incrível?

– É, *mana*, não está incrível? – repetiu Delilah, os lábios contraídos como se estivesse se esforçando para não rir.

– Eu… bom…

Claire viu o sorriso de Ruby começar a murchar.

– Está incrível *mesmo* – falou, pegando as mãos da filha e estendendo os braços para vê-la melhor.

O sorriso voltou a iluminar o rosto de Ruby e Claire a fez rodopiar uma vez antes de levá-la de volta ao salão principal, a filha abraçada a ela, feliz.

Ela olhou para trás só uma vez. Quando cruzaram olhares, mexeu os lábios em um *Obrigada* no momento exato em que Delilah ergueu a câmera e tirou uma foto.

CAPÍTULO SETE

DELILAH BAIXOU A CÂMERA e analisou a foto na tela. Claire abraçava Ruby, a cabeça virada por sobre o ombro, a boca um pouco aberta, os lábios levemente franzidos e o *obrigada* lançado no ar. Com o cabelo preso e aqueles óculos de nerd sexy, o salto dourado e o vestido de renda se avolumando no quadril antes de chegar à canela, ela estava maravilhosa.

Clássica.

Um ícone, até.

E a foto tinha ficado muito boa. A luz estava perfeita, com o clarão suave do corredor ao redor de Claire e de Ruby, como se estivesse protegendo as duas.

Mas ainda melhor era a expressão nos olhos de Claire, que estava fixa em Delilah. Estava agradecida, claro. Estava óbvio que ela tinha ajudado a evitar algum tipo de catástrofe pré-adolescente, mas o brilho no olhar de Claire era mais que isso. Era *interesse*.

Delilah sorriu para a tela. Qualquer que fosse a dança que as duas estavam dançando, ela gostava. Astrid estava muito enganada – Claire estava no mínimo intrigada, e Delilah com certeza era capaz de fazer alguma coisa com isso.

No entanto, não sabia dizer ao certo por que tinha se oferecido para ajudar Ruby com o vestido. Estivera fotografando em segredo a discussão entre Astrid e Josh – de quem Delilah se lembrava vagamente como o cara da escola que jogava beisebol –, imaginando que Astrid *adoraria* ter o registro de sua boca retorcida e sua testa cheia de ruguinhas ao repreendê-lo.

Mas então tudo se encaixou: Claire chorando enquanto puxava a filha, que estava triste e que não devia ter mais que 11 anos, pelo cotovelo em direção ao banheiro. Delilah sabia que Claire era mãe, que tinha engravidado logo que terminara a escola e decidido ficar com o bebê. Na época, não havia sentido nada ao saber da notícia – tirando, talvez, uma leve alegria mórbida porque a decisão de Claire significava que ela não iria para Berkeley com o resto do clã.

Antes que ela mesma se desse conta disso, tinha se afastado da discussão mesquinha de Astrid e ido em direção a Claire, fascinada com o fato de alguém da sua idade ter uma filha quase adolescente. Ou talvez estivesse mais fascinada com o vestido dela, que se acomodava perfeitamente seus seios fartos. De qualquer forma, ali estava ela, vendo Ruby quase ter um ataque por causa de um vestido.

Uma lembrança voltou à sua mente: Isabel à porta do quarto com os punhos cerrados enquanto Delilah, com 13 anos, sentada na cama, destruía o vestido que a madrasta queria que ela usasse em um evento beneficente que havia organizado.

Você não é capaz de fazer isso por mim?, perguntara Isabel. *Depois de tudo o que eu fiz por você?*

– Posso ver? – Delilah se ouviu perguntar, e foi o que bastou.

Ela e a garota entraram no banheiro e, quando Delilah perguntou como ela *queria* que o vestido fosse, Ruby começou a tagarelar sobre o coturno que tinha ganhado da mãe de aniversário em abril e algo simples que não pinicasse sua axila.

Agora, enquanto Claire e Ruby voltavam para o salão, Astrid pigarreou.

Delilah ergueu o olhar e viu o maxilar tenso da irmã postiça. Então ajudar Ruby rendeu o bônus de irritar Astrid. Aquele dia ia ser melhor do que ela esperava.

– Pois não, querida?

Astrid semicerrou os olhos.

– É sério? Como por um acaso, justamente você destrói o vestido que eu dei à Ruby?

– Ela detestava o vestido.

– Ela... o quê? Claro que não.

Delilah olhou para ela como quem diz: *Por favor, né?*

– Você viu a garotinha *feliz* que acabou de sair do banheiro?

– Vi, mas eu...

– É um vestido, Desastrinho. Desapega.

Astrid apertou os lábios.

– É só tirar as fotos, tá?

– Ah, já tenho umas ótimas. – Ela foi passando as imagens na tela até chegar a uma que mostrava Astrid conversando com Josh, a boca bem aberta e as narinas dilatadas. – Viu?

Astrid olhou, então levantou os braços antes de deixá-los cair com um tapa nas laterais do corpo, exasperada.

– Caramba, você odeia mesmo aquele cara – disse Delilah.

Houve um instante de silêncio, até Astrid falar:

– Bom, ele é um irresponsável de merda e não dá a mínima pra ninguém que não seja ele mesmo, então, sim.

Delilah quase fez uma piada sobre Astrid dizer mais um palavrão – *E na Casa de Chá da Vivian! Me segura que eu vou desmaiar!* –, mas logo assimilou as palavras da irmã postiça, que pairavam pesadas entre elas, cuspidas com um pouco mais de força do que Delilah achava que o cara merecesse. Astrid cruzou os braços e ficou olhando para o chão, mordendo o lábio inferior.

Algo desagradável se instalou no estômago de Delilah.

– Volte ao trabalho, tá? – disse Astrid, já se virando e avançando pelo corredor. – Não estou pagando pra você dar uma de alfaiate.

A partir daí, tudo desandou.

Delilah fez seu trabalho, como Astrid pediu. Andou pelo salão despercebida e tirou fotos de várias mordiscadas em sanduíches de pepino sem casca e goles delicados de mimosas. Como qualquer fotógrafa de eventos que se preze, quase ninguém a notou, mas ela notou tudo e todos.

Cada risada.

Cada vez que Isabel colocou a mão nas costas de Astrid ou acariciou seu cabelo.

Cada cadeira ocupada – não tinham nem mesmo uma extra em um canto caso Delilah quisesse fazer uma pausa.

Cada *Estou tão orgulhosa* dito pela madrasta.

Delilah registrou tudo como deveria. Mas sentia que estava sufocando. Não conseguia tirar as palavras de Astrid da cabeça, não conseguia esquecer a raiva e a mágoa que envolviam cada sílaba, como se ela não estivesse falando sobre Josh. Olhando para Astrid agora, ela parecia bem. Feliz. Afinal, tinha tudo de que precisava: as amigas, uma mãe dedicada, um noivo, um lindo brunch de casamento que daria início a eventos ainda mais lindos, culminando em um lindo casamento. Conhecendo Astrid como conhecia, aquilo era tudo que sua irmã podia querer.

Delilah sentia a pele pinicar e os pulmões arderem. Ela tirava fotos, trocava as lentes, se agachava e curvava para conseguir o ângulo certo, e o suor se acumulava sobre o lábio superior e nas axilas, a mesma sensação de mal-estar que sentira tantas vezes na infância.

A única pessoa que parecia olhar para ela era Ruby, que ficava tentando chamar sua atenção com uma cara engraçada, toda retorcida e fofa. Delilah dava um jeito de sorrir para ela – era um doce de criança – e tirava algumas fotos de suas caretas bobas para agradá-la.

Também tirou muitas fotos de Claire. Uma ou duas vezes, seria capaz de jurar que a mulher estava olhando para ela, desviando o olhar no instante em que a câmera de Delilah se focava nela, mas não tinha como ter certeza. De qualquer forma, tirou muito mais fotos de Claire do que deveria, mas o que poderia dizer? Claire era um belo tema, e focar sua câmera nela parecia acalmar os pensamentos agitados. Aliás, se concentrar em garantir que a luz do lustre se refletisse do jeito exato no cabelo brilhoso de Claire era a única coisa que impedia Delilah de pegar uma das pequenas quiches – cuja crosta parecia uma droga de uma concha, pelo amor de Deus – e gritar: *Pra que tudo isso?*

Delilah se lembrava de eventos como aquele na infância. Lembrava claramente: ela enfiada em um vestido piniquento, sentada à extremidade de uma das mesas longas de jantar da Casa das Glicínias, Isabel e Astrid na outra ponta, cercadas de adoradores que acreditavam que Isabel era a alma da classe e da caridade.

Não foi maravilhoso a Isabel acolher a pobrezinha depois que o pai dela morreu?

Isabel não era obrigada a fazer isso, sabe.

Ela é esquisitinha, não é? Deus abençoe a Isabel.

Delilah tinha ouvido tudo isso ao longo os anos, os elogios e a adoração, as reflexões sobre seu comportamento, os julgamentos por sua gratidão a Isabel não transbordar como uma fonte de champanhe.

Embora caminhasse com calma e se dedicasse a fotografar o evento, sua respiração foi ficando cada vez mais rápida e irregular. Ela se concentrou na tarefa, no movimento simples de focar e clicar, mas não adiantou. Então tentou pensar na exposição no Whitney, mas naquele momento Nova York parecia ser outro planeta, e três semanas uma vida inteira. Ela sentia o olhar de Astrid. O de Isabel também. A senhora de cabelo pintado de louro, que, se era mesmo mãe de Spencer, a essa altura certamente já sabia tudo sobre Delilah, os pais mortos, coitados, e quanto Isabel fora *magnânima* por *acolhê-la*, como se ela fosse uma órfã perdida que tinha encontrado na rua.

Passou pela torre de champanhe, que estava da mesma altura do início do evento, a equipe da Casa de Chá da Vivian repunha as taças a todo momento. Pegou uma do topo e bebeu um gole, fazendo bochecho com as bolhas enquanto observava o líquido dourado na taça cara.

Então, antes que pudesse pensar muito, deixou que seu quadril esbarrasse na mesa ao se virar. Foi sutil, de fato um acidente, mas bastou para que as taças batessem umas nas outras e… caíssem.

Uma queda gloriosa. Horrenda. Como a torre de Sauron finalmente derrotada, as taças desabaram, derramando champanhe e espalhando cacos de vidro pela mesa e pelo chão de mármore com uma cacofonia triunfal.

O salão ficou em silêncio. Delilah ergueu o olhar, sem expressão, e olhou diretamente para Isabel, cuja expressão parecia ter se libertado de sua prisão de botox – as narinas dilatadas, a pele corada, as sobrancelhas quase invisíveis tão baixas que pareciam mergulhar em seus cílios.

– Ops – disse Delilah, e tirou uma foto da bagunça de álcool e vidro aos seus pés.

Depois disso, Delilah tirou mais fotos. Ajudou a equipe a limpar a sujeira – era o mínimo que podia fazer, uma vez que o desastre tinha sido culpa sua e valido muito a pena. Ainda melhor, o *acidente* encerrou o brunch de repente. Quando o piso voltou a ficar impecável, no entanto, ela não quis lidar com Astrid nem Isabel. Quando as convidadas começaram a se levantar e a madrasta tornou a colar um sorriso no rosto, Delilah pegou a bolsa da câmera embaixo da mesa, guardou tudo e saiu quase correndo pela porta da Casa de Chá da Vivian, desesperada por um ar sem perfume e um pouco de álcool.

Saiu de fininho e inspirou a brisa quente do início do verão. Em Nova York, já fazia um calor sufocante, mas no Oregon ainda parecia primavera, com o céu azul espiando por entre as nuvens cinza-claro e o aroma fresco das sempre-vivas. Ela acelerou pela calçada em direção à Taverna da Stella.

Infelizmente, o clima idílico de primavera não mudava o fato de que o bar só abria às seis. Ela deu um tapa na porta de madeira e foi em direção à Pousada Caleidoscópio, onde desligou o celular e tirou a calça antes de pedir um sanduíche da cozinha da pousada. Aconchegada na cama king size enorme, com chita e tudo, maratonou no laptop seis episódios de uma série sobre uma adolescente lésbica na Georgia.

Mas, quando o céu começou a ficar lavanda, ela ficou impaciente. Estava acostumada a passar as noites pelas ruas da cidade, servindo mesas ou mantendo as mãos ocupadas com o trabalho fotográfico, indo a eventos de arte ou simplesmente a um bar até encontrar alguém de quem gostasse. Nem sempre terminava com uma ficada – às vezes, era bom apenas se sentar ao lado de alguém e conversar sobre nada, sobre qualquer coisa.

Não gostava das noites tranquilas, sozinha.

Fechou o laptop, vestiu a calça e calçou os sapatos. Cinco minutos depois, estava descendo a Main em direção à Taverna da Stella, os postes lançavam um brilho dourado sobre a calçada de paralelepípedo. Havia algumas pessoas na rua, casais e famílias, turistas anuais que vinham ficar em um dos casarões à beira do rio. A maioria eram brancos com jeito de hétero, e uma boa parte lambia sorvetes de baunilha como se estivesse posando para fotos espontâneas de revistas femininas.

Delilah apressou o passo, pronta para o barulho e a atividade da Taverna da Stella. Estava mais ou menos na metade do caminho quando avistou um coque bagunçado através da vitrine de uma loja, óculos roxos refletindo a luz suave. Livros enchiam a vitrine, várias capas coloridas prometendo verão e romance, alguns livros grossos de culinária com frango grelhado e salada de melancia com pimenta caiena na capa.

Livraria Rio Selvagem, dizia o letreiro.

Claro, Delilah conhecia bem a loja. Na infância, era um dos poucos lugares em Bright Falls onde podia respirar tranquila e desaparecer de um jeito que parecia uma escolha, não que estava sendo ignorada. Foram horas felizes lendo romances de fantasia e histórias em quadrinhos nos fundos da livraria.

Ela parou e se aproximou da vitrine. Claire estava no balcão ao lado do caixa, folheando livros de uma pilha e parando de vez em quando para digitar algo no computador. Lá dentro estava escuro, apenas um abajur aceso no balcão e alguns cordões de luzinhas.

Antes que pudesse pensar demais, Delilah empurrou a porta, e um alívio que ela não sabia explicar preencheu seu peito quando a porta se abriu com facilidade. Um sininho tocou.

– Oi, sinto muito, já fechamos. Eu ia trancar...

As palavras de Claire foram interrompidas assim que ela viu Delilah.

– Ah. Oi – disse, largando o livro que tinha nas mãos.

Delilah olhou para o celular, a porta aberta apoiada em seu quadril.

– Fechada às sete?

A boca de Claire se contraiu.

– Cidade pequena. Mas a gente enlouquece, e a livraria fica aberta até as oito sexta e sábado.

– Uau. Que ousada. Daqui a pouco a Taverna da Stella vai ter um show de drags.

Claire riu.

– Quem dera.

Delilah riu também e depois as duas ficaram em silêncio. Claire não a mandou ir embora; Delilah considerou isso um bom sinal e entrou de vez na livraria, a porta se fechando atrás dela. O que percebeu primeiro foi o cheiro – papel e cola, o aroma suave de algo cítrico e fresco. Ela quase teve que recuar alguns passos: era o cheiro de sua infância. Mas, ao contrário do perfume da Casa das Glicínias, o ar fresco da loja lembrava uma sensação de segurança, de pertencimento.

A loja tinha mudado um pouco desde a última vez que Delilah estivera ali. As prateleiras escuras agora eram de madeira clara e iam até o teto, com um estoque extra no topo e duas escadas de madeira clara iguais, uma em cada lado da loja, presas a um poste de metal. O carpete antes era industrial, do tipo encontrado em escritórios e escolas, mas agora um piso de madeira maciça cobria toda a extensão do pequeno espaço. Cordões de luzes aqui e ali e, no meio da loja, aninhadas entre mesas de exposição e estantes avulsas menores, quatro poltronas de couro de frente umas para as outras, com uma mesinha de café repleta de livros no meio. Uma luminária pendia sobre o espaço de leitura, pequenas lâmpadas redondas em meio a folhas de prata reluzindo em correntes.

O efeito era impactante e iluminava o ambiente de um jeito que fez Delilah sorrir.

– Este lugar está maravilhoso – disse, passando a mão no balcão onde Claire estava. – Não era assim quando estávamos na escola.

– É, eu sei – respondeu Claire, mexendo nos livros ao seu lado.

Ela os empilhou e reempilhou em ordens diferentes, várias vezes.

– Quando minha mãe se casou de novo, há alguns anos, ela e o marido quiseram viajar, então eu assumi.

Delilah apoiou os cotovelos no balcão. Ela se lembrava de Katharine, mãe de Claire. Tinha olhos castanhos de expressão suave e quadris roliços, e era uma das poucas adultas naquela cidade que tratava Delilah como uma criança normal, e não um incômodo. Não havia um Sr. Sutherland. Ele fora embora quando Claire tinha uns 9 anos, logo antes de ela e a mãe se mudarem para Bright Falls, se a memória de Delilah estivesse correta.

– Você fez tudo isso? – perguntou ela.

O olhar de Clair se fixou no de Delilah por alguns segundos. Delilah não sabia ao certo se a outra mulher fizera isso deliberadamente e viu a garganta dela subir e descer, engolindo em seco.

– Oi? – disse Delilah, tocando suavemente as costas da mão de Claire, só uma vez, antes de dar um passo para trás.

Claire estremeceu, pigarreou e baixou o olhar voltando a mexer na pilha de livros.

– Ah, sim. E quero fazer mais. Abrir um café, pendurar quadros de artistas locais nas paredes pras pessoas comprarem, mas pra isso é preciso dinheiro.

– Pra maioria das coisas.

Delilah pegou o livro que estava no topo da pilha de Claire e fingiu observá-lo. Na verdade, estava só pensando em maneiras de continuar a conversa, motivos para não ir embora. Ali, sentia-se estranhamente à vontade. Além disso, estava gostando de ver Claire um pouco nervosa por estar tão perto dela.

– Sua mãe ainda está viajando?

– Está. Ela está... – Os olhos de Claire se estreitaram enquanto ela pensava – ... no Colorado este mês. Mas vai voltar pro casamento da Astrid.

– Ah, sim. A data especial. – Delilah se virou e encostou o quadril no balcão.

– Você já conhece o Spencer? – perguntou Claire.

– Não tive o prazer.

– Ah, é um prazer, sim. – O tom de Claire era carregado de sarcasmo.

– É tão ruim assim, é?

– Não sei. – Claire levantou uma das mãos.

– Se eu me lembro bem, ontem à noite você disse que não gostava dele – disse Delilah.

Claire ficou tensa.

– Eu prefiro não falar sobre ontem à noite, se você não se importar.

– "Um babaca." Foi o que você disse.

Claire soltou um suspiro e fechou os olhos com força.

– Não devia ter dito isso. Eu achei...

– Que eu fosse outra pessoa.

– E você sabia exatamente quem eu era.

As palavras saíram afiadas, diretas, como se Claire as estivesse contendo havia um tempo. Elas se olharam, o ar entre as duas tão carregado que Delilah imaginou se seria possível que levassem um choque. Ela deixou o silêncio se instalar e se permitiu sustentar o contato visual. Precisava agir com delicadeza, ou Claire ia se fechar completamente. Não havia como negar o que tinha acontecido na noite anterior e fingir não saber.

Então não fingiu.

Em vez disso, se aproximou de Claire. Apenas o suficiente para perceber um cílio caído em sua bochecha.

– Sabia – respondeu com voz suave.

Claire baixou as sobrancelhas.

– Então... você me deixou fazer papel de boba?

– Boba? – Delilah franziu o cenho e inclinou a cabeça. – Você não fez papel de boba. Mas teria ficado conversando comigo se soubesse quem eu era?

Claire franziu os lábios.

– Tudo bem. Pode falar – pediu Delilah.

– Falar o quê?

– Que você nunca teria vindo falar comigo se soubesse que eu era Delilah Green.

– Eu… Isso não… Você está distorcendo as coisas.

– Estou?

Claire esfregou a testa.

– Tá, tá bom, não, acho que eu não teria me aproximado daquele jeito se soubesse.

– Então você já sabe.

– Sei o quê?

Delilah se inclinou só mais um pouquinho, sussurrando as palavras seguintes:

– O motivo de eu não ter dito quem eu era.

Não era de todo uma mentira. Delilah tinha mesmo sido um pouco desonesta na noite anterior na Taverna da Stella ao deixar Claire continuar falando como se elas não se conhecessem, se divertindo ao pensar em como ela se sentiria quando descobrisse a verdade. Mas também estava excitada pra caramba, fascinada com aquela Claire Sutherland adulta e bissexual, que claramente também achava a Delilah adulta fascinante, a ponto de abordá-la em um bar.

As duas mulheres ficaram se olhando por um instante antes que Claire desviasse o olhar, para arrumar a pilha de livros mais uma vez.

– Então, foi um evento e tanto na Casa de Chá da Vivian hoje – disse Claire.

– Se foi.

– Animado.

– Terminou com um estrondo.

Os cantos dos lábios de Claire se curvavam – era óbvio que ela estava tentando segurar uma risada, o que Delilah achou encantador.

– Astrid ficou muito brava? – perguntou.

– De um a dez? – perguntou Claire. – Vinte e três.

Delilah assentiu, incapaz de conter o sorriso que surgia em seus lábios. Claire ficou alguns segundos olhando para ela antes de pigarrear.

– Obrigada por ter ajudado mais cedo – disse. – Com a Ruby.

Delilah deu de ombros.

– Não foi nada de mais. Ela é boazinha.

– Foi de mais, sim. Faltavam dez segundos pra um ataque no meio da Casa de Chá da Vivian por causa de um pouco de renda e cetim.

– Teria sido tão ruim assim? Acho que seria o maior agito desde a abertura daquele festival de tédio.

Claire riu.

– Até você chegar, você quer dizer.

Delilah fez um floreio com a mão, concordando.

– De qualquer forma, a Astrid comprou aquele vestido pra Ruby. Eu não queria que ela ficasse ainda mais estressada.

Delilah ficou pensando, lembrando quando ela e Ruby entraram no banheiro com o vestido. A garota fora boazinha, sim, mas também tinha falado sem parar, e ela deixara.

– Sinceramente, acho que Ruby teria usado o vestido de qualquer forma. Ela só queria que alguém ouvisse o que ela tinha a dizer.

– Eu ouço…

Mas Claire parou de falar, a boca aberta enquanto piscava algumas vezes. Então suspirou e baixou a cabeça sobre as mãos.

– Ah, meu Deus.

Delilah deu uma risada leve.

– Está tudo bem.

Claire levantou a cabeça.

– Estou virando aquele tipo de mãe.

– Que tipo de mãe?

Ela fez gestos exagerados com as mãos.

– *Aquelas* mães que nunca ouvem os filhos e acham que eles são idiotas que não pensam por si próprios e só querem que as coisas sejam fáceis e tranquilas e… Ah, meu *Deus*.

– Você acha que a Ruby é uma idiota que não pensa por si própria?

– Não! – O olhar de Claire suavizou, e sua voz também. – Não. Ela é muito inteligente. Você conversou com ela, né? Ela é ótima.

Delilah assentiu.

– É o que parece.

– Eu só… quero que ela… – Claire soltou outro suspiro e ficou olhando para as próprias mãos. – Não tem sido fácil pra ela. E acho que parte de mim pensa que quanto mais eu segurar firme, quanto mais… não sei, *organizada* eu mantiver a vida dela, mais segura ela vai se sentir. E eu…

Claire parou e endireitou a postura, que de repente ficou rígida.

– Nossa, desculpa. – Ela pigarreou mais uma vez. – Você não quer ficar aqui ouvindo isso.

– Claro que quero – respondeu Delilah.

Disse isso por instinto, porque era a coisa *certa* a dizer para que Claire gostasse dela, mas, quando Claire soltou um suspiro sorridente e arrumou os livros pela centésima vez, Delilah se deu conta de que era verdade. Em Nova York, nenhuma das suas amizades tinha filhos. Todas as pessoas do seu círculo eram artistas, agressivamente solteiras e totalmente dedicadas ao trabalho. Na verdade, nem sabia se chamaria mesmo alguma delas de *amiga*. Eram colegas da arte, pessoas que ela encontrava em eventos e com quem passava a noite de vez em quando. Eram conhecidas, ficadas.

Amigas?

Delilah achava que não tinha nenhuma amizade verdadeira, alguém para quem ligaria em uma noite ruim ou se estivesse com problemas. Não havia feito faculdade e nunca tivera uma colega de quarto com quem pudesse criar vínculos. Jax nunca fora sua amiga – amante, caos e paixão personificados, mas não amiga.

Agora, na Rio Selvagem com Claire Sutherland, imagine só, percebeu que estava se aproximando de alguém, fascinada com aquela vida que ela levava, criando um ser humaninho, uma pessoa, sozinha. Queria pedir para Claire continuar, mesmo que fosse só para ouvir sua voz, aquela voz levemente rouca, mas, antes que tivesse a oportunidade de fazer isso, ouviu passos no piso de madeira, vindos do fundo da loja.

– Mãe, a gente já pode ir pra casa? – A voz de Ruby soou de algum lugar entre as prateleiras.

– Sim, querida, estou quase terminando – disse Claire.

Então ela pegou os livros e os colocou sobre o balcão dos fundos, onde havia uma espécie de estação de embrulhos, com rolos de papel pardo e fitas listradas simples. Depois voltou até o caixa e começou a desligar o computador. Delilah ficou olhando, esperando algum contato visual, mas Claire foi indiferente.

– Que bom, estou morrendo de fome – disse Ruby, surgindo entre as estantes avulsas, ainda com o vestido lavanda e o coturno. Ao ver Delilah, ela abriu um sorriso. – Oi! Você está aqui!

Delilah retribuiu o sorriso, cruzando os tornozelos e se escorando no balcão.

– Estou.

Os olhos de Ruby brilharam, seu olhar percorrendo as tatuagens de Delilah, que percebeu as perguntas se acumulando na mente da garota.

– De qual delas você gosta mais? – perguntou a Ruby.

O rosto da garota ficou corado, como se tivesse sido pega no flagra.

– Ah. Hum…

– Tudo bem – disse Delilah. – Eu quero saber.

– Bom… – Ruby se aproximou mais um pouco. – Gosto desta. – Ela apontou para a tempestade no copo.

– É uma das minhas favoritas também.

– O que significa?

– É uma tempestade em um copo d'água – respondeu Delilah.

Ruby franziu a sobrancelha.

– Quê?

Delilah riu.

– É um ditado antigo. Significa… dar muita importância pra uma coisa pequena. Eu fiz essa tatuagem pra me lembrar de dar às coisas o peso que elas têm. Que, na maioria das vezes, elas não são tão terríveis quanto podem parecer.

A garota assentiu, a cabeça inclinada, pensando.

– Também gosto dessa – disse Claire.

Delilah desviou o olhar para a outra mulher. Deixou que um sorrisinho sedutor tomasse conta de seus lábios.

Claire sorriu e balançou a cabeça antes de se ajoelhar para pegar a bolsa embaixo do balcão, mas Delilah poderia jurar que ela estava um pouco corada.

– Vamos? – perguntou Claire a Ruby, saindo de trás do balcão.

– Finalmente! – exclamou a garota, disparando em direção à porta.

Delilah foi atrás delas, rondando-as enquanto Claire trancava a loja. Olhou na direção da Taverna da Stella, a alguns quarteirões de distância, mas a ideia de entrar lá, sozinha, só para ficar meio bêbada no balcão, também sozinha, de repente pareceu bem cansativa.

– Então… boa noite – disse Claire, enquanto Ruby ia em direção ao Prius prata estacionado no fim da rua.

Delilah se perguntou onde elas moravam, como seria sua casa.

– Boa noite. – Ela enfiou as mãos nos bolsos e começou a recuar, ainda olhando para Claire.

A outra mulher abriu a boca… duas vezes… até que finalmente perguntou:

– A gente se vê amanhã, né?

Delilah parou.

– Amanhã?

– No jantar da Astrid. Na sua… Na casa da Isabel.

O cansaço de Delilah virou exaustão.

– É, a gente se vê amanhã.

Claire assentiu e brincou com as chaves.

– Legal. Então tá.

– Tá.

– Tchau.

– Tchau.

Mas nenhuma das duas saiu do lugar. Delilah não ia arredar pé, ela sabia disso. Estava curtindo ver Claire inquieta, agitada. Em especial porque tinha noventa por cento de certeza de que era o motivo da agitação.

– Mãe! – chamou Ruby do carro.

– Estou indo!

Claire olhou para Delilah mais uma vez antes de finalmente dar as costas e ir depressa até a filha. Delilah ficou parada no meio da calçada, rodeada de lambedores de sorvete, com um sorriso no rosto, até o carro de Claire deixar seu campo de visão.

CAPÍTULO OITO

DELILAH PAROU NA ENTRADA, a Casa das Glicínias despontava diante dela. Estava anoitecendo, o céu era de um lavanda suave e parecia que algumas pessoas já estavam lá. Ela não podia – não *queria* – entrar naquela casa só com Isabel e ficar jogando conversa fora. Ou, o que era mais natural para a madrasta, ficar jogando indiretas. Nem tinha certeza de que conseguiria entrar de um jeito ou de outro, mesmo com a casa cheia de outras pessoas.

A Casa das Glicínias sempre fora um lugar confuso para Delilah. Por um lado, tinha morado ali com o pai durante dois anos, dos 8 aos 10. Lembrava-se dessa época, ao contrário das imagens nebulosas e disformes que tinha da infância em Seattle. A mãe, que morrera antes de Delilah completar 4 anos, era só uma sombra, um borrão de cabelo cacheado e mãos macias em seu rosto. Mas do rosto do pai, Andrew, ela se lembrava muito bem, assim como dos olhos azul-escuros e da risada alta, que vinha do fundo da barriga, fazendo Delilah rir também, mesmo quando ela não entendia a piada. A Casa das Glicínias era dele, construída e batizada para sua nova família, para a filha que ele não pôde ver crescer.

Mas a Casa das Glicínias também era *delas*. De Isabel. De Astrid. Depois da morte de Andrew, o luto de Isabel fora pesado, como um manto preto que cobria tudo. Ela já tinha perdido o primeiro marido para o câncer – um dos motivos pelos quais ela e Andrew estabeleceram um vínculo: o luto compartilhado em razão de uma doença terrível – e perder outro marido tão repentinamente quase a matou. Delilah se lembrava de pensar, em sua própria névoa de tristeza, que Isabel talvez morresse de desgosto e ela e Astrid ficassem sozinhas de verdade ou talvez fossem mandadas para longe.

Mas Isabel sobreviveu, e, conforme ela voltava à vida, Delilah esperava pela mãe de que precisava. Esperou pelo consolo e pela segurança. Caramba, a mão de alguém apertando seu ombro ao passar por ela já teria feito com que seu coração se sentisse mais à vontade dentro do peito. Astrid certamente não ofereceria nada disso, mas Isabel também não. A mulher a alimentava. Comprava materiais escolares. Garantia que ela fizesse o dever de casa. Comprava presentes de Natal. Vestia a menina com as roupas de grife que Astrid adorava, mas para as quais Delilah nunca ligou, e pronto. Necessidades básicas, deixando o amor totalmente de fora da equação. É bem verdade que ela também não era muito carinhosa com Astrid, mas se *envolvia*. Sempre perguntava sobre os projetos escolares e sobre as amigas da filha, ia a todas as corridas da escola e torcia alto, incentivando-a a ser melhor e mais rápida. Também era um tipo de cuidado, não era? Astrid recebeu toda essa atenção quando elas eram mais novas. Depois, quando chegaram ao ensino médio, a mesma atenção parecia irritá-la. Ainda assim, sempre que se sentava ao lado de Isabel nas arquibancadas de metal, vendo Astrid voar pela pista com o rabo de cavalo louro balançando atrás dela, Delilah ansiava por uma pergunta, qualquer pergunta, qualquer incentivo em relação à sua vida.

Nunca veio. Então, quando os dedos de Delilah envolveram o diploma ao som de aplausos educados e nada emotivos, ela soube que estava na hora de ir embora de uma vez.

Agora, como em todas as outras poucas vezes que voltara à cidade nos últimos doze anos, ela olhou para a linda fachada de tijolos da Casa das Glicínias e sentiu um leve pânico fervilhar a cada respiração. Colocou as mãos na barriga e respirou fundo. Sabia que tinha que entrar e passar por aquilo como tinha passado pelo brunch. Só precisava de um instante para se preparar. Mas o instante se estendeu, e ela sabia que a qualquer momento seu celular chamaria com Astrid gritando sobre profissionalismo e pontualidade.

Deu um passo em direção aos degraus da entrada, e mais um, e estava quase no primeiro degrau quando um carro familiar parou na frente da casa.

Um Prius prata.

Delilah viu Claire abrir a porta do motorista e duas outras pessoas saírem do carro – Iris e um cara que nunca tinha visto. Ele usava uma calça social cinza elegante e uma camisa preta, o cabelo escuro preso em um coque impressionante. O homem abraçou Iris, e Delilah soltou um suspiro, aliviada.

O que permitiu que ela se concentrasse de verdade no que estava vendo.

Claire, de salto vermelho, batom vermelho e um vestido vintage incrivelmente justo que parecia soldado em cada curva perfeita de seu corpo. Era o tipo de vestido que inspirava fantasias, desenhado para corpos como o de Claire, com as alças de 2 centímetros de largura penduradas nos ombros redondos e o decote em formato de coração revelando o suficiente de seu colo. As bolinhas pretas e brancas davam um ar de inocência ao vestido, mas, caramba, nesse momento os pensamentos de Delilah não tinham nada de inocentes.

Ela sentiu a boca se abrir e não pôde fazer nada para impedir.

– Foi exatamente o que eu fiz quando a vi – disse Iris a Delilah. – Ela parece a Bettie Page, não parece? – Ela deu uma cotovelada de leve em Claire.

– O quê? – indagou Claire. – Claro que não. Meu peito e minha bunda são muito maiores que os da Bettie Page.

– É, e isso é bom. – Iris sorriu para ela, balançando a cabeça.

Delilah mal ouvia a conversa das duas – modelo vintage, peito – por causa do *vestido*. Ela só conseguiu ficar olhando enquanto Claire se aproximava.

– E aí? – disse Iris, parando em frente a Delilah e olhando para ela com a cabeça inclinada, como se estivesse esperando alguma coisa.

– Posso ajudar? – perguntou Delilah depois de pigarrear.

– Pode. Você está bloqueando a entrada.

Delilah considerou sugerir a Iris em um tom bem doce que ela usasse *por favor* em uma frase, mas, com a tarefa de entrar ainda pairando sobre sua cabeça e Claire ali parecendo uma modelo pinup, não conseguiu reunir forças. Só deu um passo para o lado, indicando as escadas com um floreio.

– Oi, eu sou Grant – falou o cara ao passar por ela.

– Delilah – respondeu ela, e ele arregalou os olhos. Ela sentiu um aperto no estômago. – É, *aquela* Delilah.

– Ah, hum, é, muito prazer – disse ele, passando a mão na nuca.

– Que discreto – comentou Iris, pegando o braço dele. Ela olhou para Claire e fez um gesto com a cabeça apontando para a porta. – A gente se vê lá dentro?

– Isso – respondeu Claire, e ficou ali enquanto Iris e Grant desapareciam, trocando o peso de perna e puxando uma das alças do vestido.

– Que lindo – disse Delilah.

Claire ficou paralisada.

– O quê?

– O vestido. – Ela apontou para a mão de Claire, que ainda segurava a alça esquerda. – É bonito. Muito bonito.

Delilah viu um sorrisinho curvar um dos cantos da boca dela.

– É mesmo?

– Ô!

Claire contraiu os lábios, claramente tentando conter um sorriso maior, mas seu rosto ficou corado. Ela baixou a mão.

– Você vai entrar?

Delilah soltou um suspiro e olhou para a casa, toda tijolos e janelas reluzentes.

– Uma hora vou. E você?

– Bom, eu valorizo muito minha vida, então, sim.

– Astrid sempre consegue o que quer, né?

As palavras saíram mais baixo do que ela queria, mais tristes, e Claire baixou as sobrancelhas enquanto analisava o rosto de Delilah. Esta tentou não desviar o olhar, mas aquela mulher tinha olhos muito profundos, um poço castanho sem fundo, e Delilah não estava a fim de cair naquela noite.

Ela baixou o olhar e ajeitou a bolsa da câmera no ombro. Precisava assumir o controle da situação, do que ia ou não fazer com Claire Sutherland, uma das amigas malvadas de Astrid, pelo amor de Deus – mas *controle* nunca era algo que ela sentia quando estava na Casa das Glicínias.

– Podemos entrar juntas – sugeriu Claire; era mais uma pergunta que uma afirmação.

Delilah pensou na sugestão. O ombro de Claire encostado no dela ao passar pela porta da frente, um amortecedor. Mas também... a cara de Astrid ao ver as duas entrando juntas.

Delilah sorriu.

– É. Podemos, sim.

Ela enlaçou o braço no de Claire e a puxou para perto, só para garantir.

Delilah ergueu os ombros até as orelhas quando elas passaram pela porta e entraram no hall amplo. O cheiro a atingiu primeiro: lavanda e alvejante, como substâncias químicas tentando domar algo selvagem. Então, a temperatura a envolveu, um frio glacial, o ar-condicionado à toda, a ponto de farfalhar cabelos e saias. Finalmente, lá estava a vista, a entrada ainda pintada de cinza-claro, o piso de madeira escura ainda reluzente e impecável, as paredes ainda decoradas com os quadros mais sem graça do mundo, pinturas abstratas em cores neutras e paisagens fluviais tediosas. Entre aquelas obras-primas, é claro, fotografias posadas de Astrid em todas as idades. Fotos em preto e branco com molduras de madeira de uma princesa loura com um figurino de balé, um uniforme de corrida e uma beca verde de formatura carregada de estolas de honra brancas e douradas.

Uma das fotos mostrava Delilah – um retrato de família, 20 x 25, com ela e Astrid por volta dos 9 anos no sofá branco da sala, Isabel e o pai de Delilah empoleirados ao lado de cada uma delas, os olhos azuis dele brilhando. Uma moldura dourada antiga e simples envolvia a cena feliz, em cima do aparador próximo à escada, meio escondida por uma suculenta em um vaso de cerâmica.

Ela ficou tonta por um instante, mas isso não era tão incomum assim. Só precisava de um minuto para se recompor e vestir a armadura habitual para lidar com Isabel e Astrid – sarcasmo e desdém. Jogou os ombros para trás, o braço segurando o de Claire com ainda mais firmeza.

– Tudo bem? – perguntou Claire, olhando para ela.

– Tudo ótimo – respondeu Delilah, mas sem soltar Claire.

E Claire também não a soltou.

Pelo menos não antes de Astrid aparecer no corredor que levava à sala de estar, os olhos focando imediatamente os braços de Delilah e Claire. Só então Claire se soltou, arrumando o vestido e pigarreando.

– Oi – disse Claire.

– Oi – respondeu Astrid, se aproximando.

Usava um macacão marfim sem alças com pernas largas, elegante e caro. Por ironia, combinava perfeitamente com o macacão sem alças preto de Delilah.

O anjo e o demônio.

Se Astrid percebeu, não disse nada. Em vez disso, deu beijinhos no ar em Claire enquanto olhava de soslaio para a irmã postiça.

– Você veio – disse Astrid.

– Por milagre – respondeu Delilah.

– Bom, eu não sabia se você lembrava onde era.

Delilah inclinou a cabeça, olhando para a irmã.

– Onde está a torre de champanhe?

– Não tem torre de champanhe – respondeu Astrid, o tom repleto de veneno.

– Que pena.

– Tá, e aí? – falou Claire, em um tom alegre. – Está tudo pronto lá fora?

Astrid pareceu relaxar e assentiu, enquanto Delilah entrava em modo professional, repassando mentalmente as lentes de que precisaria para aquela luz. O incidente da torre de champanhe fora terapêutico, mas ela não ficaria exatamente surpresa se Isabel a demitisse e, no fim das contas, precisava do dinheiro. E Astrid sabia muito bem disso.

A Casa das Glicínias tinha um quintal enorme nos fundos. Ele era plano, verde, tinha uma piscina logo abaixo da varanda, além de um amplo gramado que se estendia até as margens do Rio Bright. Tinha um cais com duas cadeiras rústicas de madeira, um pequeno bote que Isabel as proibia terminantemente de usar quando eram crianças e um balanço de pneu pendurado em um carvalho enorme cujos galhos grossos se arqueavam sobre a água azul-prateada.

– Você quer que eu tire alguma foto específica? – perguntou Delilah.

Antes que Astrid pudesse responder, um homem apareceu usando uma calça cinza-escuro e uma camisa de botão azul, ambas com jeito de *coisa cara*. Ele era alto e esguio, o cabelo louro-dourado estava curto nas laterais e um pouco mais comprido na parte de cima. Caminhou até elas devagar, mantendo as mãos nos bolsos até chegar ao lado de Astrid, quando a abraçou pela cintura e a puxou para perto.

– Ah, te achei, bebê – disse, enquanto Delilah observava seus dedos afundando nas costelas de Astrid.

Ela se segurou para não revirar os olhos. Os homens cis-héteros e seus apelidos paternalistas.

Astrid, no entanto, imediatamente se aninhou nele, colocando a mão em seu peito.

– Spencer, essa é a Delilah.

Ele ergueu as sobrancelhas.

– Delilah, é?

– Em carne e osso – disse Delilah. Ela não estendeu a mão para ele, mas ele também não estendeu a sua.

– Jamais pensei que teria esse prazer – comentou ele, mas não deixou que ela respondesse à leve provocação. Em vez disso, virou-se para Astrid, puxando-a mais para perto, e disse: – Preciso de mais champanhe, bebê. Me ajuda?

– Claro – respondeu Astrid, e olhou para Claire e Delilah. – Vocês também querem?

– Nossa, por favor! – respondeu Delilah, e ouviu um eco.

Ela olhou para Claire ao perceber que as duas tinham respondido exatamente a mesma coisa ao mesmo tempo. Claire riu.

– Tá, vou tomar isso como um sim, então – falou Astrid, de sobrancelhas franzidas. – Já volto.

Ela saiu em direção à cozinha, estalando os saltos, e Spencer ficou parado olhando, de pernas abertas e mãos no quadril.

– Ela é uma boa garota – disse, e Delilah tensionou ainda mais o maxilar.

– Acho que você quer dizer mulher – observou ela.

Claire se mexeu, e seu ombro tocou de leve o de Delilah. Spencer se virou para ela.

– Oi?

– Mulher. – Delilah apontou na direção em que Astrid tinha ido, entrando na cozinha. – Astrid, sua noiva, é uma mulher. Quase 30 anos, se me lembro bem.

Spencer estreitou os olhos, bem de leve, mas então sorriu.

– Astrid disse mesmo que você era… geniosa.

– E ela não me disse quase nada sobre você.

As palavras simplesmente saíram, com o tom grosseiro e tudo. Ela ouviu Claire inspirar baixinho e soube que devia calar a boca. Já estava por um fio com Isabel, mas algo naquele cara era como raspar uma lixa na pele queimada de sol. Ninguém poderia acusar Delilah de ter carinho pela irmã postiça, mas ela tinha ainda menos simpatia por babacas que obviamente empunhavam o pau como se fosse uma espada.

O sorriso dele não diminuiu e sua postura continuava ocupando um espaço exagerado. Finalmente, ele desviou o olhar para Claire, passando pelo decote por uma fração de segundo antes de chegar aos olhos dela.

– Bom te ver, Claire.

– Bom te ver, Spencer – respondeu ela, a voz firme como uma rocha.

E ele saiu caminhando devagar pelo corredor até chegar à porta dos fundos e desaparecer na varanda, onde algumas sombras com formato humano ondulavam ao lusco-fusco.

Ao lado de Delilah, Claire soltou o ar tão alto que pareceu que iria desmaiar. Sacudiu as mãos e estremeceu. A outra ficou olhando para ela, esperando para ver o que mais faria.

Claire percebeu seu olhar e balançou a cabeça.

– Desculpa, eu… Bom, agora você conhece o Spencer.

– Ele é sempre babaca assim?

Claire se acalmou.

– *Será* que ele é babaca?

– Hum, com certeza – respondeu Delilah.

– Meu Deus. – Claire colocou a mão na barriga. – Estou muito feliz por ouvir alguém que não eu ou a Iris dizendo isso.

– Mas não é óbvio?

Claire soltou o ar com força, os ombros caindo.

– Bom, a Astrid é uma das pessoas mais inteligentes que eu conheço, e ela vai se casar com ele.

Delilah torceu o nariz.

– Além disso, a Iris e eu só saímos com eles algumas vezes. Quando ela não está com a gente, eles fazem outras coisas. Eu esperava passar a gostar dele com o tempo.

– Como eles se conheceram?

– Ela reformou o escritório dele ano passado. Ele tinha acabado de chegar de Portland e assumiu a clínica do Dr. Latimer quando ele se aposentou.

– O Dr. Latimer só se aposentou no ano passado?

Claire riu.

– Meu Deus, né? Ele já devia ter 70 anos quando a gente estava na escola.

– No mínimo.

– Enfim, Spencer chamou Astrid pra sair quando a reforma acabou, em janeiro. Iris e eu o conhecemos algumas semanas depois do primeiro encontro, e dois meses depois eles estavam noivos.

– Dois meses? Nossa. Então eles estão noivos desde março?

Delilah logo se lembrou de quando Astrid ligara para pedir a ela que fotografasse o casamento – estava fresco em Nova York, o inverno tinha acabado de aliviar um pouco.

– Pois é – disse Claire. – Ela demorou mais de um ano pra escolher um sofá pra sala.

– O que a Isabel diz? – perguntou Delilah.

Mas já sabia: carreira de prestígio, cabelo louro... Isabel amava Spencer, e Claire confirmou.

– Eu nunca consigo definir exatamente o que é – continuou Claire –, mas ele... Ele é...

– Folgado?

– É! – Claire estendeu a mão e agarrou o braço de Delilah num gesto de solidariedade, mas logo soltou. – Mas tipo... de um jeito sorrateiro. Tipo agora, o que acabou de acontecer, com ele todo... – Ela agitou as mãos em frente aos seios. – O que eu diria pra Astrid? "Ô, seu futuro marido *olhou pra mim?*" – Ela balançou a cabeça. – Até a Iris, que fala qualquer coisa pra qualquer um, não consegue colocar em palavras.

Delilah pensou no que *ela* diria – *Seu noivo é um babaca, ele parece um boneco Ken, ele olhou pro peito da sua melhor amiga e você vira uma tonta quando está perto dele* –, mas todas as observações que surgiam em sua cabeça só deixariam Astrid irritada, o que, pensando bem, seria um jeito delicioso de passar a noite.

E um jeito garantido de ser demitida.

Ainda assim, a ideia de ver o casamento de Astrid desmoronar e todo o dinheiro de Isabel, seus planos e sonhos de ser anfitriã do evento mais importante da temporada desabando diante de seus olhos cheios de *lifting*... Bom, digamos que deixava Delilah empolgada.

– Spencer nunca faz nada de concreto – disse Claire. – É só uma sensação, o jeito como ela se comporta perto dele. – Ela esfregou a testa. – Meu Deus, ela me mataria se soubesse que estou dizendo isso pra você.

– Não é exatamente o que a madrinha gostaria de sentir pelo noivo, imagino.

– Não é, não.

Delilah observou uma preocupação genuína se instalar no rosto de Claire. Então, quando os saltos de Astrid ecoaram pelo corredor, a expressão desapareceu tão rápido quanto tinha surgido. As linhas suavizaram, e Claire sorriu para a amiga.

Mas o sorriso também era genuíno, enrugando os olhos e dando origem a uma covinha que Delilah nunca tinha percebido, bem ao lado dos lábios de Claire. Aquela mulher amava Astrid com todo o seu coração.

Só Deus sabia por quê.

– Saúde – disse Astrid, entregando as taças com bolhas douradas para Delilah e Claire, ficando com uma e olhando ao redor. – Cadê o Spencer?

Delilah bebeu um gole e respondeu, indiferente:

– Tomara que ele esteja se jogando do cais no rio.

Claire engasgou com o champanhe.

Delilah sentiu uma onda de orgulho, mas então viu a expressão de Astrid.

Esperava que ela ficasse irritada ou brava. Não esperava… abatida. Sua irmã postiça abriu a boca e baixou as sobrancelhas, confusa. O estômago de Delilah já estava inquieto só de entrar naquela casa, mas agora, de repente, parecia um poço de cobras se contorcendo, e ela não gostou nada disso.

– Como? – perguntou Astrid.

– Nada – disse Delilah, agitando a mão livre e preferindo a indiferença profissional de Astrid àquela versão magoada e desconhecida que estava diante dela. – Você quer que eu tire umas fotos antes do jantar, né?

– Isso – respondeu Astrid, e olhou para Claire.

– Vamos pro quintal, então – disse Claire, pigarreando.

Ela enlaçou o braço no de Astrid e deu um passo, puxando-a para longe.

Delilah se preparou para ser deixada para trás, para andar pela casa sozinha. Já tinha feito isso antes. Tinha passado dez anos naquela casa, oito dos quais sem o pai nem qualquer aliado. Certamente poderia avançar pela droga da entrada no papel de fotógrafa de eventos.

Mas a casa, Astrid, Isabel, todas essas coisas ferviam em um caldeirão, gerando uma infusão potente. Bastaria um gole para fazer com que ela se sentisse uma adolescente esquisita e solitária.

Ela fechou os olhos por dois segundos, inspirou o ar de alvejante e lavanda, e mandou seus pés avançarem. Mas, antes que pudesse se mexer, antes mesmo que reabrisse a abrir os olhos, sentiu dedos macios envolverem seu braço.

Delilah abriu os olhos e encontrou Claire, uma das mãos ainda segurando Astrid, e a outra... acariciando seu tríceps, descendo até o cotovelo. Astrid franziu o cenho, embora sua expressão fosse mais de curiosidade que irritação, e Delilah sentiu algo se revirar em seu âmago.

– Vem – disse Claire, com a voz suave. – Está pronta?

Não, era o que Delilah queria dizer. Nunca estava.

Mas, quando os dedos de Claire se firmaram de leve em sua pele, seus pés descongelaram e ela deu um passo, e mais um, e mais outro. Antes que pudesse perceber, tinha atravessado a sala de estar com sofás brancos onde passara tantas manhãs de Natal abrindo presentes em silêncio, e estava na varanda dos fundos, entre os cordões de luzinhas que lançavam um brilho suave sobre todo o espaço.

Havia pelo menos quinze pessoas lá fora. Delilah reconheceu algumas das mulheres do brunch, a família de Spencer e, é claro, Isabel, no centro de tudo, entronizada em uma cadeira, com uma taça de champanhe reluzente na mão. Astrid beijou o rosto de Claire antes de lançar o olhar irritado de sempre em direção a Delilah e ir se juntar a Spencer no cais, onde ele estava rindo com um grupo de três outros caras, todos héteros top, com aqueles dentes absurdamente brancos e o cabelo perfeito.

Delilah esperou que Claire saísse também, que corresse na direção de Iris ou de algum outro amigo que ela talvez conhecesse, talvez não, quem sabe Josh, embora não o visse em lugar nenhum.

Mas... Claire não se mexeu. Ficou exatamente onde estava, os dedos gelados e macios envolvendo o braço de Delilah, como se também estivesse esperando que ela se afastasse.

CAPÍTULO NOVE

CLAIRE AINDA SEGURAVA o braço de Delilah. Não sabia por quê. Disse a si mesma para soltar mais de uma vez, mas estava com medo de que, se soltasse, ela pudesse sair voando para longe, desmoronasse ou ficasse ali perdida, como estivera na entrada.

Ou talvez ela só gostasse de sentir a pele sedosa de Delilah na sua.

A ideia veio como um relâmpago, obrigando Claire a finalmente recolher os dedos depressa, derramando um pouco de champanhe no deque da varanda.

Delilah não pareceu perceber. Ao olhar em volta e beber mais um gole, ela não saiu flutuando nem desmoronou, mas seus olhos continuavam um pouco arregalados. Era fascinante ver aquela mulher ousada e impetuosa parecendo um cervo perdido na floresta. Claire não entendia muito bem por que, mas queria muito saber, e foi exatamente por isso que engoliu todas as suas perguntas com um gole grande demais de champanhe.

– Ô! – chamou Iris do outro lado da varanda, puxando Grant pelo braço e indo na direção de Claire. – Por que você demorou tanto?

– Demorei uns dez minutos, Ris.

– O que é tempo demais para me deixar sozinha com essa galera. – Iris apontou com a taça de champanhe para o grupo requintado. – Meu Deus, você já viu tanto Louboutin em um lugar só? É sério que nós somos as únicas pessoas normais no círculo da Astrid?

Claire riu.

– Você sabe que sim.

Isabel Parker-Green tinha dinheiro – muito dinheiro. O primeiro marido viera de família rica e, com a morte dele, ela herdara o dinheiro. O segundo marido, pai de Delilah, fora um arquiteto bem-sucedido em Seattle antes de se mudar para Bright Falls, onde abrira um pequeno escritório, que Isabel logo vendera (e provavelmente amaldiçoara) depois da morte dele. Ela só queria saber de caridades e filantropia, mas Claire sempre teve a impressão de que era mais pelo status, não pela questão de fazer o bem.

Isabel gostava de controle, gostava de beleza e poder, e sempre fez questão que Astrid soubesse disso.

Quando Claire conhecera Astrid, a garota se agarrava à mãe, desesperada por afeto e atenção. Claire achava que fazia sentido. O padrasto dela tinha acabado de falecer, Isabel ficara presa no próprio luto e a amiga havia percebido que Astrid estava morrendo de medo de que a mãe também a deixasse. Mas, conforme os anos foram passando, Isabel dera cada vez mais atenção à filha, e quase a sufocara. Claire se lembrava de muitas noites no ensino médio que a amiga passara chorando no colo de Iris enquanto Claire acariciava suas costas. Palavras como *Eu odeio ela* e *Por que ela não me deixa em paz?* eram gaguejadas entre soluços.

Desde que voltara da faculdade e fora morar sozinha, o relacionamento entre Astrid e Isabel tinha melhorado, mas Claire não diria que as duas eram próximas. Eram civilizadas. Educadas. Ainda assim, percebia aquela expressão nos olhos de Astrid de vez em quando, a necessidade de impressionar, de agradar.

– Pense – disse Iris, indicando com a taça o grupo de pessoas –, amanhã seremos só nos três, com muito vinho em um spa cinco estrelas.

Ao lado de Claire, Delilah pigarreou.

– Vou tirar umas fotos antes do jantar – falou, antes de ir para um canto mais escuro, deixando a taça em cima de uma mesa por ali e se ajoelhando para pegar a câmera.

– Iris – disse Claire, batendo no braço da amiga.

– Ai! O que foi?

– Você disse *nós três*. Delilah também vai.

Iris abriu a boca, mas logo deu de ombros.

– Duvido que ela queira ir. Astrid está pagando. É um trabalho.

– Calma, Iris – pediu Grant.

– Ah, fala sério – disse Iris. – A mulher preferia mastigar vidro quebrado a estar aqui. É óbvio.

Claire balançou a cabeça e seu estômago se revirou quando ela voltou a olhar para Delilah. Só enxergava suas costas, os ombros nus e as tatuagens, mas sua postura parecia rígida.

– Eu sabia – disse Iris.

Claire se virou e encontrou Iris e Grant a encarando.

– O quê?

– Você está a fim dela – respondeu Iris.

– Não estou, não.

Iris fez um gesto com a mão na direção da amiga.

– O vestido, o fato de ter entrado com ela. Você gosta dela.

Claire puxou uma das alças do vestido enquanto Iris sorria, triunfante. Tinha encomendado o vestido meses antes, em um de seus sites de roupas vintage preferidos, atraída pelo fato de que deixaria sua silhueta de violão ainda mais curvilínea. A estilista chamava o modelo de vestido contorcionista, porque era preciso mesmo se contorcer para vesti-lo, e o batizara de "Vixen". Claire não sabia se teria a oportunidade – nem a coragem – de usá-lo, mas aquela parecia uma boa ocasião. Era elegante e sensual ao mesmo tempo.

Não que seu objetivo fosse ficar sensual.

– Eu gosto deste vestido, Ris – disse. – Estou usando pra mim mesma.

O sorriso de Iris se desfez.

– Amiga, claro. Só estou dizendo que...

– E só porque estou sendo legal com alguém e não agindo como uma megera não quer dizer que esteja *a fim* dessa pessoa.

Desta vez, Iris ficou boquiaberta.

– Eu não estou...

– Está um pouco, sim – comentou Grant.

– Ei! – exclamou Iris, batendo no peito dele.

Grant soltou um "ugh!", então pegou a mão de Iris e enlaçou os dedos nos dela. Iris deixou e olhou para Claire, pensativa.

– Tá, tudo bem. Não sou fã da Delilah. E você também não era, pelo que eu me lembro. Ela mal falava com a Astrid, ou você esqueceu?

– Eu não esqueci – respondeu Claire, mas se virou e ficou observando Delilah andar entre as pessoas enquanto tirava fotos, chamando a atenção de todos por onde passava.

O jantar transcorreu sem incidentes. Na mesa comprida que o serviço de bufê tinha montado no quintal, com tochas iluminando a área, Claire se sentou ao lado de Iris, perto da extremidade, e comeu risoto de cogumelos e salada de vagem orgânica enquanto todos do círculo elegante de Isabel perguntavam a Astrid e Spencer sobre a lua de mel, onde iam morar, quantos filhos iam ter.

Astrid respondia a todos com um sorriso, o braço de Spencer firme em seu ombro o tempo todo. Ele até comeu assim, cortando o frango com *lemon pepper* com o garfo com uma mão só. Quando Astrid se desviou da pergunta sobre filhos, no entanto – "Ah, não sei, não estamos com pressa" –, Spencer gargalhou alto, como se Astrid fosse uma comediante de stand-up em uma apresentação, e disse:

– Três meninos, assim que nos instalarmos em Seattle.

Todos reagiram com um "Aaah!", como se a ideia de Astrid dando à luz três meninos brancos naquele mundo de meninos brancos fosse *a coisa mais fofa*. Mas Claire se concentrou mais na palavra *Seattle* que em *três meninos*.

Ela se virou para Iris, de boca aberta, mas a amiga parecia tão confusa quanto ela, os olhos fixos em Astrid.

– Que porra é essa? – sussurrou Iris, baixinho.

Mas Astrid provavelmente a conhecia bem o bastante para saber o que ela estava murmurando em sua direção. O rosto dela ficou vermelho e uma expressão muito triste tomou conta de suas feições. Ela murmurou *Sinto muito* em resposta, o que só podia significar que era tudo verdade.

– Ele vai levar a Astrid pra Seattle? – perguntou Claire.

– Eu... eu não sei – respondeu Iris.

– Por que ela não nos contou?

– Provavelmente porque sabia que a gente ia surtar.

– Ela detesta Seattle – disse Claire. – A multidão, a areia misturada com toda aquela chuva. Ela mal sobreviveu à faculdade em Berkeley.

Um vinho branco gelado substituiu o champanhe quando a refeição se iniciou, e Claire virou o restante da segunda taça. Meu Deus, ela ia precisar de um fígado mais forte para sobreviver àquele casamento.

Seattle. Não era tão longe, cerca de quatro horas de carro, mas ainda assim… Seattle não era Bright Falls, e Bright Falls era onde estava a vida toda de Astrid. Sua empresa, seus amigos, sua família.

– Absolutamente odioso – sussurrou Iris ao lado dela, e Claire não precisou perguntar do que, ou melhor, de quem ela estava falando.

– A gente gostou dele em algum momento? – perguntou Claire. – Tipo, quando Astrid nos apresentou?

– Nem um pouco – respondeu Iris. – Quer dizer, ele parece um deus com aquele cabelo e aqueles bíceps, então talvez a gente tenha ficado um pouco distraída no começo. Sabe, gente bonita consegue se safar de um assassinato.

– Meu Deus, espero que ele não seja um assassino.

Iris riu.

– Tenho certeza de que o único crime dele vai ser ficar com a bunda colada no sofá bebendo uísque e fumando charuto enquanto a Astrid passa aspirador na sala. Em Seattle.

Claire abriu um sorriso, mas continuou nervosa. Desde o anúncio do noivado, ela desconfiava de Spencer, mas de repente tudo pareceu ferver. Ouvir Delilah, alguém que nem *gostava* de Astrid, confirmar que ele era um babaca só deixou tudo ainda mais real. E Seattle? Levá-la para uma cidade que ela detestava? Só Deus sabia havia quanto tempo a amiga estava escondendo aquela informação das amigas.

– Nós não podemos deixar que Astrid se case com ele – disse Claire.

Iris ficou paralisada com a boca na taça.

– Nós… Como é que é?

Claire passou a falar ainda mais baixo:

– Não podemos e você sabe disso.

Iris balançou a cabeça.

– Espera aí. Eu achava que a gente só ia conversar com a Astrid sobre o Spencer. Falar sobre nossas preocupações. De onde foi que veio esse plano de *cancelar o casamento*? Você sabe que a Astrid vai fazer o que bem entender.

– É, e aquela mulher ali – ela acenou com a mão na direção da melhor amiga, que estava passando risoto do prato dela para o de Spencer – não é a Astrid.

Iris assistiu a cena com os olhos semicerrados e então voltou a olhar para Claire. Um milhão de versões da mesma pergunta passou de uma para a outra em silêncio – *como, como, como* – enquanto as pessoas se levantavam ao redor.

Iris se levantou e puxou Claire também, soltando um suspiro dramático com a testa encostada na da amiga. Ficaram um segundo assim, observando todos os amigos de Isabel seguirem para o outro lado da varanda enquanto o pessoal do bufê começava a limpar tudo. Os olhos de Claire encontraram Delilah, que estava com a câmera apontada diretamente para as duas amigas e logo a baixou, olhando para a tela. Delilah apertou alguns botões na câmera antes de olhar para Claire com um sorriso discreto nos lábios.

Claire sentiu um frio na barriga, mas não sabia dizer se era de vergonha por ser fotografada ou… outra coisa.

– Ris, Claire – chamou Astrid perto da escada que levava ao quintal. – Venham, vamos até o cais. – Spencer e seus amigos já estavam indo naquela direção, em um mar de calças cáqui e mocassins. – Você também, Del.

– Ah, que delícia – Claire ouviu Delilah dizer, e não pôde evitar o sorriso que tomou conta de seu rosto.

– Ô – respondeu Iris.

– Eu não preciso me enturmar com eles, né? – perguntou Grant ao lado de Iris.

Estava de olhos fixos em Spencer e companhia, reunidos no cais a distância, o sol âmbar mergulhando no Rio Bright e transformando todos em sombras escuras.

– Não, docinho, você pode ficar comigo – respondeu Iris, acariciando o braço do namorado.

– Ah, graças a Deus – disse ele.

Claire riu enquanto Iris enchia suas taças antes de seguirem em direção à água. Sabia que Delilah estava logo atrás, mas não se virou antes de chegarem ao cais. Ela estava com a câmera pendurada no pescoço e uma taça de vinho bem cheia na mão, mas não olhou para Claire. Em vez disso, se escorou em um dos pinheiros à margem do rio – meu Deus, aquela mulher estava sempre se *escorando* nas coisas – e ficou observando Spencer rir com os amigos.

Astrid estava ao lado dele, bebendo e sorrindo, mas, pela primeira vez, Claire percebeu algo frio em sua expressão. Parecia ensaiada. Ou talvez fosse só ilusão. Talvez estivesse escuro demais para que ela visse algo com clareza. O sol já tinha se posto, transformando a água que corria suavemente em tinta escura, e as poucas tochas à beira do rio eram a única iluminação.

– Podemos ir pro vinhedo *agora*? – perguntou Iris ao seu lado.

– Bem que eu queria – respondeu Claire.

Contudo, isso só fez com que outras preocupações surgissem em sua mente. Era uma viagem de apenas dois dias, mas Ruby ia passar a noite com Josh de novo e estaria a quatro horas de distância se algo desse errado.

Nada vai dar errado, disse a si mesma. *Já* tinha obrigado Iris a pedir para Grant passar na casa de Josh por volta das oito da noite, casualmente, com uma cerveja, quando na verdade dera instruções claras para que ele conferisse se o forno estava desligado e se não havia velas acesas.

– Merda, essas porcarias de mutucas – disse Spencer, arrancando Claire de seus pensamentos. Ele deu um tapa no próprio rosto, depois na orelha.

– Boa, mutuca – murmurou Iris.

– Traz um repelente, bebê? – pediu Spencer.

E deu um tapinha na bunda de Astrid. Não um tapa, necessariamente, mas forte o bastante para surpreendê-la. Um dos amigos dele riu, mas logo acobertou com um gole de vinho.

– Claro – respondeu Astrid, calmamente. – Tem muitos insetos aqui mesmo.

Quando ela deixou o cais em direção à casa, Claire aproveitou o momento, agarrando a mão de Astrid quando a amiga passou e puxando-a para perto.

– O que está acontecendo? – perguntou Claire em voz baixa.

– Do que você está falando? – rebateu Astrid.

– Seattle? – indagou Iris. – Que merda é essa?

Astrid soltou um suspiro.

– Não vamos por agora. Estamos só conversando a respeito.

– Você adora Bright Falls – disse Claire, sem conseguir evitar a mágoa que subia pela garganta.

– Spencer não gosta – respondeu Astrid. – Ele assumiu o consultório aqui, mas quer expandir, e Bright Falls não comporta isso.

– Então você vai atrás dele e pronto? – perguntou Iris, erguendo o tom de voz. – E o seu trabalho?

E a gente?, pensou Claire, mas não conseguiu dizer.

– Posso fazer mais em Seattle – argumentou Astrid. – O mercado é maior, a…

– Você detesta coisas enormes – disse Iris.

Astrid esfregou a testa.

– Olha, não está decidido, tá bom? Estamos só falando a respeito. E, de qualquer jeito, só iríamos depois de um ano.

– É, mas…

– Bebê! E o repelente? – gritou Spencer.

Astrid acenou para ele e deu um beijo no rosto de Claire e de Iris antes de correr até a casa.

– Você conhece um advogado bom? – indagou Iris.

– O quê? – perguntou Claire, vendo Astrid entrar na varanda.

– Um advogado. De preferência direito penal – disse Iris.

– Ah, meu Deus – resmungou Grant, que tinha se afastado enquanto elas conversavam com Astrid, mas agora passava o braço sobre os ombros de Iris.

Claire se virou para a amiga.

– Do que é que você está falando?

Iris cerrou os dentes.

– Estou falando de como eu vou precisar de um advogado dos bons daqui a uns dois segundos, porque vou assassinar aquele bota de merda. – Ela fez um gesto com a taça na direção de Spencer, que estava conversando com os amigos, os dentes reluzindo no escuro.

– Bota de merda? – Claire abriu um sorriso.

– Xingamento original da Iris – explicou Grant.

Os três riram, mas Claire continuou se sentindo agitada e impotente. Era verdade que Astrid não reunia Spencer e as amigas com muita frequência, só em um jantar aqui e ali. Mas, na maior parte do tempo, ou ela estava com Iris e Claire ou só com Spencer.

Agora, estava começando a entender por que Astrid mantinha essas caixinhas separadas, principalmente com Seattle na jogada. Astrid sabia que as amigas iam fazer um rebuliço se um cara quisesse arrastá-la como um homem das cavernas para uma cidade que ela detestava.

– Segura isso.

Claire ficou surpresa ao ver Delilah bem à sua frente, de repente, estendendo o celular e a câmera.

– Quê?

– Segura pra mim, tá?

Mas, antes mesmo que Claire pudesse responder, Delilah fechou os dedos dela ao redor do celular e pendurou a câmera em seu pescoço, antes de seguir pelo cais, levando a taça de vinho preguiçosamente em uma das mãos e rebolando. Mais de um dos amigos de Spencer olhou a bunda dela quando passou, o que, por algum motivo, fez Claire cerrar os dentes.

– Ora, se não é a irmã postiça malvada – disse Spencer quando ela se aproximou.

Ele estava na beirada do cais, a água escura batendo logo abaixo.

– Só eu posso dizer isso de mim mesma – respondeu Delilah, mas Claire percebeu que ela estava sorrindo. – Então, me fale de você, *Spence* – continuou ela, a voz doce como mel e a mão estendida para apertar o braço dele.

Mas aí ela pareceu… oscilar. O salto ficou preso em uma das tábuas de madeira, e ela tropeçou em direção a Spencer.

– Merda – resmungou, se agarrando aos ombros dele enquanto ele segurava seus braços para estabilizá-la.

– Opa, cuidado – disse ele.

No entanto, o corpo dela continuou indo para a frente, como uma bola descendo a colina. Ela se contorceu e a taça de vinho caiu sem quebrar enquanto ela tentava recuperar o equilíbrio.

– Ah, meu Deus – falou Iris. – Será que eles vão…

Mas ela mesma se interrompeu, porque eles iam, sim.

Spencer e Delilah caíram no rio em um rebuliço de membros e palavrões.

– Cara, você tá bem? – perguntou um dos amigos de Spencer.

Todos se amontoaram na beirada do cais. Claire também correu para lá, e Iris e Grant foram logo atrás dela. Ela abriu caminho entre os garotos da fraternidade e viu Delilah e Spencer cuspindo a água escura, os dois completamente encharcados e parecendo ratos afogados.

– Que foi isso, porra? – perguntou Spencer, colocando o cabelo molhado para trás e ficando em pé. A água não era tão funda assim, mas mesmo em pé, chegava quase até o peito dele.

– Desculpa – respondeu Delilah, a voz calculada e calma. – Não sei o que aconteceu.

Ela manteve a cabeça fora da água nadando cachorrinho enquanto todos os amigos de Spencer se agachavam para ajudá-lo a sair do rio. A camisa de seda estava arruinada, o sapato de couro, encharcado e sua expressão, furiosa.

– Meu Deus, Spencer, o que aconteceu? – perguntou Astrid, chegando com uma lata verde de repelente.

– Nada – respondeu ele, rosnando, se desvencilhando dos amigos e passando reto por ela. – Preciso trocar de roupa. – E saiu pisando firme pelo cais e depois pelo gramado, em direção à casa.

Todos ficaram alguns segundos em silêncio, mas então... uma gargalhada.

– Puta merda – disse um dos amigos de Spencer, Peter ou Patrick ou algo do tipo. – Ele adorava aquela camisa.

– E aquele sapato – disse outro.

– Precisa de ajuda? – perguntou Peter/Patrick a Delilah, que ainda estava na água.

– Não, muito obrigada – respondeu ela, a voz ainda toda melosa.

Ele deu de ombros, e todos os caras foram para o gramado, deixando Claire, Iris, Astrid e Grant sozinhos no cais.

E Delilah na água.

– O que aconteceu? – perguntou Astrid, encarando a irmã.

– Eu tropecei – disse Delilah, de olhos arregalados, quase cômicos. – Foi um acidente.

Se Claire não a conhecesse... Bom, na verdade, *não* a conhecia. Nem um pouco. Mas, com o celular na mão e a câmera estrategicamente pendurada em seu pescoço enquanto Delilah nadava devagar em direção à escada no fim do cais, Claire tinha quase certeza de que aquilo tudo fora planejado.

– Você está bem? – perguntou enquanto Delilah subia a escada.

– Nunca estive melhor. – Delilah torceu o cabelo. – A água está refrescante. Mas talvez eu precise de uma muda de roupa. – Ela olhou para Astrid e sorriu. – Tem um moletom pra sua irmã?

Iris riu antes de se aproximar de Claire e perguntar:

– Ela está falando sério?

– Acho que sim.

Astrid ficou olhando para ela boquiaberta, então pegou a taça relativamente cheia de vinho de Claire e bebeu em três goles. Ela estremeceu, devolveu a taça e saiu pisando firme em direção à casa.

– Não sei por que foi que eu pensei que isso seria uma boa ideia – disse ao sair.

Delilah foi atrás dela, obediente, depois de pegar suas coisas com Claire. Não fez nenhum contato visual, mas, ao deixar o cais, virou a cabeça e olhou para trás, só por um segundo. Estava escuro, e Claire não tinha como ter certeza, mas achou que a mulher tinha piscado.

Não só piscado, mas piscado *para ela*.

Claire sentiu uma risada borbulhar em seu peito, mas conseguiu reprimi-la.

– Caramba – falou Iris quando elas também se dirigiram à casa. – Não que eu queira ver nossa preciosa melhor amiga irritada, mas isso foi...

– Brilhante? – perguntou Claire.

– É. Foi brilhante, porra.

CAPÍTULO DEZ

– DESCULPA, COMO É QUE É?

Ao final da manhã de terça, Delilah viu os olhos de Astrid se arregalarem até ela ficar parecendo um inseto, os dedos finos agarrados às laterais do balcão na recepção do Vinhedo e Spa Lírio Azul. O lugar parecia um oásis, todo de madeira por dentro, com estofados e tapeçarias brancas e muito vidro do mar – detalhes azuis, do porta-canetas na recepção aos quadros nas paredes, imagens de rios límpidos e lírios balançando ao sol. O térreo era todo de vidro e, atrás de uma recepcionista apavorada chamada Hadley, Delilah via o Vale Willamette se estender em uma faixa verde ao longe, com fileiras organizadas de videiras rechonchudas logo abaixo.

– Três quartos? – indagou Astrid. – Não, eu me lembro muito bem de ter reservado quatro.

– Ah, merda – resmungou Iris baixinho.

Delilah, por sua vez, se escorou no balcão e manteve o rosto inexpressivo. Estava exausta. Para falar a verdade, uma massagem seria muito útil. Durante toda a viagem até lá, era nisso que tinha pensado – massagens, um Pinot Noir excelente, um quarto sem chita só para ela com vista para o vinhedo onde poderia apenas *ser*, livre de Astrid e de Bright Falls e de toda a lama emocional que a visita à Casa das Glicínias na noite anterior tinha despejado em suas veias.

Claro, ela estava lá para tirar umas fotos das três melhores amigas, provavelmente para que pendurassem em sua caverna ao lançar seus feitiços de beleza e poder eternos, mas aceitava as massagens grátis de bom grado.

Nunca tinha se sentido tão cansada quanto nos dois últimos dias, e isso incluía os primeiros meses em Nova York aos 18 anos, quando descobrira outras pessoas lgbtq+ e os bares e ficara uma semana sem dormir. Mas, até ali, a viagem a Bright Falls estava dando a Delilah a sensação de flutuar, mas não daquele jeito gostoso pós-orgásmico. Era como se ela não conseguisse firmar os pés no chão e andasse por aí cambaleando.

Seu único alívio fora empurrar aquele babaca no rio na noite anterior.

Meu Deus, como aquilo tinha sido divertido.

Astrid não concordava, claro, o que era até um bônus. Ao enfiar um moletom em suas mãos na noite anterior, a expressão de Astrid não revelava aquela mágoa prostrada que Delilah percebera na entrada da Casa das Glicínias. Não, era só irritação, familiar e estimulante. Os deuses tinham presenteado Delilah com um jeito novo de irritar a irmã postiça, e ela planejava explorá-lo de todas as maneiras possíveis, o que precisava ser feito com cuidado e destreza, para que conseguisse manter o trabalho de fotógrafa. Mas pensar em modos criativos de irritar o amado de Astrid só deixava tudo ainda mais divertido. Além do mais, Spencer era um anúncio louro e ambulante do patriarcado, então qualquer insulto habilmente disfarçado que ela pudesse proferir seria justificável.

Sua determinação cresceu ainda mais ali no saguão do resort, e ela se esforçou para manter a expressão neutra conforme ficava cada vez mais claro que Astrid não tinha reservado quatro quartos. Ela reservara três, para ela, Iris e Claire, e nem tinha pensado em Delilah, que tentou não perceber que seu coração acelerou enquanto a garganta se fechava em um coquetel terrível de raiva, irritação e mágoa.

Claire se aproximou e Delilah tentou não perceber isso também. Seu corpo, no entanto, tinha outros planos, e ela sentiu que também se inclinava em direção a Claire, o suficiente para seu ombro tocar o dela de leve.

– Delilah Green – disse Astrid para a coitada da recepcionista, pronunciando cada sílaba com exagero. – Confira de novo. Eu sei que está aí.

– Sinto muito, Srta. Parker – respondeu Hadley –, mas a reserva diz claramente que a senhorita ligou no dia 14 de abril e reservou três quartos por uma noite, um para a senhora, outro para a Srta. Iris Kelly e um terceiro para a Srta. Claire Sutherland. Não tem nada para a Srta. Del…

– Tudo bem, já entendi – disse Astrid, soltando um suspiro profundo. – Mas vocês devem ter algum quarto disponível.

Hadley estremeceu. Delilah quase se sentiu mal por ela.

– Sinto muito, Srta. Parker. O verão é nossa época de maior movimento, e estamos lotados hoje. Mas, se vagar algum quarto, a senhorita será a primeira a saber.

Astrid ficou alguns segundos encarando a coitada, como se a força de seu olhar pudesse fazer com que aparecesse um quarto do nada. Hadley, por sua vez, manteve o sorriso, mas, quando os ombros de Astrid desabaram, derrotados, a recepcionista soltou um suspiro audível.

– Tudo bem. Eu durmo nas parreiras – disse Delilah.

Astrid se virou devagar, mas sem cruzar com o olhar frio da irmã postiça. Em vez disso, olhou para o chão e respirou fundo várias vezes seguidas, tentando não perder completamente a cabeça.

Delilah cruzou os braços. Ela adoraria ver Astrid perder a cabeça, bem ali diante de Hadley e da paleta de cores azul-spa.

– Está tudo bem – falou Claire, colocando a mão no braço de Astrid. – Vai ficar tudo bem. As camas são todas king size, não são? Delilah pode ficar comigo.

Ah, meu Deus. Era perfeito demais. Astrid levantou a cabeça depressa, os olhos arregalados.

– Não, não, a culpa é minha – argumentou. – Ela pode ficar comigo.

– Astrid – disse Claire –, você merece um quarto só pra você.

– Você também – respondeu Astrid.

– Bom, *eu* com certeza mereço um quarto só pra mim – disse Iris, e Delilah quase riu. Para falar a verdade, em outra vida, ela provavelmente teria gostado muito de Iris.

– Astrid – disse Claire, segurando os braços da amiga. – Eu não ligo. E insisto. Vai ser ótimo.

– É, Desastrinho, vai ser ótimo – concordou Delilah.

Ela olhou nos olhos da irmã e levantou uma sobrancelha, algo que sabia que Astrid não conseguia fazer e gostaria de conseguir. As duas ficaram se encarando, a aposta de Delilah de levar Claire para a cama pairando no ar. Claro, não foi exatamente isso que Delilah quis dizer, mas era um ótimo começo.

Astrid fechou os olhos por um instante, e naquele breve instante Delilah soube que tinha vencido.

Mas havia algo a mais ali. Algo além da satisfação que Delilah sentia por saber que Astrid estava fervendo por dentro, e tinha quase certeza de que era entusiasmo. Claire era divertida, doce e muito sexy. Ela era interessante. E Delilah não conseguia parar de pensar na noite anterior, na entrada da Casa das Glicínias, naquela fração de segundo em que Claire podia ter ido com Astrid, deixando que Delilah lidasse com seus demônios sozinha, como estava acostumada a fazer.

Mas ela não fizera isso.

Claire tinha se virado, os olhos castanhos bem abertos e sinceros, e esperado por ela. Acompanhara Delilah durante aquele que poderia ter sido o pior momento da viagem de volta a Bright Falls e o transformara em uma simples caminhada pelo corredor.

E, pela primeira vez desde a morte de seu pai, Delilah não se sentira sozinha na Casa das Glicínias.

CAPÍTULO ONZE

CLAIRE NÃO FAZIA IDEIA do que tinha passado por sua cabeça.

Bom, *ajudar Astrid*. Esse era o espírito por trás da ideia de *dividir a cama com Delilah Green* – evitar que a melhor amiga surtasse durante a atividade pré-casamento para a qual ela e Iris estavam bem animadas. Ela viu os primeiros sinais do surto, Astrid respirando como um touro diante de um toureiro, e sabia que a amiga devia estar se sentindo péssima por ter esquecido Delilah.

Além disso, percebeu a decepção de Delilah. Ou não era decepção exatamente, mas… ela não sabia ao certo. Contudo, havia algo por trás do olhar dela quando ficou claro o que tinha acontecido. Seu rosto permaneceu inexpressivo, até entediado, mas seus olhos reluziram, como um vento forte quase apagando uma vela logo antes de a chama voltar à vida.

Então, claro, se oferecer para dividir o quarto com Delilah pareceu a melhor decisão. Iris com certeza não faria isso, e, se as irmãs ficassem no mesmo quarto, a viagem provavelmente terminaria em derramamento de sangue.

Claire era a escolha óbvia.

Mas agora, após entrarem e a porta do quarto se fechar, uma pontada de nervosismo atravessou seu estômago.

– Que bonito – disse Delilah, arrastando a mala de rodinhas até a cama e se jogando sobre os lençóis brancos, esparramando-se como uma estrela-do-mar.

– Hum, pois é. – Foi tudo o que Claire conseguiu responder.

Quando Delilah se jogou, sua regata preta subiu, revelando uma faixa de pele lisa e clara. O umbigo. Os ossos do quadril.

Claire se virou para outro lado, respirou, deixou a mala sobre uma poltrona no canto e a abriu, vasculhando as roupas sem nenhum objetivo específico, só para fazer alguma coisa, qualquer coisa, que não ficar olhando para Delilah esparramada na cama.

O quarto era bonito *mesmo*. Piso de madeira escura, paredes cinza-claro com quadros em tons vivos para contrastar com as cores neutras, uma cama enorme com edredom e lençóis brancos, travesseiros azuis posicionados metodicamente para destacá-los. Uma janela larga cobria a maior parte da parede dos fundos, e a vista era incrível: um vale cintilante e fileiras de parreiras suculentas como ondas de folhas verdejantes. Ao levar a nécessaire para o banheiro, Claire entrou praticamente em um minispa, com piso de ladrilhos de vidro do mar, boxe enorme de vidro e pia dupla de porcelana com metais em bronze.

Ela abriu a torneira da pia mais distante, passando os dedos no fluxo de água fresca enquanto colocava a cabeça no lugar. A suíte era ridiculamente grande para uma pessoa só, a cama era o próprio estado do Oregon. Ela e Delilah mal perceberiam a presença uma da outra.

Provavelmente.

Talvez.

– Oi.

Claire se assustou quando Delilah apareceu atrás dela.

– Eita, desculpa – disse Delilah, colocando a própria nécessaire sobre a bancada de mármore. – Tá tudo bem?

– Tá, sim.

Claire deu um jeito de sorrir para ela, mas então Delilah *se escorou* na bancada e ela teve que desviar o olhar.

– Acho que está na hora de a gente tirar a roupa, hein?

Claire derrubou o potinho de brilho labial que tinha aberto sem pensar, girando o dedo no rosa cintilante só para ter alguma coisa para fazer. O potinho caiu dentro da pia e a torneira aberta encharcou o brilho antes que ela conseguisse pegá-lo de volta.

– Quê? – perguntou, pegando uma toalha de mão fofinha e secando o potinho.

No espelho, os olhos de Delilah saltaram para o brilho labial e voltaram para Claire.

– As massagens? Daqui a trinta minutos?

Ela brandiu um retângulo de papel creme que detalhava os serviços que Astrid já tinha reservado para elas. Esse cronograma felizmente incluía Delilah.

– Ah – disse Claire. – É.

Delilah olhou para o papel.

– Diz que é pra tirarmos a roupa e colocarmos os roupões fornecidos antes de descer pra sala de massagem que foi reservada pra gente.

Ela colocou o papel sobre a bancada e pegou os dois roupões brancos e macios que estavam pendurados na parede ao lado do chuveiro, estendendo um para Claire.

Claire pegou o roupão, levou-o junto ao peito e ficou parada ali, olhando para Delilah como se estivesse esperando para ver quem começaria a tirar a roupa primeiro.

Delilah pigarreou e Claire estremeceu.

Meu Deus, Claire estava *mesmo* esperando para ver quem tiraria a roupa primeiro? Ela era oficialmente um desastre. Um desastre eletrizado de tesão e estresse.

E, a julgar pelo sorriso que surgiu nos cantos de seus lábios, Delilah sabia disso.

– Quer se trocar aqui e eu fico com o quarto? – perguntou.

Claire assentiu com vontade demais.

– Quero. Ótimo. Perfeito.

Aquele sorrisinho de novo.

– Ótimo. Perfeito – disse Delilah antes de sair e fechar a porta.

Claire desabou escorada na bancada, esfregando a testa com o roupão. Precisava se controlar. Era só um roupão. Era só um spa. Delilah era só uma pessoa. Uma pessoa linda, verdade, mas mesmo assim uma pessoa, como Claire. Alguém que ela não tinha nada que imaginar nua. Também devia parar de se perguntar qual seria o sabor da pele logo abaixo da sua orelha.

– Você acha que a gente deve ficar de calcinha? – gritou Delilah do quarto, o tom de voz completamente inocente.

Claire soltou um suspiro no roupão.

– Não sei!

– Hum. Vou tirar a minha.

Ah, pelo amor de Deus.

Claire ficou só de calcinha e sutiã – decidiu ficar com eles – e jogou água gelada no rosto. Então vestiu o roupão macio como uma nuvem, amarrando a faixa na cintura, e se sentou na beirada da banheira enorme enquanto respirava fundo algumas vezes. O que ela queria mesmo fazer era ligar para Ruby, mas seu celular estava no quarto. Sentada ali, tentando não pensar em como seria aquela noite, nem na nudez, nem na calcinha de Delilah no chão, ouviu alguém bater à porta do quarto.

– Quem é? – ouviu Delilah perguntar.

– Eu.

Claire reconheceu a voz de Iris e se levantou.

– Eu quem? – perguntou Delilah.

– Iris.

– Prove.

Claire abriu um sorriso e uma frestinha da porta do banheiro, só para verificar se Delilah já estava de roupão – estava, além de se encontrar sentada na beirada da cama mexendo à toa no celular – antes de abrir para Iris. Ficou grata pela distração na forma de melhor amiga, a voz da razão no que dizia respeito a Delilah Green.

– Oi – disse Iris, também já de roupão fofinho, o cabelo vermelho preso no alto da cabeça como o de Claire. Ela olhou para Delilah. – Você é sempre assim?

Delilah levantou a cabeça.

– *Assim* como?

– Irritante pra cacete.

– Iris – disse Claire.

O sorriso de Delilah era o de uma santa.

– Por você, eu me esforço ao máximo.

Iris soltou um suspiro e colocou as mãos na cintura.

– Tá. Beleza, desculpa. Então quais são os planos?

– Planos? – perguntou Delilah.

– É, planos – respondeu Iris.

– Fazer… massagem e máscara de lama? – sugeriu Delilah.

Iris balançou a cabeça.

– Pra destronar o garotão.

Um buraco se abriu no estômago de Claire. Na noite anterior, ela e Iris decidiram que precisavam fazer alguma coisa quanto a Astrid e Spencer. Mas a decisão tinha sido induzida pelo álcool, alimentada pela babaquice encoberta e potencializada quando elas viram Delilah jogá-lo no rio. Fazer mesmo alguma coisa a respeito estando sóbrias e à luz do dia, talvez destruindo o casamento da melhor amiga, era outra história.

Claire colocou as mãos na barriga.

– Iris...

– Ah, não – disse Iris, apontando para ela. – Mas não *mesmo*. Você não vai dar pra trás agora. Foi você quem disse que a gente não podia deixar ela casar com ele.

– Não estou dando pra trás. Estou só... pensando.

– Você está dando pra trás. Até a Delilah percebeu que ele é um ser humano pavoroso.

Delilah deu umas batidinhas no queixo com o dedo.

– Vou decidir aceitar isso como um elogio.

– Fique à vontade – disse Iris, mas continuou encarando Delilah. – Você vai ajudar a gente?

– A se livrar do Spencer?

– Não é bem *se livrar* – argumentou Claire. – Só... talvez...

– É *se livrar*, sim – respondeu Iris. – Nossa querida Claire é bondosa demais.

– *Se livrar* parece tão violento – disse Claire. – A gente só precisa conversar com a Astrid.

– E em três é melhor que em duas – declarou Iris. – Depois de ontem, gostei do seu estilo.

Delilah abriu um sorriso, mas logo ficou séria.

– O que você está pensando em fazer? Jogar *a Astrid* em um rio?

– Claro que não – respondeu Iris.

– Ah, já sei – falou Delilah, juntando as mãos sob o queixo e piscando de um jeito teatral. – Podemos sentar pra ter uma conversa sincera e aí podemos convencê-la de que seu amor verdadeiro ainda está por aí em algum lugar além do arco-íris.

Claire e Iris trocaram olhares. Não era exatamente o que elas planejavam fazer, mas *quase*.

– Você tem uma ideia melhor? – perguntou Iris.

Delilah ficou olhando para as duas por alguns segundos antes de responder.

– Talvez eu tenha.

Iris olhou para ela.

– Poderia nos contar, ó grande sábia?

Delilah estalou a língua.

– Ainda não decidi.

– O que quer dizer que você já pensou nisso – falou Iris, quase explodindo. – Já pensou, né?

Delilah levantou uma das mãos, despreocupada.

– Por que eu me importaria com a escolha de marido da Astrid?

– Acredite, eu sei que você não se importa – falou Iris, em tom maldoso, e Delilah levantou uma sobrancelha.

– Tá, já chega – disse Claire, e olhou para Delilah. Ela seria capaz de jurar que a expressão de Delilah tinha se suavizado. – Olha só, a gente quer mesmo conversar com a Astrid sobre isso. A gente só não sabe como.

– Não são vocês que conhecem a Astrid melhor que ninguém? – perguntou Delilah.

– Conhecemos, sim. – Claire ficou procurando as palavras certas. – Mas a Astrid é… complicada. Ela não se abre com facilidade, mesmo com a gente. – Ela olhou para Iris. – Lembra quando ela ficou um ano inteiro do ensino médio apaixonada pelo Toby McIntosh? Ela só assumiu depois da formatura.

– Eu lembro – respondeu Iris.

– Você não precisa fazer nada – disse Claire a Delilah. – Mas se tiver alguma ideia…

Delilah passou um tempinho olhando para ela, e Claire ficou com o coração na boca. Por fim, Delilah soltou um suspiro profundo.

– Tá bom. Meu Deus. Mas, se vocês vão fazer isso, têm que tomar cuidado. Astrid teria que se convencer totalmente de que ele não serve pra ela, não só ficar brava com o noivo por causa de alguma coisa que ele fez. Tem que partir dela.

– Você está querendo dizer que teríamos que ser manipuladoras – disse Claire, estremecendo.

– Não, só estou querendo dizer o que eu disse. Precisam ser cuidadosas. Fazer com que ela fale sobre ele, perguntar o que ela gosta nele, esse tipo de coisa. Ajudar Astrid a perceber sozinha.

Iris andou de um lado para o outro, o dedo na boca.

– É. Isso é perfeito. Precisa ser ideia dela, senão ela não vai enxergar. Você sabe que a Delilah tem razão, Claire.

Claire esfregou os olhos embaixo dos óculos. Delilah *tinha* razão. Astrid jamais desistiria de qualquer coisa com que tivesse se comprometido a não ser que fosse ideia dela. Isabel criara a filha para ser implacável e estar sempre no controle, sempre em vantagem. Sinceramente, essa obstinação era o motivo pelo qual acreditava que Astrid tinha escolhido Spencer para começo de conversa. Era ele quem dava as cartas. Ele estava no comando. Astrid fora a aluna perfeita, fizera de tudo para ser a filha perfeita e agora era a empreendedora perfeita. Então, nessa área da vida, ela não tinha que se esforçar tanto. Não tinha que ficar o tempo todo pensando em como fazer o relacionamento dar certo.

Só precisava dizer sim a tudo que o noivo já perfeito dizia.

Claire sentiu uma tristeza quase insuportável ao pensar nisso. Ela precisava acreditar que havia muitos homens por aí que adorariam firmar uma parceria com Astrid, trabalhando juntos para serem bem-sucedidos juntos – ou, que seja, até fracassarem juntos –, e não aquele desequilíbrio de poder que havia entre a amiga e Spencer.

– Tá – respondeu Claire. – Acho que é um começo.

– Exatamente – disse Iris. – Então todas concordamos – e fez um gesto circular dramático com a mão, incluindo Delilah – que nosso plano é convencer Astrid a falar e pensar sobre o Spencer e aquele jeito babaca dele.

Claire fez que sim e Delilah simplesmente se levantou, apertando a faixa do roupão e indo em direção à porta.

Iris pigarreou.

– O que foi? – perguntou Delilah, largando o celular no bolso do roupão e pendurando a câmera no ombro. – Você quer inventar um cumprimento secreto ou alguma coisa assim?

Iris só a encarou.

CAPÍTULO DOZE

DELILAH NÃO FAZIA IDEIA do que estava pensando.

Tinha o próprio plano – irritar Astrid até a morte a respeito do verme humano com quem ela escolhera se casar, ser uma verdadeira pedra no sapato da irmã postiça naquele que deveria ser o momento mais feliz de sua vida. Será que Delilah estava sendo babaca ao arquitetar essa trama? Possivelmente. Tudo bem, provavelmente. Mas era uma diversão inofensiva, só uns mergulhinhos no rio com cacos de vidro no fundo, uma maneira de manter um pouco de controle, o que Astrid – e Isabel, aliás – sempre tiveram aos montes. Astrid ia fazer sua vontade, independente de qualquer influência, e Delilah não tinha dúvida de que aquelas duas semanas terminariam com o casalzinho feliz navegando em direção ao pôr do sol e ela voltando para Nova York com 15 mil no bolso, sem maiores prejuízos.

Além disso, e daí se Astrid se casasse com aquele cara? E daí se Astrid aceitasse ter cem bebês em Seattle? E daí se Astrid vestisse um avental todas as noites para preparar o jantar do marido? Talvez Astrid *gostasse* de fazer essas coisas. O feminismo, afinal, significa ter o mesmo respeito pelo mesmo trabalho, não garantir que uma mulher nunca asse um bolo nem pegue uma cerveja.

Mas Claire tinha lançado aquele olhar pidão para Delilah. Ela era tão… droga, tão *doce* em seu cuidado com Astrid, em sua preocupação genuína, que Delilah se derretera. Ela nunca tinha cedido com tanta facilidade na vida e ainda não sabia ao certo o que acontecera naquele quarto, como tinha acabado aceitando ajudar a porra do clã a acabar com o casamento da irmã. Delilah receberia o pagamento mesmo em caso de cancelamento.

Essa fora uma pequena cláusula que ela acrescentara ao contrato-padrão feito especialmente para sua amada família. Então, ali estava ela, colaborando com as melhores amigas de Astrid a derrubar o patriarcado. Um babaca por vez.

Quando chegaram à porta do quarto de Astrid, Delilah ficou para trás, escorada na parede e com os braços cruzados. Tinha aceitado ajudar, mas era bom manter distância. Uma mensagem do tipo *eu não sou como vocês* para Iris e Claire.

Mas Claire foi até ela, sorrateira, o ombro roçando no seu, cheirando a roupa limpa e exalando aquele aroma de campo que Delilah lembrava de ter sentido naquela noite na Taverna da Stella.

– Você acha que vai funcionar? – sussurrou Claire enquanto Iris batia à porta.

Seu hálito cheirava a menta, e Delilah de repente desejou ter escovado a droga dos dentes.

– Não faço a menor ideia – respondeu Delilah.

Pensou em acrescentar algo como *talvez Astrid e Spencer sejam mesmo perfeitos um pro outro*, mas logo se virou o suficiente para olhar nos olhos castanho-escuros de Claire, onde viu esperança e mais alguma coisa. Naqueles olhos havia o mesmo lampejo de interesse do dia em que ajudara Ruby com o vestido, e sentiu um frio na barriga.

Estava nervosa mesmo. Não ficava assim perto de uma mulher desde…
Você achou mesmo que a gente ia casar? Você está doida, é?

A voz de Jax ecoou em sua mente – maldosa, incrédula, acusadora – enquanto uma mulher nua que Delilah só tinha visto nas fotografias antigas de Jax relaxava na cama dela, olhando para as duas com os olhos arregalados como se estivesse assistindo a uma novela.

Delilah desviou o olhar e estalou os nós dos dedos. Não pensava com frequência naquele dia terrível com Jax, mas, quando pensava, sabia como lidar com a lembrança.

– Preciso de uma bebida – comentou.

– Então somos duas – disse Iris.

Astrid abriu a porta com tudo e saiu para o corredor com o roupão amarrado no corpo magro, o cabelo louro preso em um coque desalinhado e estiloso.

Enquanto iam em direção à sala de massagem, Delilah ainda sentia o olhar de Claire, mas não olhou mais para ela.

Delilah passou o resto da tarde em um êxtase silencioso, massageada e enlameada. Pelo que pôde perceber, o resto do grupo também, o que dificultou a missão de fazer Astrid falar sobre o comportamento misógino de Spencer. Fizeram tudo juntas, alternando entre bandagens de algas marinhas e saunas em grupo, mas era difícil abordar decisões críticas quando uma pessoa chamada Stormy estava ocupada espalhando carvão para limpar os poros das coxas delas. Delilah mal conseguiu fotografar, fazendo o possível para tirar algumas fotos entre um tratamento e outro, principalmente quando o rosto de Astrid estava coberto de uma lama que prometia iluminar a pele.

Ainda assim, no decorrer da tarde, Delilah se viu trocando olhares com Iris e Claire. Jurava que não tinha a intenção de olhar para elas, mas, sempre que todas se encaminhavam para alguma sala ou Astrid fazia algum comentário minimamente ligado ao casamento, como falar das provas do vestido, da probabilidade de chover no dia ou até que estava preocupada que os bolinhos de salmão que encomendara não estivessem frescos, as três se entreolhavam, arregalando os olhos como se desafiassem umas às outras a dizer alguma coisa. Delilah sabia que seria mais fácil conversar sobre Spencer se Astrid falasse dele primeiro, mas ela não fez isso. Não mencionou o noivo galante nem uma vez durante as quatro horas em que eram mimadas.

Mas isso não impediu que Delilah, Iris e Claire trocassem muitos olhares. E sempre que isso acontecia, alguma coisa aflorava no peito de Delilah. Ela não conseguia definir o que era – nervosismo, irritação, adrenalina pura. O que quer que fosse, achava que nunca tinha sentido aquilo antes e não sabia ao certo se estava gostando.

Quando, após tomarem banho, as quatro voltaram a se reunir para o jantar na varanda com vista para o vinhedo, Delilah estava exausta. Passar o dia inteiro rodeada de pessoas, ainda que não tivessem conversado muito, era desgastante. Ela se sentia *ligada* o tempo todo, e naquele momento tudo o que queria era uma taça de vinho do tamanho da própria cabeça e um quarto silencioso só para ela.

Além disso, tinha aquela sensação, logo abaixo das costelas, sempre que Iris e Claire olhavam para ela ou chutavam seu pé embaixo da mesa, como se algo estivesse prestes a transbordar.

– Que gostoso aqui – disse Astrid, apoiando os cotovelos sobre a mesa de madeira e descansando as mãos entrelaçadas sob o queixo. – Não é gostoso?

Ao fazer a pergunta, ela estava olhando para Delilah, que então respondeu:

– É gostoso, sim. Maravilhoso.

E era. Aquela era a primeira refeição de um casamento que estava fotografando em que ela de fato ia comer. A câmera estava debaixo da mesa, mas ela estava tão cansada que não estava disposta a sacá-la por vontade própria. Só queria ficar sentada ali, em meio àquela *gostosura*. Havia poucas pessoas na varanda, que tinha uma iluminação bem suave de lamparinas a gás, as chamas lançando sombras bruxuleantes sobre rostos e braços. O sol estava começando a se pôr no vale, colorindo a noite de lavanda e prata, e o ar tinha aroma de terra e chuva, embora não houvesse uma única nuvem no céu. Tudo parecia verdejante, vivo.

E tinha também Claire, sentada ao lado dela com um macacão de linho verde, a bermuda até o meio da coxa e a parte de cima em forma de camisa, desabotoada o bastante para revelar um pouco do decote.

Meu Deus, será que aquela mulher ficava feia com alguma roupa?

Delilah esfregou a testa e bebeu um gole do Pinot Noir Lírio Azul 2014. Embora tivesse brincado com Claire mais cedo, gritando do quarto sobre o que fazer com a calcinha, não estava a fim de nenhum joguinho naquela noite. Sentia a pele sensível, como se tivesse passado o dia no sol e precisasse ser envolta em babosa, e o aroma campestre de Claire não estava ajudando.

– É lindo – disse Iris, olhando para Claire e depois para Delilah.

– Incrível – falou Claire, olhando para Iris e depois para Delilah.

– Ah, pelo amor de Deus – disse Delilah.

As três mulheres ficaram paralisadas: Astrid com as sobrancelhas baixas em uma expressão confusa, e as outras duas tontas com os olhos arregalados. Delilah sentiu uma gargalhada borbulhar em seu peito.

– O que foi agora? – perguntou Astrid, ficando irritada de cara.

Embaixo da mesa, Claire enganchou o tornozelo no de Delilah, perna nua contra perna nua. A pele de Claire era macia, fresca e fez o estômago de Delilah gelar, mais do que ela gostaria de admitir. Mas funcionou. Ela respirou fundo e sorriu, levando a taça à boca e olhando ao redor, como se estivesse procurando o garçom.

– Estou morrendo de fome, só isso – disse. – Será que eles não trazem um pão ou sei lá?

Astrid relaxou visivelmente.

– Ah, sim, acho que sim.

Ela fez sinal para o garçom que estava atendendo a mesa delas e pediu uma cesta de pães, que logo foi levada, além de uma manteiga caseira com mel que Delilah ficou com vontade de lamber direto do potinho de aço inoxidável.

Ela estava na segunda fatia de pão quentinho quando percebeu que o tornozelo de Claire continuava levemente enlaçado ao seu.

Perceber isso foi como receber um choque elétrico. De repente, a coluna de Delilah ficou ereta, e ela não conseguiu evitar que seu olhar encontrasse o de Claire, que pareceu se dar conta naquele instante que continuava enlaçada a ela como um coala. Claire tirou a perna tão rápido que seu joelho bateu na mesa, fazendo os pratos e as taças crepitarem e arrancando um palavrão de sua linda boca.

– Caramba, você está bem? – perguntou Iris, firmando o vaso de lírios no centro da mesa.

Claire fez uma careta e assentiu, esfregando a perna.

– Estou, desculpem a atrapalhada aqui.

Delilah abriu um sorriso, que Claire retribuiu, um rubor adorável se espalhando por seu rosto. Vendo aquela mulher linda e encantadora ao pôr do sol, o dia de repente pareceu hilário: toda a gafe do quarto, Claire se trancando no banheiro como uma adolescente constrangida, aquele trabalho em equipe ridículo para derrubar Spencer. Com três quartos da taça de vinho fluindo por suas veias, o sorriso de Delilah virou uma risada que ela não conseguiu segurar.

– Qual é a graça? – perguntou Astrid.

Delilah balançou a cabeça, e mais risadas escapuliram de sua boca. Ao seu lado, Claire também começou a rir, cobrindo o rosto com a mão e chacoalhando os ombros. Iris e Astrid ficaram se olhando, embora Iris exibisse um sorrisinho discreto que fazia com que Delilah se sentisse menos louca.

Ainda assim, ela precisava se controlar, ou Astrid acabaria irritada e de cara feia, o oposto do que as três queriam.

Bom, pelos menos o oposto do que Iris e Claire queriam.

E naquele instante, com a luz, o vinho e as risadas, combinadas com a exaustão, Delilah daria qualquer coisa a Claire Sutherland.

– Tá, então – disse Delilah, bebendo mais um gole de vinho e apoiando os cotovelos na mesa. Ela olhou para Astrid e piscou algumas vezes, como uma colegial em uma festa do pijama. – Con-ta tu-do.

Iris engasgou com o vinho, e Claire cobriu o sorriso com a mão. Astrid, no entanto, não pareceu perceber. Ela arregalou os olhos e deixou escapar uma risada nervosa.

– Sobre o quê?

– Sobre o Spencer – respondeu Delilah, partindo uma fatia de pão na metade e enfiando na boca.

– Ah – disse Astrid.

Ela levantou a taça e colocou uma mecha de cabelo atrás da orelha. Não passou despercebido por Delilah o fato de o sorriso dela ter diminuído. Só um pouquinho. O bastante.

Aparentemente, também não passou despercebido por Claire, que encostou a perna na de Delilah uma vez antes de voltar a se retrair. Delilah entrou na brincadeira, encostando a coxa na de Claire e deixando-a ali. Ela a ouviu inspirar lentamente, mas a mulher não se mexeu.

– Não precisamos falar sobre ele – respondeu Astrid, levantando a mão. – Eu já vivo tagarelando demais sobre o Spencer.

– Você acha mesmo? – perguntou Iris.

Delilah revirou os olhos. Sutil como uma criança na manhã de Natal. Mas de repente, quando Iris pareceu perceber que não tinha sido nada discreta, enfiando um pedaço de pão na boca, Delilah se lembrou de uma coisa. Uma possível abertura. Uma pequena pedra preciosa da infância com Astrid, uma das poucas memórias que não estavam envoltas em ressentimento.

– Ele é seu Gilbert Blythe, né? – disse, bebendo um gole de vinho com delicadeza. – Você deve ter muito a dizer sobre ele.

A boca de Astrid se abriu.

– Gilbert... Gilbert Blythe?

– É, da… – Delilah fingiu não lembrar, agitando a mão no ar. – Como era o nome?

– *Anne de Green Gables* – disse Claire.

Sua perna pareceu se contrair contra a de Delilah, mas não se afastou. Algo se agitou em seu estômago, e ela teve que se esforçar para se concentrar no que estava fazendo. Estalou os dedos.

– *Anne de Green Gables.*

– Você se lembra do Gilbert Blythe de *Anne de Green Gables*? – perguntou Astrid.

– Eu lembro que você suspirava por ele – respondeu Delilah.

E que Anne e Diana obviamente eram lésbicas e a fim uma da outra, o que foi o que ela dissera a Astrid ao ler os livros pela primeira vez. Elas tinham 13 anos e Astrid havia terminado de ler *Anne de Green Gables*, deixando o livro na cama de Delilah, algo que às vezes fazia sem dizer nem explicar nada. Depois de ler os primeiros quatro livros da série, Delilah apresentara sua teoria "Anne-e-Diana-são-lésbicas" enquanto jantavam pizza sozinhas, pois Isabel estava em um evento de caridade. Astrid nem tinha discutido com ela, só riu e disse que ela devia ter razão, e começou a tagarelar sem parar sobre quanto queria um Gilbert Blythe para chamar de seu um dia.

– Quem não suspirava pelo Gilbert Blythe? – perguntou Astrid, e Claire e Iris riram.

Delilah levantou a mão.

– Lésbica pra caramba, lembra?

Astrid olhou para ela e se inclinou para a frente.

– Você está me dizendo que seu coração não parou nem um segundinho na parte em que Gilbert salvou Anne no rio, quando ela estava fingindo ser a Donzela dos Lírios e o bote dela afundou, ou quando ele recusou a vaga de professor em Avonlea para que Anne ficasse com o emprego e pudesse ficar com Marilla?

Delilah deu umas batidinhas no queixo.

– Tá, talvez um pouquinho. – E estendeu as mãos em frente ao peito. – Mas só se eu imaginasse Gilbert com um belo par de…

– Tá bom, já entendi – disse Astrid, revirando os olhos.

– Meu coração parou *sim* quando Anne quebrou a lousa na cabeça dele por chamar ela de "Cenoura" – continuou Delilah. – Pensei: esse é meu tipo de mulher.

Iris segurou uma risada.

– Tá, mas o pedido de casamento foi maravilhoso – disse Claire.

– Foi! – concordou Astrid, bebendo mais um gole de vinho. – Ele pediu duas vezes! Ela recusou, e ele pediu de novo anos depois, dizendo que ela era o sonho dele. – Ela apontou para Delilah com o copo. – Por favor, até você tem que admitir que é romântico.

Mais uma cutucada na perna.

– É. Tenho mesmo que admitir.

Claire baixou a cabeça, e Delilah só soube que ela estava rindo em silêncio porque seu corpo tremeu um pouco.

– Então, como o Spencer fez o pedido? – perguntou Delilah. – Foi romântico assim?

O sorriso de Astrid voltou a sumir, mas ela encobriu com um gole de vinho.

– Ah, por favor, eu não ouvi essa história – falou Delilah.

Ela percebeu naquele momento que sua voz tinha saído animada demais. Parecia uma personagem de um romance de Jane Austen. Astrid franziu a testa e Iris a encarou como se ela estivesse sob o efeito de drogas. Só Claire parecia estar gostando do espetáculo, a coxa quente e *bem ali*, a boca contraída para não rir. Delilah também sentiu uma risada tentando subir do peito à boca, e bebeu um gole e tanto de vinho para engoli-la. No entanto, sentia-se estranhamente relaxada, menos rígida e mais flexível, a pele sensível de antes cedendo a cada olhar trocado com Claire.

Ou talvez fosse o vinho de 70 dólares.

– Nós também não – disse Iris, depois de lançar um olhar de *se controlem* para Delilah e Claire.

– Ouviram, sim – respondeu Astrid.

– Não – insistiu Iris. – No fim de março, você mandou uma mensagem dizendo pra gente se encontrar na Taverna da Stella, e quando chegamos você mostrou o anel, disse que ele tinha feito o pedido e começou a tagarelar sobre os planos pro casamento. Você já tinha até marcado a data quando nós ficamos sabendo.

A expressão de Astrid passou da contestação à mágoa em dois segundos.

Delilah sentiu a preocupação de Claire irradiando, calorosa como uma colcha artesanal.

– Ficamos tão animadas por você que acho que esquecemos de perguntar sobre o pedido – disse Claire, tentando salvar o momento. Ela estendeu a mão sobre a mesa e apertou a de Astrid. – Conte agora.

Astrid relaxou, mas só um pouco. Soltou um suspiro e bebeu dois goles de vinho antes de agitar uma das mãos.

– Ele fez o pedido e eu aceitei. Pronto.

– Pronto – repetiu Iris, com voz monótona. – E você deixou por isso mesmo? Você, que uma vez terminou com um cara, *no baile*, aliás, porque ele esqueceu de comprar um arranjo de flores pra você?

Meu Deus, Iris não entendia mesmo o conceito de delicadeza.

– Nossa, eu me lembro disso – falou Claire, com uma risada que Delilah imaginou ser uma tentativa de aliviar uma situação cada vez mais pesada. – Coitado do Henry Garrison, nem viu de onde veio o golpe.

– Foi um golpe de flor de lapela – disse Iris, e ela e Claire caíram na gargalhada.

Astrid não riu, mas seu rosto ficou vermelho, e Delilah não sabia se ela estava ficando nervosa ou irritada, ou se o vinho estava fazendo efeito. Então, como uma tempestade repentina, vislumbrou o que aconteceria: a famosa reclusão de Astrid.

– Sabe, estou meio cansada – disse ela, empurrando a cadeira para trás. – Acho que vou pro quarto.

– O quê? – perguntou Iris. – Nossa comida nem chegou ainda.

– É, não estou mais com fome. – Astrid se levantou, de taça na mão, e deu um jeito de sorrir. – Comi muito pão.

– Astrid – chamou Claire, segurando sua mão. – Senta, por favor. O que está acontecendo?

Mas Astrid balançou a cabeça.

– Estou exausta, só isso. Está tudo bem. São só… as coisas do casamento, sabe? Vou ligar pro Spencer e tentar dormir um pouco. A gente se vê amanhã na ioga?

Claire assentiu enquanto Astrid beijava seu rosto, dando a volta e beijando Iris também. Delilah, ela ignorou totalmente, levando a garrafa pela metade ao sair.

As três ficaram alguns minutos sentadas ali em silêncio, assimilando o que tinha acabado de acontecer conforme a noite avançava.

– Bom, isso foi um desastre – disse Claire. Sua voz saiu baixinha e embargada.

– Um desastre completo – concordou Iris, largando o corpo na cadeira com um suspiro.

– Vocês estão de brincadeira? – perguntou Delilah. – Era exatamente isso que vocês queriam.

A postura de Claire enrijeceu e sua coxa se afastou da de Delilah.

– Não era, não. A gente queria... a gente...

– Queria que ela se questionasse em relação ao Spencer se perguntando se ele é o oposto do que ela sempre sonhou? – indagou Delilah.

O corpo de Claire desabou, o que fez com que sua perna voltasse a encostar na de Delilah.

– É, mas não assim. Não... magoando ela.

– Querida – disse Iris, com a voz suave, inclinando-se para a frente. – Se a Astrid perceber que cometeu um erro ao escolher o Spencer, ela vai ficar magoada.

O rosto de Claire se contorceu, mas só por um segundo. Depois, sua expressão se suavizou e ela assentiu.

– Eu sei. É que eu ... – Ela soltou um gemido e esfregou os olhos embaixo dos óculos. – Que saco, por que os homens têm que ser tão babacas?

– Nem todos são – respondeu Iris.

– A maioria é – rebateu Delilah.

Iris deu umas batidinhas no queixo enquanto pensava, então soltou um suspiro.

– Tá, vocês têm razão. A maioria é. Ainda bem que eu sou bi.

Claire riu, a perna pressionando a de Delilah com mais firmeza. Delilah teve que se segurar para manter a mão no lugar, porque o desejo de estendê-la e apertar a coxa daquela mulher era quase irresistível. Ela era absurdamente charmosa. E gentil. Meu Deus, quando é que havia ficado gentil assim? Ser mãe tão cedo, criar uma pré-adolescente praticamente sozinha, administrar um negócio, lidar com o ex meia-boca. Delilah seria um desastre completo se estivesse no lugar dela. E Claire ainda estava ali, agonizando pelo coração da melhor amiga.

Iris levantou a taça.

– Aos homens de merda e às mulheres que os colocam no lugar deles.

– Um brinde a isso – disse Delilah, também levantando a taça.

Claire as acompanhou, e as três brindaram sobre os lírios, beberam e atacaram a comida, que chegou minutos depois. Conversaram sobre assuntos mais leves – filmes, livros, o filé mignon que estava macio como manteiga. Riram do fato de Iris ficar com o rosto vermelho e mais quente que o sol com apenas uma taça de vinho tinto, que sempre a deixava com uma dor de cabeça terrível, mas ela adorava assim mesmo. Conversaram sobre Ruby e o fato de ela ainda dormir com o unicórnio de pelúcia roxo que Iris dera a ela quando nascera e quanto Claire temia o dia em que ela parasse.

Sem se dar conta, Delilah limpou o prato e terminou a terceira taça.

Estava rindo.

Muito.

Com Claire e Iris.

Como se fossem amigas, e não um emaranhado de histórias complicadas que estavam simplesmente tolerando umas às outras.

CAPÍTULO TREZE

CLAIRE SE JOGOU NA CAMA, a cabeça agradavelmente confusa e um sorriso ainda nos lábios pela noite divertida.

Bom, em parte. Pensar em Astrid fazia seu estômago doer, mas o vinho estava ajudando a afastar a dor.

E também o fato de Delilah estar no banheiro, tirando a roupa e vestindo... o que quer que ela usasse para dormir. Pijama? Camisola? Nada?

Claire fechou bem os olhos. Já tinha terminado sua rotina noturna – dentes, rosto, hidratante – e agora se dera conta de que estava só de short e regata, sem sutiã. Nem pensou nisso quando estava trocando de roupa no banheiro minutos antes. O vinho, a risada constante no jantar, tudo isso a distraíra daquele momento exato em que ela e Delilah entrariam embaixo das cobertas, a centímetros uma da outra e...

Ruby.

Ela precisava ligar para Ruby.

Eram só dez e meia, e Claire tinha quase certeza de que a filha ainda estaria acordada, provavelmente enchendo a cara de massa de biscoito crua e assistindo a um filme não recomendado para menores de 16 anos. Pela primeira vez ficou feliz pelas regras frouxas de Josh. Sentou-se, ignorando o barulho de água correndo no banheiro, e selecionou o nome de Josh na lista de favoritos do celular. Ruby ainda não tinha celular, e Claire se recusava a ceder às queixas dela. Estremeceu ao pensar na filha usando as redes sociais, mas sabia que essa hora logo chegaria, se aproximando como uma tempestade vinda do oceano.

– Oi – disse Josh.

– Oi.

– Como está o spa? Por favor, me diz que fez uma massagem. Ou cinco.

– Rá-rá. E fiz, sim.

– Cinco?

Ela sentiu um sorriso repuxar seus lábios.

– Uma, mas foi muito boa. Posso falar com ela?

– Ah, é… não. Na verdade, não.

Claire endireitou a postura.

– Como é que é?

– Ela está indisposta.

– Indisposta? O que isso quer dizer?

– Quer dizer que ela não pode atender o telefone.

Havia um tom de risada na voz dele que a fez desejar ter o poder de transcender o espaço e o tempo para estrangulá-lo naquele instante. Seus batimentos cardíacos aceleraram, a mente repassando todos os cenários que explicariam a filha estar *indisposta* às dez e meia da noite.

Eles estavam em uma festa maluca com os amigos do beisebol dos tempos de escola.

Eles decidiram fazer uma viagem de carro e Josh esqueceu Ruby em um posto de gasolina.

Josh esqueceu completamente que ela ia passar a noite lá e a deixou na casa de Claire e alguém a sequestrou na entrada e agora Ruby estava nas garras de…

A porta do banheiro se abriu e Delilah saiu de lá vestindo nada mais que um camisetão branco de algodão que ia até a metade da coxa, o cabelo preso. Essa visão trouxe Claire de volta ao quarto de uma vez e limpou sua mente. Delilah olhou para ela de um jeito estranho – porque Claire estava bufando como um rinoceronte hiperventilando – e ficou paralisada.

Claire levantou uma das mãos como quem diz *Está tudo bem*.

– Josh, coloque minha filha no telefone agora mesmo.

– Claire.

– Não me importa onde vocês estão nem o que estão fazendo.

– Claire.

– Eu juro por Deus que vou cortar suas bolas com uma faca cega se você…

– Meu Deus, Claire. Ela está dormindo.

Claire se acalmou.

– Dormindo?

– Isso.

– Em uma cama?

– É sério isso? Sim.

– Em uma cama no *seu* apartamento?

Ele soltou um suspiro.

– Sim.

Ela fechou os olhos, um alívio caloroso se espalhando por seu corpo.

O que foi logo seguido por uma irritação gélida.

– Então por que foi que você não disse logo? – perguntou ela. – Que saco, Josh.

– Desculpa. Eu só estava brincando. Não achei que você fosse surtar desse jeito.

Ela ficou um instante em silêncio, porque *aquele cara*... Lançou um olhar para Delilah, que continuava parada à porta do banheiro olhando para ela com uma expressão preocupada.

– Tá, tudo bem – disse Josh. – Pensando bem, eu devia ter imaginado que você ia surtar. Desculpa, mesmo.

Ela respirou fundo pelo que pareceu a centésima vez nos últimos dez minutos, e seus ombros relaxaram. Delilah deve ter aceitado como um sinal de que estava tudo bem, porque se aproximou da cama e apoiou um joelho sobre o colchão. A camiseta subiu um pouco, o que Claire com certeza não percebeu.

– Tudo bem – respondeu Claire, exausta de repente. Ela deixou a cabeça cair sobre a mão livre e apertou a têmpora com os dedos.

– Quer que eu acorde ela?

– Não, não, eu falo com ela de manhã.

– Tá. Ah, o forno está desligado.

Ela deixou a mão cair no colo.

– Quê?

– O forno, sabe? Eu... desliguei assim que terminei de preparar o jantar. Antes mesmo de o Grant dar uma passada aqui pra ver se estava tudo bem.

– Eu não...

– E a Ruby está na cama desde as dez. Sei que é mais tarde que nove e meia, mas pensei que ela está de férias e tal. Dez horas está bom, né?

Ela não sabia ao certo o que dizer daquilo tudo. Ele queria uma medalha por cumprir tarefas básicas de pai e girar um botão no fogão? Depois de anos passando meses sumido, mal telefonando uma vez por semana, tudo porque *Não vou fazer bem pra ninguém agora*?

– Tá bom, Josh – disse. – A gente se fala amanhã.

E desligou antes que ele pudesse responder, colocando o celular sobre a mesa de cabeceira e se recompondo.

– Tudo bem? – perguntou Delilah.

Claire fechou os olhos por um segundo, depois olhou para ela e sorriu.

– Tudo bem.

Delilah a observou com os olhos semicerrados. Era óbvio que não ia engolir aquela resposta.

– Ele é um babaca, é isso? Precisamos dar um jeito nele também?

– Não. – A resposta saiu rápida. Um reflexo. Porque Josh não era um babaca. Nem de longe. Tudo seria muito mais fácil se ele fosse. – Ele é só… – Ela balançou a cabeça. – Ele é só um cara que teve que crescer cedo demais.

Delilah fez uma careta.

– Não mais cedo que você.

– Eu sei. Mas eu sou…

Ela fechou a boca, não sabia por que estava inventando desculpas por ele. Não era sua intenção fazer isso, mas sabia que seu relacionamento com Josh, Ruby, aquela família excêntrica que era a sua, não era tão simples quanto Josh ser um babaca que sumia. Era uma bagunça coberta de mágoa, recheada de terror e confusão em razão do amor pela filha.

– Você o quê? – perguntou Delilah. – É a mãe? A mulher? Então isso quer dizer que você tem que abrir mão da sua vida e ele não?

Claire olhou para ela. Havia um brilho no olhar de Delilah que de repente pareceu viciante, como sentar-se em frente a uma lareira acesa depois de passar um ano em uma terra congelada.

– Talvez – respondeu Claire com a voz suave, o rosto queimando com aquela confissão. – Eu sei que não é o jeito certo de encarar o assunto, mas eu… Bom, ele só transou com uma camisinha defeituosa. Fui eu que formei Ruby dentro do meu corpo.

Delilah contraiu os lábios e inclinou a cabeça olhando para Claire.

– Mais um motivo pra você merecer coisas boas.

Sua voz era tão suave, tão intensa, que foi como se mundo parasse de girar por um segundo. Claire só conseguiu ficar olhando para ela, aquelas palavras simples fazendo sua garganta inchar. Nunca fora boa em se colocar em primeiro lugar, em correr atrás daquilo que queria. Afinal, adorava a filha, não conseguia imaginar a vida sem ela. O que mais poderia querer?

Mas, enquanto Claire encarava Delilah, um *desejo* começou a se revirar em sua barriga, tão forte que sua boca salivou e seu peito se encheu de uma emoção que ela nem sabia nomear.

– Você quer conversar sobre isso? – perguntou Delilah, quebrando o feitiço.

Claire deu uma risada meio bufada.

– Na verdade, não.

– Então não vamos conversar.

Ela não disse como se fosse um alívio nem como se não quisesse falar sobre aquilo para começo de conversa. Disse com gentileza, como se entendesse que falar sobre assuntos difíceis pudesse ser terapêutico, mas que as palavras em si já exigiam muito esforço e, às vezes, a gente simplesmente não tinha a força necessária para pronunciá-las.

Claire assentiu e olhou nos olhos de Delilah, que tirou uma presilha banana do cabelo, e os cachos selvagens caíram, formando um halo em sua cabeça. Claire queria oferecer um sorriso de agradecimento, mas em vez disso uma gargalhada irrompeu de sua boca.

Delilah se encolheu.

Claire cobriu a boca com uma das mãos e falou por entre os dedos.

– Ai, meu Deus, desculpa. É que… você… seu…

Ela fez um gesto com a mão que estava livre ao redor da cabeça, indicando o cabelo de Delilah, que estava *enorme*. Não, o que era maior que enorme? Gigante. Colossal. Os cachos tinham se avolumado com o ar noturno, mas ela havia prendido o cabelo para lavar o rosto e, agora que estava solto de novo, parecia ter vontade própria. Parecia que ela tinha sido eletrocutada.

Delilah arregalou os olhos quando se deu conta daquilo, mas deu um sorrisinho amarelo e cruzou os braços na frente do peito, o que chamou atenção para o fato de que ela com certeza não estava usando sutiã.

Fato que Claire se esforçou para ignorar, mantendo o olhar fixo naquela cabeleira.

– O que foi, Claire? – indagou, em tom provocativo.

Outra risada escapou.

– Tem alguma coisa na minha cara? – Delilah colocou as mãos no rosto antes de sorrir e puxar os cachos, fazendo com que ficassem ainda maiores. – Ah, isso. É, você tem um elástico de cabelo pra me emprestar? Deixei todos os meus no inferno floral da Pousada Caleidoscópio, e só tenho essa presilha. – Ela mostrou a presilha e a jogou dentro da mala.

Claire assentiu.

– Está maravilhoso, só pra constar.

– Claro que está.

– Está, sim. É único. Não é como meu cabelo liso e sem graça. Sempre gostei do seu cabelo quando a gente era adolescente.

Algo diferente surgiu na expressão de Delilah, mas desapareceu com a mesma rapidez. Ela pigarreou.

– Então, e o elástico?

– Ah, sim. – Claire apontou para a mala que estava em uma cadeira no canto. – Sei que tem alguns na minha nécessaire, mas acho que também tem um ou dois perdidos lá dentro. Nunca saio de casa sem eles.

– Uma lição que eu devia aprender – disse Delilah, indo em direção à mala listrada turquesa e azul-marinho.

Claire sentiu uma pontada de ansiedade. Tudo em sua mala estava organizado e bem dobrado. Tinha certeza de que suas calcinhas estavam em um bolso com zíper e não tinha trazido o vibrador…

De repente, sua postura ficou ereta.

Porque ela não planejara levar o vibrador. Não estava em sua lista, mas aí tinha pensado que ficaria em um spa e vinhedo cinco estrelas, curtindo um quarto só dela e provavelmente se esforçando muito para não pensar em certa mulher de cabelo enorme e olhos azuis que ela não conseguia entender.

Tinha colocado o objeto na mala na última hora.

– Delilah, espera, eu pego…

– Ah. Uau.

Merda.

Delilah se virou, um prendedor de cabelo de cetim preto em uma das mãos e o vibrador California Dreaming Malibu Minx cor-de-rosa na outra.

O rosto de Claire pegou fogo. Sabia que muitas pessoas usavam vibradores. Ora, tinha ganhado aquele de presente de Iris, que elogiara muito as habilidades do aparelho. Ela dera um até para Astrid e perguntava com frequência se estava acumulando poeira na gaveta da cabeceira. Mas, meu Jesus Cristinho, justo Delilah tinha que encontrar seu brinquedinho, obviamente muito usado, já que Claire o levara para uma viagem de uma só noite.

– Ah… isso é… – Claire hesitou, sem saber como reagir. Sabia que seu rosto estava vermelho e sentia o suor que brotava sobre o lábio superior.

Mas Delilah sorriu e assentiu.

– Ah, eu sei. Tenho um desse. Maravilhoso, né?

Então ela jogou o California Dreaming de volta para dentro da mala de Claire e enrolou o cabelo no alto da cabeça, prendendo os cachos bagunçados com um estalo do elástico.

CAPÍTULO CATORZE

MEU DEUS, AQUELA MULHER ERA ENCANTADORA.

Delilah terminou de prender o cabelo, olhando para Claire o tempo todo, vendo seu rubor rosa-claro adquirir um tom mais escuro. A mulher não falou mais nada sobre aquele vibrador – bem grande – que estava em sua mala, então também não insistiu. E tudo bem, porque ver Claire segurar a risada e ficar constrangida ao mesmo tempo enquanto Delilah jogava o brinquedinho de volta para dentro da mala foi...

Bom, foi a coisa mais fofa que Delilah já tinha visto.

De repente, seu estômago ficou meio inquieto, agitado, como antes da exposição na Fitz ou sempre que ela abordava um agente em um evento ou clicava no botão para enviar um e-mail. Não sentia esse frio na barriga por causa de uma mulher desde Jax, e não gostava muito daquela sensação. Mas pensou que Claire não era só uma mulher que ela tinha conhecido em um evento ou bar. Era a melhor amiga de Astrid e já a conhecia desde quando ela era uma adolescente esquisita. Era um contexto diferente, só isso.

Pelo menos, foi o que Delilah disse a si mesma ao tentar acalmar o que pareciam um milhão de abelhas voando em seu estômago e tirar a câmera da bolsa. Suas mãos precisavam de alguma coisa com que se ocupar ao ir para a cama, alguma coisa em que se concentrar quando ela puxasse as cobertas.

Um colchão king size era como um oceano, mas ainda assim... Claire estava *bem ali*, e Delilah de repente esqueceu como dispor seus membros na cama como uma pessoa normal. Apoiou o joelho primeiro, mas então percebeu que ficaria sentada em cima das pernas e tirou o pé debaixo de si, o que fez com que ela quase tombasse sobre um dos cotovelos com a câmera ainda na outra mão.

Empática, Claire ignorou seu constrangimento, pegou o celular e ficou olhando para a tela, mas Delilah podia jurar que viu os cantos de seus lábios se curvarem um pouco. Ela finalmente se acomodou nos lençóis frescos e ligou a câmera. Começou a passar as fotos que tinha tirado até ali, dos outros eventos do casamento, estremecendo ao ver uma iluminação ruim e sorrindo ao perceber que, às vezes, a iluminação ruim fazia Isabel parecer o capeta.

– Conseguiu boas fotos? – perguntou Claire, largando o celular no colo.

Delilah manteve os olhos na câmera.

– É, acho que sim.

– Posso ver algumas? Acho que nunca vi uma foto sua.

Delilah olhou para ela. Óculos, rosto sem maquiagem, cabelo preso no alto da cabeça com a franja roçando os cílios. Uma alça da regata tinha escorregado pelo ombro, e Delilah lutou contra o desejo de colocá-la de volta no lugar.

Ou fazê-la escorregar mais para baixo.

Ela pigarreou e se concentrou na tela.

– Claro – respondeu.

Mas as malditas abelhas voltaram, as asas enchendo seu estômago até a boca. Ela passou para as fotos do brunch, buscando algo especial, algo belo. Não sabia ao certo por que se importava com o que Claire achava de suas habilidades fotográficas, só sabia que se importava.

Finalmente, chegou à foto perfeita.

Entregou a câmera, que Claire pegou com cuidado, como se estivesse manipulando uma joia preciosa – o que meio que era mesmo, considerando o que Delilah tinha pagado por ela –, e ficou observando o rosto dela ao reagir à foto.

Primeiro, Claire abriu a boca, arregalando os olhos, mas então sua expressão se suavizou.

– Delilah – disse.

E foi só isso. Uma única palavra, mas era parte voz, parte suspiro, e o bastante para fazer com que os braços de Delilah fossem tomados por arrepios, que ela tentou esconder abraçando os joelhos.

– Achei mesmo que você ia gostar dessa – comentou.

Claire assentiu, os olhos ainda fixos na imagem em preto e branco que mostrava ela e Ruby sentadas uma ao lado da outra na Casa de Chá da Vivian. Ruby olhando para baixo, os cílios longos encostando na bochecha e um sorrisinho discreto curvando os cantos dos lábios, e Claire com o braço envolvendo os ombros da filha, o nariz encostado no cabelo dela. Claire também exibia um sorriso discreto. Delilah tinha conseguido dar um zoom no rosto delas, mas preservara a luz, deixando de fora a maior parte dos pratos e copos sobre a mesa.

A foto mostrava só as duas.

Mãe e filha.

– Adorei – disse Claire, os olhos ainda passeando pela tela. Por fim, olhou para Delilah. – Você é boa.

Delilah riu e pegou a câmera de volta.

– Você parece surpresa.

Claire balançou a cabeça.

– Surpresa, não. Só… impressionada.

– A Alma Penada da Casa das Glicínias tem talento, pelo jeito.

Não foi a coisa certa a dizer. Claire enrijeceu imediatamente e o ar entre elas ficou carregado de tensão, mas Delilah não retiraria o que tinha dito, mesmo que pudesse. As asas das abelhas ficaram paralisadas, e ela precisava retomar o controle. Fazia cinco anos que não perdia a cabeça por uma mulher, e não estava nos seus planos perder agora.

Mas então Claire disse:

– Delilah.

E aquela única palavra, seu nome na boca daquela mulher, agitou toda a colmeia.

Delilah levantou uma das mãos e largou a câmera na mesinha de cabeceira.

– É melhor a gente descansar.

Ela apagou o abajur e se enterrou nos lençóis, de costas para Claire. Ao seu lado, percebeu que a mulher não se mexeu.

– De onde… de onde surgiu esse interesse? – perguntou Claire. – Pela fotografia.

De início, Delilah não respondeu. Mas quando seus olhos se adaptaram à escuridão, o luar entrando pelas cortinas transparentes e deixando o quarto prateado, ela se virou, colocando as mãos sob o queixo e arqueando o pescoço para cima para ver o rosto de Claire.

Claire olhou para ela a uma distância segura, mas logo trocou de posição. Deslizou para baixo, afofando o travesseiro uma vez e se acomodando de lado também, as mãos embaixo do queixo, um espelho de Delilah. Seus movimentos a aproximaram de Delilah, deixando menos de meio metro de espaço entre as duas. A atmosfera mudou de novo, ficou mais espessa com a proximidade e a novidade.

– Você quer mesmo saber? – perguntou Delilah, mantendo a voz baixa e calma. Se falasse alto demais, o feitiço podia se quebrar, e ela ainda não tinha decidido se queria isso ou não.

– Eu não teria perguntado se não quisesse.

– Ah, sei lá. Você é uma pessoa legal. Gente legal às vezes faz perguntas só porque acha que *deve*, não porque liga de verdade pra resposta.

As sobrancelhas de Claire se juntaram.

– Eu ligo, tá?

Delilah sabia que devia colocar um fim naquilo. Ela queria dormir com aquela mulher, não criar um laço compartilhando histórias e queixas da infância. E aquele dia tinha lhe roubado o equilíbrio. Entre Astrid simplesmente se esquecendo de reservar um quarto para ela, Claire oferecendo o seu e a intimidade repentina que tinha sentido em relação a Claire e Iris – um sentimento que não sabia ao certo se já tinha experimentado com mulheres que não estivesse pegando –, seu coração parecia maior dentro do peito, mais sensível, como uma queimadura gritando ao mais leve toque. As palavras estavam todas ali, o como e o porquê de sua vida desde Bright Falls, e ela queria libertá-las. Deixar que partissem e que outra pessoa as carregasse por um tempo. Ou que alguém pelo menos soubesse. Fazia tanto tempo que ela não contava seus segredos a alguém. Só de pensar nisso, em todo aquele *conhecimento* solitário, de repente ficou exausta.

Mais um motivo para se virar de costas e dizer boa-noite. Mas ao trocar olhares com Claire, que a fitava como se ligasse mesmo, Delilah simplesmente não quis fazer isso.

– Começou no colégio – disse.

Ao ouvir essas poucas palavras, Claire pareceu relaxar, afundando um pouquinho na cama, como se antes estivesse prendendo a respiração. Então Delilah continuou falando, contando a ela sobre seu fascínio por imagens estáticas e por congelar momentos no tempo. Havia guardado dinheiro de trabalhos esporádicos que fizera para a Sra. Goldstein – a professora de arte e única adulta em sua vida que parecia se interessar por ela – e comprado uma Polaroid, só para ver o que aquela câmera fazia. Andava pela casa cavernosa, ecos das risadas de Astrid, Iris e Claire reverberando das paredes, e tirava fotos de qualquer coisa que achasse interessante. O puxador de um armário da cozinha. Uma faixa dos vitrais da biblioteca. A moldura da lareira. Expressões quando ninguém sabia que ela estava observando. Pegava o clã de Astrid em várias poses desfavoráveis – bocas bem abertas, olhos fechados, línguas para fora para lamber a borda de uma lata de refrigerante pingando.

Não que tenha mencionado esses detalhes para Claire naquele momento.

– Eu tirava fotos da Astrid também, aqui e ali. – Foi o que saiu de sua boca.

E deixou por isso mesmo. Mas se lembrava de guardar todas as fotos daquelas garotas, estudando-as para entender o que fazia com que fossem tão aceitáveis e ela fosse um patinho feio. À exceção de um pouco de maquiagem e roupas de marca, ela nunca entendeu.

– Aprendi o básico da fotografia sozinha no colégio – disse. – A Sra. Goldstein ajudou. Depois, quando fui embora de Bright Falls, percebi que queria fazer da fotografia a minha vida.

Claire assentiu, os olhos escuros bem abertos, enquanto Delilah continuava seu relato falando que trabalhava nove horas por dia, seis dias por semana, em uma lanchonete na Grand Street só para poder pagar o aluguel de um apartamento de merda, mas que no dia de folga saía pela cidade, registrando sua sensualidade, sua paixão, sua diversidade. Todas as coisas que sentia que faltavam em sua vida. Todas as coisas que nunca tivera, nunca nem sonhara que fossem possíveis. Tudo aquilo a impactava como uma onda de vulnerabilidade e verdade.

– E começou a fazer casamentos? – perguntou Claire, ainda milagrosamente interessada.

Delilah assentiu.

– Casamentos, Bar e Bat Mitzvahs, festas de aniversário e outros eventos. Qualquer coisa que aparecesse, na verdade. Continuei trabalhando na lanchonete, quer dizer, continuo, mas os eventos pagam bem, principalmente depois que consegui algumas indicações. Só comecei a me dedicar de verdade a isso de ser artista nos últimos anos.

– Como assim, isso de ser artista?

– Fotografia artística, peças que eu possa vender, séries, a conseguir um agente que me ajude a navegar pelo mundo da arte. Mas é difícil entrar nele. Muito difícil.

Nesse momento a exposição no Whitney surgiu em sua mente, acompanhada do alívio e do entusiasmo. Contou a Claire sobre a exposição, que podia ser sua grande chance.

– Que ótimo – disse Claire. – Eu queria...

Mas ela hesitou, baixando as sobrancelhas ao engolir em seco. Delilah não insistiu e logo Claire mudou de assunto.

– Como você soube que queria ser artista? – perguntou.

Delilah hesitou. A verdade era... delicada. E ela não sabia se queria falar sobre isso com Claire naquela noite ou em qualquer outra. Não tinha por que ela saber aquilo. Nenhum motivo, exceto o simples fato de Delilah querer que ela soubesse. Porém, não imaginava como ela reagiria.

No entanto, quando hesitou, Claire se aproximou um pouco mais e disse:

– Por favor, eu quero saber.

Então ela contou.

– Foi depois de uma decepção amorosa – disse.

As sobrancelhas de Claire sumiram embaixo da franja.

– É mesmo?

Delilah assentiu, a garganta se fechando, mas as palavras continuaram saindo.

– Eu só tive uma namorada. O nome dela era Jacqueline, Jax, e a gente se conheceu em um casamento que eu fotografei. Ela... ela era a madrinha.

A boca de Claire se abriu, e Delilah percebeu a ironia de estar se abrindo com outra madrinha perto da qual ela parecia não conseguir calar a boca.

– Fomos morar juntas, namoramos dois anos.

– O que aconteceu? – perguntou Claire.

Delilah respirou fundo, assimilando as palavras que nunca dissera a ninguém. Depois que ela e Jax terminaram, não havia ninguém em sua vida a quem contar. Além disso, era muito constrangedor o fato de ela não ter sido suficiente.

As palavras saíram assim mesmo.

– Eu peguei a Jax me traindo.

– Ah, meu Deus.

– Com a ex dela. Que, pelo jeito, ela nunca esqueceu.

Claire cobriu a boca com uma das mãos.

– Ah, *meu Deus*.

Delilah assentiu.

– Eu tinha viajado pra fotografar um casamento. Mas o casamento foi cancelado, o noivo desistiu, então voltei pra casa mais cedo e… bom, Jax estava na nossa cama, e não estava sozinha.

A memória ainda estava bem viva, como uma fotografia em alta resolução. Jax – a única mulher que ela havia amado na vida e com quem pensara em se casar um dia, formar o tipo de família com que sempre havia sonhado, mas que nunca tivera – no apartamento em que viviam juntas, com a cabeça entre as pernas de Mallory Prescott. Ainda se lembrava da imagem da cabeça loira de Mallory jogada para trás, a boca aberta e as unhas pintadas de turquesa agarradas à porra do travesseiro de Delilah ao gozar.

– Parece que não foi a primeira vez – disse Delilah. – Fazia meses que ela estava me traindo, tentando dar um jeito de terminar comigo, e eu não tinha percebido.

– Nossa – respondeu Claire.

– Enfim – disse Delilah, desesperada para colocar a conversa de volta nos trilhos. – Eu precisava sair da cidade por um tempo, então voltei pra Bright Falls. Pensei que… sei lá.

Ela não queria ficar sozinha. Tinha sido isso. E, talvez por burrice, imaginara que a familiaridade de Bright Falls, a família que tinha lá, por mais estranha e distante que fosse, pudesse aplacar uma carência dentro de si que ela não sabia explicar. Mas não foi isso que aconteceu. Astrid estava ocupada com a própria vida, e Isabel… bom, Isabel ficou claramente muito aborrecida ao vê-la à sua porta, e culpou algum evento beneficente que estava organizando para justificar o fato de Delilah não poder ficar na própria casa. Foi a primeira vez que ela precisou ficar em um hotel em sua própria cidade.

Acabou não sendo a última.

– Eu precisava mudar de ares – explicou. – Trouxe minha câmera e andei pela cidade esperando encontrar... sei lá. Inspiração, eu acho.

– E encontrou?

Delilah sorriu e fez uma pausa, porque, para falar a verdade, era com essa parte que ela estava preocupada. Não com a decepção amorosa, por mais que fosse constrangedora, e sim com isso, a origem de sua arte. Delilah não tinha feito nada errado, mas ainda assim... podia parecer estranho, e ela já era estranha o bastante aos olhos de Claire. Porém, mais uma vez, um instinto, um desejo, a impulsionou.

– Encontrei, sim – disse. – Encontrei você.

Claire se encolheu visivelmente, jogando a cabeça um pouco para trás, em um solavanco.

– Eu?

Delilah assentiu e contou que fazia mais ou menos uma semana que estava na cidade e caminhava à beira do rio, tentando criar coragem para voltar a Nova York. De repente, ali estava Claire, entrando no rio vestida, com água até os joelhos e um vestido cinza com uma sobreposição de renda, tremendo ao vento gelado de março. Ela começou a gritar. Para o céu, a água, a vegetação na outra margem. Delilah ergueu a câmera e começou a fotografar. Tirou pelo menos cem fotos, e Claire não a viu, não a percebeu se movimentando atrás dela e se deitando na areia para conseguir ângulos diferentes.

De volta a Nova York, ela passou horas editando as fotos. Dias. E foi dessas imagens, Claire, bela e angustiada no rio, que Delilah tirou a ideia de fazer uma série que viria a definir seu estilo e sua carreira.

Mulheres queer, angústia e água.

Ela ficou observando Claire assimilar tudo aquilo, procurando mudanças sutis em sua expressão – choque, repulsa, horror –, mas, à luz prateada, tudo o que viu foi... deslumbramento. E um pouco de tristeza. Os olhos castanhos de Claire eram como profundezas sem fim, fixos nos dela, em silêncio. E ficou tanto tempo em silêncio que Delilah começou a entrar em pânico. Seu coração, que já estava na garganta, agora parecia um beija-flor minúsculo, aprisionado, batendo as asas.

– Você... Isso... Quer dizer, isso te assusta? – perguntou Delilah. – Nunca usei as fotos. Não faria isso.

E não tinha feito mesmo. Queria fazer, pois Claire estava maravilhosa nas fotos, triste, desesperada e zangada, algo com que Delilah se identificava. Mas jamais pediria a Claire que autorizasse o uso. Jamais admitiria, cinco anos antes, que Claire a fascinara tanto que tinha registrado aquele que talvez fosse um dos momentos mais dolorosos de sua vida, imortalizando-o para sempre.

E agora tinha admitido isso tudo à sua modelo secreta. À mulher que, para todos os efeitos, fora sua musa.

Claire continuou olhando para ela, a expressão um pouco fechada em pensamento, pelo que pareceu uma eternidade.

– Claire, eu…

– Eu me lembro desse dia – disse Claire, e respirou fundo, soltando o ar devagar. – Josh tinha acabado de ir embora mais uma vez. Eu tinha acabado de *passar a noite* com ele mais uma vez. E minha filha de 6 anos estava em casa com minha mãe, se acabando de chorar pelo pai. Mais uma vez. A única coisa que nunca consegui resolver por ela, assim como minha mãe nunca conseguiu resolver por mim.

Delilah arfou. Ela sabia que o motivo que tinha levado Claire à margem do rio naquele dia não seria uma história feliz. Claro que não. Mas isso, a dor em sua voz ao falar sobre aquilo, a imagem de uma Ruby ainda menor e mais vulnerável, confusa e magoada, feria o coração de Delilah. E o comentário sobre *passar a noite com ele mais uma vez* despertou algo totalmente diferente – algo que fervilhava de raiva, que parecia ciúme. Delilah enterrou esse sentimento e se concentrou em Claire, buscando a coisa certa a dizer.

– Ruby é sortuda por ter você – foi a única coisa em que conseguiu pensar.

E era verdade. Uma mãe como Claire, sempre pensando na filha, sempre tentando protegê-la, sempre, sempre, sempre. Ela era o sonho de qualquer criança, não era? Pelo menos, era com isso que crianças como Delilah sonhavam, as crianças que conheciam o outro lado, o vazio onde deveria haver um responsável amoroso.

– Não acredito que você estava lá naquele dia – falou Claire.

Delilah engoliu em seco.

– Desculpa. Eu sei que era um momento íntimo, e eu…

Mas suas palavras foram interrompidas quando Claire levou o dedo aos seus lábios. Um toque suave, leve como uma pena.

Ouviu a própria respiração brusca, e sua boca se abriu quando a mão de Claire deslizou, puxando de leve o lábio inferior, o dedo repousando no queixo de Delilah.

Ela deixou que o dedo ficasse ali, e Delilah não conseguiu mais respirar. Não conseguiu mais pensar. Sentia os batimentos por todo o corpo – na garganta, no peito, na ponta dos dedos, entre as coxas. A respiração das duas preencheu o quarto, fraca, superficial e trêmula. O olhar de Claire buscou o dela, então desceu até sua boca antes de voltar a seus olhos, várias vezes, uma dança que fez com que Delilah tivesse vontade de rir ou chorar ou...

Claire se remexeu na cama. Chegou mais perto. O dedo que estava no queixo de Delilah deslizou por seu maxilar, e depois a mão passeou por seu rosto, pescoço e nuca. Os olhos dela se fecharam e cada centímetro de sua pele se arrepiou. Era isso que ela queria – que Claire a desejasse –, mas achou que se sentiria vencedora por traçar um plano e ser bem-sucedida. Em vez disso, parecia que seu corpo inteiro estava se desmanchando e se juntando novamente.

Quando ela voltou a abrir os olhos, Claire estava a centímetros de distância, o olhar buscando o dela, os dedos macios em seu pescoço.

Delilah percebeu que ela estava esperando permissão, esperando-a dizer que também queria aquilo. Ela obrigou a cabeça a se mexer, oferecendo um único aceno antes de percorrer o pouco espaço entre elas e tocar a boca de Claire com a sua. E a beijou, um beijo suave e lento, a boca se fechando ao redor do lábio inferior de Claire, que arfou bruscamente e pareceu se entregar, retribuindo o toque com delicadeza.

Não era como os primeiros beijos com que Delilah estava acostumada. Geralmente, a essa altura, as coisas já estavam frenéticas, desesperadas, loucas e influenciadas pelo álcool, nada além de sensação e pele, e ela adorava cada minuto. Mas isso... O modo como Claire exalava na boca de Delilah, afundando os dedos no cabelo dela, escorregando o corpo mais para perto para que cada pedaço delas se alinhasse, tudo lento e elétrico... não era como nenhum outro primeiro beijo que Delilah tivesse experimentado. Nem mesmo com Jax.

Ela colocou as mãos no rosto de Claire e aprofundou o beijo, sugando seu lábio inferior por um instante antes de virar a cabeça para experimentar um novo ângulo. Claire tinha gosto de menta, um toque de vinho e mais alguma coisa totalmente diferente, cem por cento dela. Ela soltou um pequeno gemido, e o som atingiu em cheio o âmago de Delilah, causando uma sensação descontrolada, enquanto as duas se movimentavam como se estivessem embaixo d'água. Delilah deslizou a mão até o pescoço de Claire, depois até o ombro, percorrendo o braço nu até repousar na curva do quadril. Claire se aproximou ainda mais, as mãos agora enterradas no cabelo de Delilah, abrindo mais a boca e deixando que sua língua se emaranhasse na dela.

Foi o que bastou para levar Delilah ao limite. A suavidade era gostosa – até bela –, mas, meu Deus, aquela mulher. Delilah precisava de mais, mais perto, mais forte. Que se fodesse a suavidade. Que se fodesse tudo que não fosse Claire e o modo como sua respiração acelerou quando Delilah passou a mão entre suas coxas. Aquele som – rouco, desesperado – era lindo. As mãos de Claire passearam descendo pelos ombros de Delilah até o quadril, entrando embaixo de sua camiseta antes de deslizar pela pele nua de suas costas.

– Po… posso? – perguntou Claire sem tirar a boca dos lábios de Delilah.

– Deve – respondeu ela, o som ofegante de sua própria voz pegando-a de surpresa. – E eu, posso?

Ela levantou a regata de Claire, as pontas dos dedos roçando a pele macia da barriga. Claire assentiu, mantendo os olhos abertos enquanto as mãos da outra subiam… mais e mais. Delilah sentiu as imperfeições da pele de Claire, sulcos macios que pareciam estrias, e aquilo era o céu para ela. Tão sexy, curvilínea e perfeita.

Ela queria subir ainda mais as mãos, queria senti-la por inteiro, mas também queria que aquele momento durasse. Que inferno, seria capaz de passar a noite toda beijando Claire e ficaria totalmente feliz. Aquele pensamento era muito estranho, não tinha nada a ver com ela. Delilah afastou sua boca dos lábios de Claire, olhando-a por alguns segundos. Claire também ficou olhando para ela, o corpo trêmulo e carente. Ela envolveu a panturrilha de Delilah com a perna e franziu as sobrancelhas.

– Tudo bem? – perguntou.

Delilah engoliu em seco. Ela não tinha certeza. Estava… meu Deus, estava nervosa e excitada e só queria comer Claire de sobremesa ali mesmo, mas por baixo daquela camada ardente de tesão havia outra coisa, algo que ela não conseguia definir. Balançou a cabeça, tentando afastar aquela ideia.

Tinha feito isso dezenas de vezes. Sabia transar com uma mulher. Sabia fazê-la gritar, garantir que também fosse divertido para si mesma e não pensar em nada além da pele, das bocas e do gozo.

Delilah entregou sua boca à de Claire. Línguas, mãos, coxas.

Claire correspondeu, toque a toque, estremecendo quando os dedos de Delilah alcançaram a curva de seu seio por baixo. Delilah parou, mas Claire envolveu sua boca em mais um beijo, empurrando o quadril contra o dela em um gesto claro de consentimento. Então ela continuou e deixou que seu polegar roçasse o mamilo intumescido de Claire.

Claire afastou a boca dos lábios dela, o peito subindo e descendo tão rápido que Delilah quase achou que ela fosse hiperventilar.

– Tudo bem? – perguntou.

Claire assentiu.

Delilah sorriu e puxou o lábio inferior de Claire entre os dentes, o que arrancou um gemido gutural tão sexy que Delilah também foi obrigada a gemer.

Isso. Era isso o que ela compreendia. Puro desejo animal. Sabia que sua calcinha estava encharcada e estava quase certa de que a de Claire também estava, mas, meu Deus, queria ter certeza. Apertou suavemente o mamilo de Claire antes de acariciá-lo com mais um movimento do polegar, e deixou que sua mão deslizasse mais para baixo. O quadril de Claire ondulou contra o seu e sua mão viajou até a bunda de Delilah, coberta apenas pela calcinha de renda azul.

Delilah tinha acabado de mergulhar a ponta dos dedos sob o elástico do short de Claire, sua boca no pescoço dela e os sons sussurrados mais perfeitos saindo daqueles lábios, quando alguém bateu à porta.

As duas ficaram paralisadas, a respiração úmida pairando entre elas.

Tomara que isso tenha sido fruto da minha imaginação, pensou Delilah. Mas então outra batida ecoou pelo quarto silencioso, seguida pelo pior som do mundo – a voz de sua irmã postiça.

– Claire? Delilah? Estão acordadas?

– Ah, meu Deus – sussurrou Claire.

Ela saiu de baixo de Delilah como se estivesse pegando fogo. Antes mesmo que a outra se sentasse, ela já estava em pé, ajeitando a regata e arrumando o cabelo no alto da cabeça.

– Merda.

– Está tudo bem – disse Delilah. – Calma.

– Claire? – chamou Astrid mais uma vez, batendo ainda mais forte.

– Oi! – gritou Claire, acendendo o abajur. – Espera só um pouquinho!

Ela ficou parada ali com as mãos na cintura, Delilah olhando para ela. Quando seu olhar cruzou com o dela, seus olhos se arregalaram.

– Seu cabelo.

Delilah levou uma das mãos aos cachos, sentindo os caracóis que os dedos de Claire tinham soltado do elástico.

– Está uma bagunça, né?

– É cabelo de quem transou – respondeu Claire, e havia pânico em sua voz. – Você consegue ajeitar?

Delilah não parou de olhar para ela enquanto soltava o cabelo e prendia de novo em uma pilha organizada e que não lembrasse sexo.

– Claire...

– Não podemos contar pra ela – pediu Claire, entrelaçando os dedos. – Tá?

Delilah ficou olhando para ela. Aquela *outra coisa* que sentira antes começou a tomar conta de seus pensamentos. Isso já tinha acontecido outras vezes, uma possível parceira desistir por um motivo ou outro. Delilah sempre lidava bem com o fato. As pessoas são complicadas, tudo pode acontecer. Ela ficava decepcionada, mas entendia, e simplesmente ia para casa e se virava sozinha, pronto.

Mas isso... não parecia ser a mesma coisa. Era diferente, uma sensação de vazio crescia em seu peito e ela queria gritar. Claire era só mais uma transa. E uma transa por vingança, ainda por cima.

No entanto, algo em seu rosto deve tê-la denunciado, porque os ombros de Claire despencaram e ela se aproximou da cama, onde Delilah ainda estava sentada.

– Não é... É só... com o Spencer e o casamento, a gente não pode... Ela ia surtar, e eu...

– Entendo – disse Delilah, calma.

Mas aquele buraco em seu peito continuou crescendo, engolindo toda a sua normalidade. Ela desviou o olhar, respirando fundo, devagar e em silêncio enquanto arrumava os lençóis emaranhados e cobria as pernas com calma. Quando os lençóis estavam esticados e seu coração voltou ao lugar de sempre atrás das costelas, ela olhou para Claire e sorriu.

– Pronto, pode deixar ela entrar.

Claire abriu a boca, mas, antes que pudesse dizer alguma coisa, a amiga bateu à porta de novo. E ela ajeitou a regata mais uma vez antes de correr para a porta. Astrid entrou agitada, percorrendo o quarto com o olhar como uma mãe procurando o filho adolescente no meio da noite.

– Tudo bem? – perguntou, olhando para Claire.

– O quê? – indagou Claire. – Comigo? Sim, tudo bem.

Ela agitou uma das mãos no ar, fez um *pff* com a boca e apoiou essa mesma mão no ombro. Delilah teria caído na gargalhada se sua garganta não estivesse estranhamente fechada, até dolorida.

– O que vocês duas estão fazendo? – perguntou Astrid, direcionando o olhar para a irmã.

Delilah jogou a cabeça para trás, a verdade na ponta da língua. Era o que ela queria, não era? Provar que Astrid estava errada no que dizia respeito a Claire e ela. Vencer. Tudo bem, elas não tinham transado, mas, de certa forma, o que acontecera era ainda mais profundo, mais íntimo: o deslizar lento das bocas, a ponta dos dedos roçando timidamente a pele. Aquele era o momento de Delilah, sua chance. Claro, Claire tinha pedido a ela que guardasse segredo, mas o que é que isso tinha a ver com Delilah em si, no fim das contas? Por que ela se importava com o que Claire Sutherland queria dela?

Ela não se importava.

Não *podia* se importar.

Mas, quando seus olhos encontraram os de Claire, os cílios espessos, largos e suplicantes ao redor daquele castanho-escuro, Delilah não conseguiu arrancar as palavras da caverna que era seu peito.

– Nada – disse Delilah. – Só conversando. Quase pegando no sono, acho.

– É – confirmou Claire, os olhos ainda fixos nos de Delilah. – Estou bem cansada.

Astrid olhou de uma para a outra, franzindo a testa.

– Então que bom que peguei vocês.

– Pegou? – perguntou Claire, o rosto vermelho.

– Antes que pegassem no sono – explicou Astrid, e Delilah percebeu os ombros de Claire relaxarem. – Tem um quarto disponível. Pra Delilah.

Claire olhou para o relógio na mesa de cabeceira.

– Às onze e meia?

– Eu pedi à Hadley, ou sei lá qual é o nome dela, pra avisar na hora que fosse. Parece que alguém ligou e cancelou a reserva de hoje. Voo atrasado ou algo assim.

– Ah – disse Claire.

Delilah não saberia dizer ao certo se Claire estava aliviada ou decepcionada, mas não ia ficar ali para descobrir. Precisava sair daquele quarto. Imediatamente.

– Que ótimo – comentou, jogando as cobertas de lado, pegando a câmera que estava na mesa de cabeceira e guardando-a dentro da bolsinha. Foi em direção ao banheiro pegar a nécessaire.

– Espera – pediu Claire. – Eu posso ir. Fique você.

– Ah, não – respondeu Delilah, balançando a cabeça ao voltar para o quarto e jogar a nécessaire dentro da mala. – Este quarto é seu. Eu vou. – Ela fechou a mala e foi até a porta. – Qual é o número?

– Duzentos e doze – respondeu Astrid, entregando o cartão. – Eu vou com você, é ao lado do meu.

– Que beleza – disse Delilah.

Ela abriu a porta e saiu apressada pelo corredor, puxando a mala de rodinhas. Ouviu Astrid dar boa-noite a Claire, a porta se fechar e os passos decididos da irmã no piso de madeira, mas não olhou para trás nem diminuiu a velocidade até chegar à porta do quarto.

– Delilah, espera – pediu Astrid.

Delilah fechou os olhos com força enquanto tentava enfiar o cartão na fechadura.

– O que foi? – perguntou, sem olhar para a outra.

Astrid parou ao lado dela, se escorando na parede enquanto Delilah tentava fazer a maldita luz vermelha ficar verde.

– Olha só, sinto muito.

Delilah fez uma pausa em sua batalha.

– Pelo quê?

– Por essa história dos quartos.

Delilah finalmente olhou para ela. Sua irmã postiça estava com os braços cruzados, como sempre, e parecia muito constrangida com aquele pedido de desculpas.

– Sente mesmo?

Astrid pareceu murchar, os ombros caindo.

– Sim. Não deixei você de fora de propósito. Quando fiz a reserva, eu não tinha certeza de que você ia mesmo aparecer, tá? Eu ia ligar de novo, mas aí as coisas ficaram corridas e eu não estou acostumada…

Ela parou de falar, mas Delilah sabia o que ia dizer. Ela não estava acostumada a pensar nela. Aquela sensação antiga e solitária da infância voltou, se acumulando sobre tudo o que tinha acabado de acontecer com Claire.

– Eu entendo – respondeu Delilah. – Tudo bem.

– Eu só…

– Tudo bem – repetiu Delilah.

Seu tom de voz saiu tão brusco que Astrid estremeceu, mas ela não queria ter aquela conversa ali. Não com a respiração presa no peito e as pernas ainda bambas após sentir os lábios de Claire em seu pescoço.

A maldita luz finalmente ficou verde. Delilah abriu a porta e entrou no quarto antes que qualquer uma delas pudesse dizer mais uma palavra.

CAPÍTULO QUINZE

PORRA.

Porra, porra, porra.

Assim que ficou sozinha, Claire arrancou a roupa e entrou embaixo do chuveiro para tentar se acalmar. Abriu a água fria, talvez para congelar a memória da boca de Delilah na sua, das mãos dela, do sabor, do pescoço que cheirava a primavera, chuva e grama fresca.

Seu rosto ficando imóvel como rocha, seus olhos de pedras preciosas ardentes adquirindo um azul opaco no instante em que Claire pedira a ela que guardasse segredo sobre o que tinha acabado de acontecer.

Por que é que tinha feito isso?

Porque Astrid teria surtado, por isso.

Você não pode simplesmente pegar a irmã postiça da melhor amiga e depois anunciar, feliz, que foram os quinze minutos mais deliciosos que já viveu. Isso incluía a vez em que ela e Josh transaram na mesa do quintal, três anos antes, enquanto a mãe dela levava Ruby ao cinema. Hoje, ela nem tinha gozado, Delilah não tinha se aventurado abaixo de seu quadril, e mesmo assim ela se sentia como se estivesse prestes a explodir ali embaixo da água.

Mas isso não importava.

Não importava que tivesse sido muito mais que só alguns beijos e toques, nem que, uma hora depois, deitada na cama, acordada, ela ainda estivesse mais molhada do que nunca, o corpo zumbindo e se contorcendo como um fio eletrizado.

Nada disso importava porque o que tinha acontecido naquela noite certamente não aconteceria de novo. Não podia acontecer. Delilah morava em Nova York. Ela ia embora dali a menos de duas semanas, e para participar de uma exposição importante em um museu renomado. Ela não se comprometia com ninguém. Claire sabia disso por Astrid, assim como sabia que ela não se importava com ninguém além de si mesma, e nunca tinha se importado.

Claire pegou o travesseiro que Delilah tinha usado e jogou para o outro lado do quarto. Então se levantou da cama e colocou o ar-condicionado no máximo, esperando que o frio a distraísse da lembrança da expressão de Delilah ao contar a ela sobre Jax e sobre ter fotografado Claire à beira do rio. Uma expressão que parecia ser o contrário de *não se importar*.

CAPÍTULO DEZESSEIS

GRAÇAS À DEUSA PELOS FONES DE OUVIDO.

Delilah passou toda a viagem de volta para Bright Falls ouvindo um audiolivro de fantasia sáfica no último volume. Depois de uma tarde passeando pelo vinhedo e fotografando Astrid, Iris e Claire degustando vinhos refinados e depois cuspindo todos eles no que só poderia ser chamado de escarradeira, tentando ignorar Claire ao mesmo tempo que dava a impressão de não estar fazendo isso, tudo que ela queria agora era o sofá coberto de chita da Pousada Caleidoscópio, uma bebida que pudesse engolir e uma boa sessão com seu California Dreaming Malibu Minx.

Iris estava sentada ao seu lado no banco de trás, pelo que Delilah também agradeceu à Deusa, embora ela ficasse lhe escrevendo mensagens no aplicativo de notas do celular e enfiando o aparelho embaixo de seu nariz.

> **E agora?**
> **Temos dez dias.**
> **Vai, tenho certeza de que você consegue pensar em alguma coisa bem tortuosa.**
> **Oi?**
> **Se você não responder, vou ficar mais irritante ainda.**

Como Delilah não fez nada além de olhar para ela, Iris ficou mesmo mais irritante. Ela arrancou o celular da mão dela e começou a escrever alguma coisa com um sorriso malicioso. Delilah passou raiva em silêncio, pois não queria chamar a atenção para o que quer que Iris estivesse fazendo. Iris terminou com um golpe final do indicador, e seu celular vibrou na mesma hora, recebendo uma mensagem.

O de Claire também.

Delilah pegou o celular de volta, o livro ainda tocando, e olhou para a tela. O aplicativo de mensagens estava aberto e havia um grupo novo com ela, Iris e Claire, porque é claro que Iris tinha simplesmente registrado o número delas no aparelho de Delilah. Iris tinha batizado o grupo de OBM, o que quer que significasse, e aparentemente a primeira mensagem de *Delilah* tinha sido **Vocês são minhas rainhas e eu vivo para servi-las.**

Claire se remexeu no banco da frente, virando-se devagar para olhar para ela.

Delilah digitou uma mensagem com pressa.

DELILAH: Odeio vocês duas.

IRIS: Não foi isso que eu fiquei sabendo.

No banco da frente, Claire se engasgou e teve um acesso de tosse. Delilah sentiu o rosto ficar vermelho. Será que ela tinha contado a Iris o que acontecera na noite anterior? Não, ela não faria isso. Estava muito determinada a não deixar que Astrid descobrisse, e Iris claramente não sabia guardar segredos, como demonstrava o fato de estar mandando mensagem para as duas ali mesmo, com Astrid no banco do motorista tagarelando sobre um projeto que estava fazendo para um escritório de advocacia.

IRIS: Você acabou de dizer que somos rainhas.

Delilah relaxou um pouco, enquanto Claire bebia água e soltava um "Uhum" para Astrid de vez em quando.

CLAIRE: Ris, o que você está fazendo?

IRIS: Mandando mensagem?

DELILAH: O que é OBM?

IRIS: Operação Bota de Merda.

DELILAH: Bota de Merda?

IRIS: BOTA. DE. MERDA.

Delilah olhou para Iris, meio irritada, meio interessada. Iris sorriu e voltou a escrever.

IRIS: Qual é o próximo passo?

CLAIRE: Acho que a gente pode esperar para falar sobre isso quando Astrid não estiver a menos de meio metro de mim.

IRIS: Poderia, se não tivéssemos só dez dias e a noite de ontem tivesse saído conforme o plano.

DELILAH: A noite de ontem saiu exatamente conforme o plano.

Claire pigarreou e Delilah quis revirar os olhos. Ela abriu uma conversa só com Claire.

Não foi isso o que eu quis dizer.

Eu sei, respondeu Claire.

IRIS: Vocês duas estão conversando entre vocês?

CLAIRE: Não.

DELILAH: Talvez.

Claire bufou e Delilah não conseguiu segurar um sorriso.

IRIS: Tá, nada de conspiração secreta. Eu não estou nem aí se vocês duas querem trepar até caírem duras.

Delilah se engasgou com a saliva, o que causou um acesso de tosse. Ela bateu no peito enquanto os dedos de Claire voavam pela tela.

CLAIRE: Ris! Pelo amor de Deus.

IRIS: Eu mantenho o que disse.

– Pra quem você está mandando mensagem? – perguntou Astrid, olhando para o celular de Claire.

– Ninguém – respondeu Claire. – Pro Josh. Ele… vai levar a Ruby até a minha casa.

Astrid assentiu e Claire se virou para a janela, o celular abandonado no porta-copos.

Delilah mandou uma última mensagem.

Continuo odiando vocês.

Depois que Astrid deixou Iris e Claire em casa, Delilah continuou no banco de trás.

– Não sou sua motorista – disse ela, saindo da casa de Claire na Linden Avenue.

Pela janela, Delilah ficou olhando para a casa que era a cara de Claire. Pequena e aconchegante, com uma varanda grande na frente e cercas brancas, fachada de pedra natural e telhas de madeira azul-escuras. Claire avançou pela calçada sem olhar para trás, o quadril balançando no jeans justo de um jeito que fez com que a noite anterior invadisse a mente de Delilah como uma enxurrada.

Nossa.

Ela havia passado a manhã e a tarde inteiras tentando não pensar naquilo. Tinha beijado Claire, sentido seu corpo todinho, e agora podia seguir em frente. Não importava que Astrid não soubesse e não viesse a saber até depois do casamento – ou do não casamento, ou término, ou o que quer que Iris estivesse tentando conseguir –, Delilah sabia. E tinha passado a vida inteira se colocado em primeiro lugar, preocupada só consigo mesma e com o que sabia que era verdade, porque aprendera havia muito tempo que não podia controlar ninguém além de si mesma. Não podia fazer com que os outros mudassem de ideia, não podia obrigar alguém a amá-la se a pessoa não tivesse interesse nenhum em fazer isso nem podia evitar que alguém a abandonasse se era isso que a pessoa queria fazer. Não podia obrigar agentes a fazerem uma reunião com ela. Não podia obrigar amantes da arte a comprar suas fotos.

Não podia obrigar Claire a não sentir vergonha do que tinha acontecido nem mudar o fato de que seria obrigada e encontrar aquela mulher e seu quadril maravilhoso por mais dez dias. Só podia cuidar da própria vida e tirar as porcarias das fotos.

Mas, enquanto Astrid arrancava com o carro, Claire parou na varanda e olhou para trás. Seus olhos encontraram os de Delilah através do vidro, e ela sentiu *aquele olhar* descer por suas pernas. O mesmo olhar que Claire lançara por sobre o ombro no dia do brunch. Interesse. Fascínio. Caramba, era *desejo*.

– Oi? – disse Astrid.

Delilah engoliu em seco e desviou o olhar, soltando um suspiro profundo.

– A pousada fica... o quê? A um quilômetro e meio daqui? Se você for de uma vez eu logo te deixo em paz.

Astrid também soltou um suspiro.

– Eu perguntei se posso ver algumas das fotos que você tirou até agora.

– Ah.

Delilah esfregou a testa. Precisava se controlar. Tinha sido um beijo. Um beijo muito bom. Um beijo *excelente*, mas, ainda assim, eram só lábios e línguas. Já tinha beijado umas cem pessoas, ouvindo-as ofegar em sua boca como se elas estivessem se afogando e Delilah fosse o próprio ar.

Ou... bom, tudo bem, vai, ela não tinha ouvido *cem* pessoas reproduzirem aquele som no meio de um beijo, mas com certeza já tinha passado por isso.

– Mas que inferno, Delilah!

Ela deu um pulo no banco.

– Nossa, desculpa.

– Onde você está com a cabeça? Lá em Nova York?

Delilah passou as mãos no rosto.

– Quem dera.

Astrid contraiu os lábios e virou na Main Street, que estava bem movimentada antes do jantar. O céu era de um cinza e branco marmorizado, com promessa de chuva e um aroma terroso no ar.

– A loja da Claire – disse Astrid quando passaram pela Livraria Rio Selvagem.

Alguns clientes circulavam dentro da livraria e uma mulher de cabelo azul cuidava do balcão.

– Hmm.

– Você ia muito lá quando era criança, né? – perguntou Astrid.

Delilah apoiou a cabeça no encosto do banco.

– Hum.

– Agora, está diferente. Claire deixou a loja toda moderna e bonita.

– Hum.

Astrid bufou irritada, o que a fez sorrir. Ela parou em frente à Caleidoscópio e Delilah desceu do carro como se ele estivesse pegando fogo.

Um banho. Era disso que ela precisava. Um banho, serviço de quarto e uma taça enorme de vinho. Mas, quando se virou para se despedir de Astrid com um aceno e dizer algo educado como *obrigada pelos tratamentos gratuitos de spa, embora você preferisse que eu nem estivesse lá, como ficou óbvio pela reserva para três pessoas*, sua irmã postiça tinha dado a volta no carro, com a bolsa no ombro, os olhos arregalados de tanta expectativa.

– É… você também vai ficar aqui? – Delilah perguntou, apontando para a pousada com o polegar. – Spencer ronca, é? Ah, já sei, ele faz você dormir no sofá quando come alho e você não aguenta mais aquele sofá cheio de calombo.

Astrid, infelizmente, não mordeu a isca.

– Eu gostaria de ver as fotos pelas quais estou pagando uma fortuna, se você não se importar.

– Você quer dizer pelas quais Mamãe Querida está pagando uma fortuna.

Astrid contraiu os lábios e continuou encarando Delilah. A mulher seria capaz de vencer um concurso mundial de quem pisca por último.

– O quê? Você não confia em mim? – perguntou Delilah, colocando a mão no peito. – Sou uma artista. Uma visionária. Uma exploradora intrépida das terras devastadas do tempo. Uma legítima...

– Vou pegar a chave com Nell – disse Astrid, passando por Delilah em direção à construção de três andares de tijolos aparentes.

– Ah, ótima jogada – respondeu Delilah, indo atrás dela.

No quarto, ela jogou a mala em cima da cama e tirou a câmera da bolsa. Conectando-a ao laptop, em cima da escrivaninha, mexeu na câmera até todas as fotos que havia tirado até então começarem a ser carregadas no Lightroom, que ela sempre preferia em relação ao Photoshop. Era menos apelativo, mas a simplicidade era boa na opinião de Delilah. Corte, exposição e balanço de brancos, contraste e cor, brilho e saturação. Isso era tudo de que ela precisava para brincar. A verdadeira arte estava no olhar, no ângulo, no momento em que ela apertava o botão do obturador.

– Não esqueça que não estão editadas – falou ela enquanto Astrid, sentada à escrivaninha, observava as imagens surgirem na tela, empilhadas no Lightroom como um baralho de cartas.

Delilah sentiu os nervos à flor da pele. Nunca tinha mostrado seu trabalho a Astrid. Nunca. Nem as fotos desfavoráveis que havia tirado dela e do clã quando eram adolescentes, nem uma única foto de casamento, um retrato ou foto em preto e branco de um chiclete na calçada.

Mas agora ela ia ver várias. Imagens de casamento, claro, mas também coisas aleatórias que Delilah fotografara caminhando pela cidade depois de conversar com Claire na Rio Selvagem, imagens que havia registrado porque chamaram sua atenção, como um pirulito na grama, uma rachadura em uma taça de vinho e...

Delilah endireitou a postura bruscamente.

E de Claire quando ela não sabia que Delilah estava observando. Fotos e mais fotos de Claire.

Bom, que merda.

– Hum, o que eu faço? – perguntou Astrid quando apareceu uma notificação anunciando que o upload tinha sido concluído.

Delilah não se mexeu, imaginando se conseguiria inventar algum motivo pelo qual Astrid não poderia ver as fotos ainda, mas não conseguiu pensar em nada. As fotos já estavam ali, diante do rosto ansioso dela, que parecia um cachorro com um osso bem caro quando queria alguma coisa. Não tinha como fazê-la largar.

Tudo bem. Delilah tinha tirado fotos espontâneas de Astrid e Iris também... não tinha?

Ela se inclinou ao lado de Astrid, clicou na primeira imagem e mostrou onde clicar para passar para a próxima. Astrid foi se aproximando da tela conforme as fotos de tudo o que Delilah tinha registrado nos últimos três dias iam aparecendo.

Delilah se empoleirou na lateral da cama, o estômago embrulhado de repente, não só pelas fotos de Claire – podia usá-las como uma tentativa de provocar Astrid, que não teria nenhuma dificuldade em acreditar nisso –, mas pela irmã perfeita vasculhando seu trabalho, sua mente, seu coração.

Meu Deus, Delilah, seu coração? Se controla, garota.

E foi o que ela fez. Abraçou as coxas e ficou olhando para a própria calça jeans enquanto Astrid clicava em silêncio... e clicava... e clicava.

Nossa, estava levando uma eternidade.

– Preciso de uma bebida – disse Delilah.

Ela se levantou da cama e tirou da mala a garrafa de Sauvignon Blanc de cortesia que tinha encontrado em seu quarto no Lírio Azul na noite anterior. Quase chorou de alívio quando viu que era uma tampa de rosca. Enchendo um dos copos de papel empilhados ao lado da minicafeteira até a boca, ela engoliu as primeiras três goladas, estremecendo quando o álcool chegou à sua corrente sanguínea.

Então começou a andar de um lado para o outro e bebeu mais ao ver Astrid chegar a uma foto que mostrava ela e Spencer no jantar da Casa das Glicínias.

Era uma foto boa. Em preto e branco, o braço de Spencer sobre os ombros dela, os dois sentados um ao lado do outro à mesa. A luz era suave e encantadora, o brilho das velas e dos cordões de luzinhas envolvia o casal como um cobertor. A saturação precisava de uns ajustes, o contraste também, mas, tirando isso, era uma foto espontânea perfeita.

Exceto por uma coisa:

A noiva.

Delilah se aproximou por trás de Astrid, olhando para a tela mais de perto.

Spencer estava rindo, o sorriso largo e radiante, os olhos brilhando para alguém à sua frente. Seus dedos envolviam o ombro de Astrid – alguns talvez dissessem em sinal de proteção, mas Delilah, não. *Possessividade* era a palavra certa, e parecia que Astrid sentia isso. Na fotografia, seu corpo estava rígido. Não a ponto de chamar a atenção durante o evento em si, mas, olhando agora para a imagem, congelada no tempo, ela não irradiava nem de longe calor e felicidade. O sorriso estava lá, mas era plástico, nem chegava a seus olhos. Delilah tinha até mesmo conseguido registrar os dedos agarrados, as pontas levemente sem cor, à taça.

Nossa, como ela era boa.

Ainda assim, não sentiu nenhum orgulho enquanto Astrid olhava fixamente para a imagem. Sentiu um aperto na boca do estômago, um golpe surdo, pesado. Tentou afastar a sensação. Afinal, a desgraça de Astrid sempre fora seu deleite. E o pavor óbvio que a irmã postiça estava sentindo ao se ver como uma mulher perfeitamente infeliz em preto e branco talvez deixasse Iris e Claire felizes.

Mas assim que pensou nisso e imaginou por que estava dando a mínima para a felicidade de Claire, ela soube que não era verdade. Claire não ficaria feliz, e sim de coração partido pela amiga. Iris talvez tripudiasse um pouco, satisfeita por estar certa – meu Deus, Iris e Delilah poderiam mesmo ser amigas em outro mundo –, mas acabaria se acalmando e apoiaria Astrid no que ela decidisse fazer, traçando um plano de ação.

Só que Delilah não era Iris e com certeza não era Claire.

– Astrid – chamou, para tirar a mulher do torpor.

A irmã se assustou, pigarreando antes de passar para a próxima foto.

– Estão lindas.

Aturdida, Delilah piscou ao ouvir o elogio.

– Tá… – disse devagar.

– Adorei os detalhes. Tipo nesta aqui. – Ela apontou para a foto na tela, uma imagem nítida de Isabel que revelava cada ruga que o botox não conseguia alcançar.

Delilah bufou, tentando segurar uma risada, e Astrid virou a cabeça para olhar para ela com um sorrisinho nos lábios. Ficaram se olhando por um instante, e o sentimento que surgiu entre elas fez sua respiração falhar. Um sentimento que parecia jovem e quase esperançoso.

Astrid voltou a encarar a tela e avançou para a próxima foto.

Uma foto de Claire.

Só Claire, na noite do jantar das Glicínias. Sempre-vivas se amontoavam atrás dela e o sol obscurecia parte de seu corpo, o rosto sombreado, mas sem dúvida era uma foto linda.

Também não havia dúvida de que ela estava olhando diretamente para a câmera.

Delilah se lembrou do momento em que tirara a foto, Claire virando a cabeça uma fração de segundo antes do disparo, um sorriso no rosto ao pegar a fotógrafa do casamento no flagra.

Um sorriso que definitivamente alcançara seus olhos.

– Esta ficou… – Astrid começou, mas pigarreou mais uma vez.

Então empurrou a cadeira para trás tão rápido que quase atropelou os pés de Delilah. Levantou-se, pegou o celular da bolsa e olhou para a tela.

– Preciso ir.

– Ah, o Spencer intimou você?

Assim que disse isso, ela se arrependeu. Em vez de revirar os olhos ou responder com um comentário afiado na troca de farpas eterna entre as duas, Astrid olhou para baixo, como se estivesse constrangida, e não disse nada. Engoliu em seco e apontou para a foto de Claire ainda na tela.

– Você devia publicar essa no seu Instagram – disse. – As pessoas iam adorar.

– Meu… Espera, você sabe do meu Instagram?

Astrid contraiu os lábios e, quando falou, sua voz saiu suave, hesitante:

– Como você acha que eu sabia que ia adorar suas fotos do casamento?

Uma sensação de surpresa disparou pelas veias de Delilah. É claro que Isabel e Astrid sabiam que ela trabalhava como fotógrafa de casamentos, assim como sabiam que ela fazia retratos e trabalhava como garçonete em uma das cidades mais caras do mundo. Mas não sabiam de sua arte, suas ambições, seu desejo de ser um nome reconhecido entre os fotógrafos americanos. Era para isso que servia seu Instagram, uma vitrine daquilo que ela era realmente capaz de fazer quando não estava trabalhando para os outros e tirando fotos de casais suspirando – ou, no caso de Astrid, sem suspirar – um pelo outro. Delilah nunca havia contado nada disso a elas. Não que uma busca simples no Google não levasse a suas redes sociais, mas, até para fazer isso, Astrid teria que se importar a ponto de digitar o nome dela na busca.

– Espera – disse Delilah. – Você...

– A gente se vê depois – declarou Astrid.

E saiu pela porta, deixando Delilah com um aperto no peito que não iria embora por mais copos de vinho que ela enfiasse goela abaixo.

CAPÍTULO DEZESSETE

A NOITE SEGUINTE ERA QUINTA-FEIRA e daria início a seis dias inteiros sem porcaria de evento nenhum. Pelo menos não relacionado ao casamento. Claire e Ruby voltaram da livraria e encontraram Iris e Delilah na cozinha da casa delas, sentadas, bebendo água gaseificada de limão.

Claire ficou paralisada, sentindo o coração na garganta de repente.

– Oi! – exclamou Ruby, se aproximando para cumprimentá-las.

– E aí, Rubes? – disse Iris, dando um beijo no topo da cabeça dela.

Delilah sorriu para a garota, mas seus olhos logo se desviaram para Claire, que sentiu o estômago subir para encontrar o coração na garganta.

– Pode usar a chave embaixo do vaso sempre que quiser, Ris – disse Claire.

– Pode deixar – respondeu Iris. – Também peguei sua correspondência. Parece que sua mãe mandou mais um pacote.

Claire largou a bolsa sobre a ilha da cozinha.

– Ah, meu Deus, o que será desta vez?

Em sua aposentadoria boêmia, a mãe de Claire estava ficando cada vez mais interessada em cristais e tarô. Ela queimava sálvia para *purificar o espaço* e falava sobre chacras bloqueados sempre que elas conversavam ao telefone. Não que Claire se ressentisse daquele interesse – estava feliz pela mãe ter encontrado uma paixão depois de passar a amada Livraria Rio Selvagem para a filha. Claire só não tinha tempo nem espaço na mente para entender aquilo tudo. Ultimamente, a mãe tinha adquirido o hábito de enviar coisas pelo correio, de colares de quartzo rosa a livros sobre meditação, convencida de que Claire precisa apenas de um pouco de espiritualidade em sua vida para tudo se ajeitar.

– Quero ver o que a Vovó mandou – disse Ruby, pegando o envelope revestido.

Ela rasgou o envelope e tirou de dentro dele uma caixinha do tamanho de um livro pequeno. Seus olhos observaram a frente e focaram no título:

– O oráculo das bruxas literárias.

– Oráculo? – perguntou Iris, se levantando e pegando a caixa das mãos de Ruby. – Tipo para prever o futuro?

– Não faço a menor ideia – respondeu Claire, também pegando a caixa. – "Descubra a adivinhação usando a magia do gênio literário." – Leu no verso, onde havia a imagem de uma carta que trazia Zora Neale Hurston, ao lado de uma carta com uma maçã. Só isso. Uma maçã.

– Que estudiosa da magia essa Katherine – disse Iris.

Claire riu olhando para Zora. Sob sua imagem havia a palavra *história*.

– Talvez tenha uns exemplares na livraria.

Ela largou a caixa também sobre a ilha – cuidaria daquilo mais tarde – antes de abrir a geladeira e pegar uma cerveja.

– Ah, graças a Deus – falou Iris, estendendo a mão para indicar que também queria uma. – Eu estava tentando me comportar, mas essa aguinha com gás não está com nada.

Claire colocou uma latinha gelada na mão dela e olhou para Delilah.

– Quer uma?

– Não – respondeu Delilah. – Valeu.

– Eu aceito uma – disse Ruby, cruzando os braços e encarando a mãe.

Aquilo vinha acontecendo o dia todo. As encaradas, as bufadas, os braços cruzados. Tudo graças a Josh, mais uma vez, que dissera a Ruby que queria levá-la para acampar no fim de semana sem conversar com Claire antes. Ou seja, agora significava que qualquer objeção da parte dela automaticamente a transformaria na mãe antiquada, preocupada e estraga-prazeres que Claire sempre tinha a sensação de ser em situações que envolviam Josh.

Foi exatamente isso que aconteceu quando Ruby falou sobre a viagem naquela manhã e Claire, muito calma, respondeu:

– Querida, não sei.

Ela nem tinha dito não ainda, mas já tinha passado o dia inteiro trocando mensagens raivosas com Josh e desviando dos olhares fulminantes da filha enquanto emitia notas e reorganizava gôndolas.

– Rá-rá, que engraçado – disse Claire, estendendo a mão para acariciar o cabelo de Ruby.

A garota desviou de sua mão, deslizando com graça para o outro lado do balcão, ao lado de Delilah. Iris olhou para ela, mas Claire fez um gesto de "deixa pra lá". A essa altura, estava acostumada. O que era mais uma briga explosiva com a filha de 11 anos?

Delilah cutucou Ruby.

– E aí, quer me mostrar seu quarto?

Os olhos de Ruby se iluminaram.

– Quero!

E disparou para os fundos da casa enquanto Delilah se levantava e ajeitava o jeans cinza bem justo. Ao passar por Claire, Delilah não olhou para ela nem sorriu, mas seu ombro roçou o dela, o que fez com que o estômago de Claire despencasse até os pés. Ela bebeu três goladas de cerveja.

– Nossa, o que aconteceu?

– Nada.

– Você não sabe mentir.

– O que foi que me entregou? – indagou Claire, impassível.

Sabia que sua aparência estava péssima e não fazia o menor esforço para esconder que era assim mesmo que se sentia. Mal tinha dormido na noite anterior, mais uma vez pensando em Josh e depois em Delilah, passando para Astrid e Spencer, e voltando a Delilah. Naquela manhã, ela nem ajeitara o cabelo depois do banho, só prendera os fios no alto da cabeça.

– Josh? – perguntou Iris.

Claire assentiu.

– Acampar. Este fim de semana. Tipo, na floresta, com ursos, barrancos e rios perigosos.

Iris fez uma cara de *eita*.

– Você não pode simplesmente dizer não?

– Posso, se quiser que minha filha me odeie.

Iris soltou um suspiro.

– Ah, querida. E se você fosse junto?

Claire já tinha pensando nisso, mas, se fosse junto, havia noventa por cento de chance de que ela e Josh acabassem fazendo algo de que ela se arrependeria depois que Ruby fosse dormir.

Delilah surgiu em sua mente, os dedos macios em sua pele, o modo como ela puxara seu lábio inferior entre os dentes e... Ela balançou a cabeça.

– Sei lá.

Iris estendeu a mão e apertou a dela.

– Que tal se eu pedisse um jantarzinho pra gente, hein? Não sei se você daria conta de esquentar comida congelada neste momento, imagine então cozinhar pra sua filha.

Claire retribuiu o aperto.

– Sim, vai ser ótimo. Obrigada.

Iris mexeu no celular e pediu uma pizza antes mesmo que Claire tivesse tempo de perguntar o que ela e Delilah Green estavam fazendo em sua casa.

– Eu passei o dia todo te mandando mensagem – disse Iris, e bebeu um gole da cerveja.

– Ah, droga, verdade. Esqueci de olhar as mensagens.

Claire pegou o celular e abriu o grupo OBM. Havia várias mensagens não lidas entre Iris e Delilah sobre um *plano*. Na verdade, Iris exigindo um e Delilah respondendo com emojis sem sentido, como um robô e um pager dos anos 1990.

– Desculpa. Eu fiquei presa conversando por mensagem com o Josh o dia inteiro.

Iris assentiu.

– Imaginei que você estivesse ocupada. Por isso a visita.

– Estou surpresa por Delilah ter concordado.

– Ah, ela aceitou rapidinho quando sugeri.

Claire se esforçou para ignorar o tom da resposta de Iris e não olhar de jeito nenhum para a amiga naquele momento, ao mesmo tempo que sentia um sorriso enorme tentando tomar conta de seu rosto.

– Faltam dez dias – disse Iris, e bebeu um gole da cerveja. – E o próximo evento é a despedida de solteira, só dois dias antes do ensaio, o que quer dizer que provavelmente não vamos ver nem falar com Astrid até quarta-feira que vem, porque ela vai estar pra lá e pra cá feito um robô de salto alto.

Claire soltou um gemido.

– Não sei o que fazer, Iris. Ela mal conversou com a gente desde o jantar no vinhedo.

– A não ser pelas coisas do casamento. Ela mal calou a boca na volta pra casa.

– Você entendeu o que eu quis dizer. Conversar de verdade. Mandei mensagem pra ela hoje de manhã com um *e aí, como você está?*, e ela só respondeu às três da tarde com um emoji do polegar pra cima.

Iris arregalou os olhos.

– Pois é – disse Claire. – Um *emoji*, da mulher que escreve *Estou rindo muito* em vez de mandar *Hahaha*.

– Eu mandei mensagem e ela não respondeu.

– Isso não é bom.

– É exatamente isso que eu estou dizendo.

– Não vamos conseguir fazer a Astrid se abrir se ela nem fala com a gente.

As duas beberam um golão de cerveja e se entregaram a um silêncio tenso. Os pensamentos de Claire rodopiavam, muita coisa de uma vez. Uma pessoa esperta ficaria bem bêbada nesse instante, mas isso só serviria para deixá-la atrapalhada, perturbada e sentimental perto de Delilah, o que revelaria que ela era mesmo atrapalhada, perturbada e sentimental perto de Delilah.

– Então, acampar, é? – comentou Delilah ao voltar para a cozinha, e parou ao ver Claire e Iris olhando para as latas de cerveja, desoladas. – Credo, o que aconteceu?

– Astrid, a rainha de gelo impassível, foi isso que aconteceu – respondeu Iris.

Delilah fez uma careta e se acomodou na banqueta ao lado de Claire, puxando uma das pernas para junto do peito.

– E isso lá é novidade?

Iris a encarou.

– Pra nós, que temos coração, é.

– Ris – disse Claire, e olhou para Delilah. – Ruby te falou do acampamento?

Delilah fez que sim.

– Termas de Bagby. Parece legal.

Claire quase se engasgou com a cerveja.

– Termas?

– Imagino que Josh não tenha comentado essa parte, né? – perguntou Iris.

– Não, nem minha filha querida – respondeu Claire. – Acho que eu estava ocupada demais imaginando um urso devorando o rosto da Ruby no meio da noite porque Josh deixou as salsichas dando sopa. Eu nem *pensei* em água fervente.

Delilah se encolheu.

– Então não é legal.

– Ah, deve ser o máximo pra qualquer um que não seja um homem-criança responsável pela nossa filha.

Claire voltou a esfregar as têmporas. Ela não daria conta de lidar com aquilo naquele momento. Não com Delilah Green, com suas tatuagens, dedos e boca, sentada ali na cozinha, como se elas não tivessem se pegado feito duas adolescentes pouco tempo antes.

– Consegui! – exclamou Iris, endireitando a postura de repente e arregalando tanto os olhos que Claire ficou com medo que eles saíssem rolando pelo balcão.

– Conseguiu o quê? Herpes genital? – perguntou Delilah.

Iris mostrou o dedo para ela sem perder o ímpeto.

– Achei a solução. Vamos todas acampar.

Claire olhou para a amiga, piscando muito.

– Todas… todas nós?

– Todas nós – respondeu Iris. – Você, eu, a Rainha Gótica aqui, a Ruby, o Josh… e a Astrid.

Delilah cuspiu a água com gás no balcão.

– Merda. Desculpa.

Ela se levantou para pegar papel toalha, só que Claire colocou a mão em seu joelho, deixando-a paralisada no lugar, e continuou olhando para Iris, mas sentia o calor da pele de Delilah através do jeans. Ela voltou a se sentar, e Claire ordenou a si mesma que tirasse a mão dali, mas não conseguia fazer a conexão entre os dedos e o cérebro. Só quando Iris olhou para a perna de Delilah, conseguiu tirar a mão e apoiá-la no próprio colo.

Ao seu lado, ela ouviu Delilah soltar a respiração. Ou talvez tenha só imaginado. Talvez já estivesse bêbada depois de meia cerveja.

Por fim, Delilah pigarreou.

– Astrid Parker. No meio do mato. Dormindo em uma barraca.

– É o que eu estou dizendo – confirmou Iris.

– Você tá chapada, por acaso? – perguntou Delilah. – Ela nunca vai topar. Astrid precisa das loções hidratantes e do edredom de plumas.

– Ninguém mais fala loção – retrucou Iris. – Por acaso você tem 80 anos?

– Parem, vocês duas – disse Claire.

– Ela vai, sim – garantiu Iris, olhando para Claire. – Se você disser que precisa dela, ela vai.

Os ombros de Claire se encolheram.

– Ris. É muita manipulação.

– Não se for verdade. Você quer que a Ruby possa ir acampar com o Josh sem precisar tomar um calmante a cada cinco minutos, não quer? A única solução é ir também, mas você não quer ficar sozinha com o Josh porque, vamos falar a verdade, o cara é um gato e você sempre faz bobagem quando ele está por perto...

– Espera, o quê?

– ... então, vamos todas, pra te dar apoio moral e sexual. E no meio--tempo fazemos a Astrid falar mais sobre o Spencer.

Iris fingiu soltar um microfone e sorriu para as duas.

– Apoio sexual? – perguntou Claire, com um aperto no estômago.

Iris estendeu a mão e apertou sua bochecha.

– Como eu disse, você não sabe mentir.

Ao seu lado, Claire sentiu Delilah paralisar. Seu joelho, que estava encostado no quadril dela, bem de leve, se afastou, e Delilah finalmente se levantou pra pegar o papel toalha e limpar a água derramada.

Claire sentiu o rosto quente, o sangue correndo para a superfície de sua pele. Então Iris sabia sobre todas as vezes que ela tinha passado a noite com Josh depois que eles se separaram. E, se Iris sabia, Astrid sabia. E agora também Delilah sabia, e ela queria se enfiar embaixo de uma mesa com a garrafa de bourbon que tinha escondido no armário em cima da geladeira para emergências.

Iris estendeu a mão e apertou o braço da amiga.

– Está tudo bem, querida. Eu também daria pra ele se tivesse a oportunidade.

– Ris – murmurou Claire, apoiando o rosto nas mãos.

Ela não ousou olhar para Delilah. Não que aquilo importasse. Não que ela e Delilah tivessem alguma coisa. Não que aquela mulher desse a mínima para com quem Claire dormia.

Ela se sentou direito e tirou a franja dos olhos. Precisava se concentrar, pois, por mais que detestasse admitir, a solução de Iris era a única que evitaria uma guerra com Ruby. Além disso, tudo o que a outra tinha dito era verdade – Claire precisava mesmo das amigas ao seu lado se estivesse disposta a ir, e não seria mentira dizer exatamente isso a Astrid. Se acabassem conversando sobre o fato de Spencer ser um babaca de terno sob medida, tudo bem.

– Tá, vamos ligar pra ela – disse.

Iris sorriu e levou o telefone à orelha.

– Já estava com a ligação preparada.

CAPÍTULO DEZOITO

POR UM MILAGRE, Astrid aceitou ir acampar. Delilah viu o caso se desenrolar escorada na pia da cozinha. Foram necessárias três ligações e algumas mensagens de texto para que a irmã atendesse o telefone, mas Iris era bem determinada quando queria. E, assim que Claire entrou na chamada, explicando que precisava do apoio das amigas, principalmente porque não confiava em si mesma perto de Josh, Astrid pareceu amolecer como um pudim.

Não confio em mim mesma perto do Josh, Astrid. Você sabe disso.

Foi o que Claire disse. Em voz baixa, como se relutasse em admitir, mas Delilah ouviu, em alto e bom som, como um sino de igreja soando pela praça da cidade.

Para começo de conversa, ela nem queria ir até a casa de Claire. Pelo menos, foi o que disse a si mesma o caminho todo. Estava plenamente satisfeita em responder a todas as mensagens irritantes de Iris com emojis aleatórios, mas a mulher tinha que sugerir que elas se encontrassem na casa de Claire para reestruturar os planos? E de repente um emoji de fita de DNA não parecia mais a resposta certa. Desta vez, foi ela quem amoleceu, concordando e saindo do quarto silencioso demais da pousada antes que pudesse pensar no que de fato estava fazendo.

Indo ver Claire mais uma vez, era isso que ela estava fazendo.

Não estava nem aí para o plano de Iris nem para Astrid e Spencer. Mas agora, na cozinha aconchegante da casa de Claire, com as bancadas de madeira e a pia de casa de fazenda, vendo-a andar de um lado para o outro na sala coberta de livros e mantas macias e fotos de Ruby na lareira, ela podia admitir.

Queria ver Claire.

Desde que Astrid fora embora no dia anterior, Delilah estava inquieta. Ansiava por algo, algo doce, que não a obrigasse a ficar o tempo todo tentando contornar, entender, traçar estratégias. E depois de beijar Claire no vinhedo... bom, não estava se sentindo nada calculista.

Só estava se sentindo sozinha pra cacete.

E agora Claire estava dizendo a Astrid que precisava dela para não dar para o ex em um acampamento.

Tá, talvez Claire não tivesse usado exatamente essas palavras, mas o efeito era o mesmo, e Delilah não conseguia se livrar daquele aperto no peito, por mais que respirasse fundo. Era o mesmo pavor que ela havia sentido cinco anos antes ao abrir a porta do apartamento onde vivia com Jax, ouvindo gemidos que não reconhecia atravessarem a madeira.

Era ridículo. Quando isso aconteceu, fazia dois anos que ela estava com Jax. Só tinha beijado Claire uma vez, nem tinha dormido com ela. Estava longe de ser a mesma coisa.

Ainda assim, foi até a geladeira de Claire e pegou uma cerveja. Estava determinada a não beber, a ficar sóbria perto dela para não fazer nada muito idiota, mas agora, com as lembranças de Jax e Mallory misturadas a imagens novinhas em folha de Claire e Josh transando como coelhos em uma barraca sob as estrelas, precisava de alguma coisa para se acalmar.

– Pronto – disse Claire, ao desligar o telefone. – Está resolvido.

– Acho bom você falar pro Josh – sugeriu Iris. – Pra garantir que ele vai reservar vagas suficientes no acampamento.

– Ah é, vou falar.

Ela devolveu o celular a Iris e pegou o seu, que estava em cima da ilha da cozinha. Olhou para Delilah e abriu a boca, mas não disse nada. Desta vez, Delilah sustentou seu olhar. Queria que Claire...

Fizesse o quê?

Dissesse que Josh não significava nada para ela?

Convidasse Delilah para dividir o saco de dormir?

Enxotasse Iris e a beijasse até perderem os sentidos?

Merda.

Sim, Delilah queria que Claire fizesse tudo isso.

Ela foi a primeira a desviar o olhar, bebendo um gole grande de cerveja.

Meu Deus, precisava de alguma coisa mais forte. Precisava... não sentir aquilo. Delilah não se comprometia com ninguém. Ela flertava e transava – e fazia isso muito bem. Então talvez só precisasse fazer aquilo que fazia tão bem com Claire para soltar aquele nó no estômago. Talvez fosse só um nó de desejo. É verdade que ela nunca tinha ouvido falar de um nó de desejo, nem sentido um, mas para tudo tem uma primeira vez.

Claire pegou o celular e saiu pelo corredor enquanto Delilah bebia mais. Sentada no sofá, Iris olhou para ela.

E não parava de olhar.

– Posso ajudar? – perguntou Delilah.

Iris levantou a sobrancelha, mas, antes que pudesse dizer alguma coisa, a campainha tocou.

– É nossa pizza – disse Iris.

– Maravilha.

Delilah nem se mexeu, embora estivesse mais perto da porta. Por fim, Iris bufou, irritada – o que a fez sorrir e sentir que tinha voltado a ser ela mesma –, e se levantou para pegar a comida.

Delilah sabia que provavelmente voltaria para a pousada, mas, depois que a pizza chegou e Ruby voltou para a cozinha com Claire, radiante com a notícia de que iam acampar todos juntos, a garota enlaçou o braço no dela e a chamou para se sentar ao seu lado enquanto comiam. Delilah jamais recusaria o convite, não com aqueles olhinhos castanhos de cachorro pidão e com a "tatuagem" que pelo jeito a garota desenhara no braço depois que Delilah saíra do quarto, mais cedo.

– Ficou legal – disse Delilah, apontando para a rosa desenhada à caneta perto do pulso de Ruby.

Era um desenho incrível, as pétalas detalhadas, os espinhos pingando orvalho.

– Ah, é, obrigada – respondeu Ruby enquanto elas ocupavam uma das extremidades da mesa rústica da cozinha de Claire. Um rubor se espalhou por suas bochechas.

Claire, que estava sentada em frente a Delilah, ao lado de Iris, sorriu, mas não disse nada sobre a filha pintar a pele. Delilah ficou feliz e, pelo que pôde perceber, pelo modo como os ombros da garota relaxaram, Ruby também tinha ficado.

Delilah deu uma mordida na pizza de espinafre com cogumelos.

– Você gosta de desenhar?

Ruby assentiu e deu de ombros ao mesmo tempo, enfiando o queixo no peito. Meu Deus, Delilah conseguia sentir o constrangimento dela, uma dor familiar por não saber onde nem como se encaixar.

– Eu devia pedir pra você desenhar uma tatuagem pra mim – disse Delilah.

Ruby ergueu a cabeça de repente.

– Sério?

– Sério. Você é boa. Tem outros desenhos pra eu ver?

Ruby piscou para ela, então saltou da cadeira e correu em direção a seu quarto.

– Você acabou de alegrar o ano dela – falou Claire, se aproximando um pouco por sobre a mesa.

Delilah engoliu um pedaço de pizza e deu de ombros.

– Eu não falei pra agradar. Ela é boa mesmo.

– Eu sei. E ela também. Foi por isso que você alegrou o ano dela.

Claire sorriu para ela, o olhar suave atrás dos óculos, as bochechas um pouco coradas. Algo se agitou no estômago de Delilah, como uma mariposa em volta de uma lâmpada.

– Ninguém nunca pensaria que você fosse capaz de dizer alguma coisa pra agradar, Dê – disse Iris, enfiando uma borda inteira na boca.

Delilah mostrou o dedo do meio instantes antes de Ruby voltar para a cozinha, abraçando um caderno. Enquanto se sentava, ela manteve o caderno embaixo da mesa e o abriu devagar, de ombros curvados. Delilah não tentou tirar o caderno de suas mãos. Era dela, e sabia melhor do que ninguém que a arte que fazemos na infância – sejam desenhos, fotografias ou músicas – é como despejar o conteúdo do nosso coração no mundo. Na verdade, a sensação continuava a mesma na vida adulta.

Ela se aproximou da garota, inclinando a cabeça para ver os desenhos conforme Ruby virava as páginas no colo. Esboços em preto e branco preenchiam cada página. Plantas, flores, xícaras de chá e pilhas de livros, velas, gatos e planetas. Então começaram os rostos: Claire, Josh, Iris, Astrid, garotas mais novas que deviam ser as amigas da escola, o rosto da própria Ruby em várias expressões, de sorridente a desesperada a distorcida, toda uma gama de emoções, sentimentos e pensamentos.

– São incríveis – disse Delilah, a voz baixinha, só para Ruby.

Ela encostou o ombro no da garota, arrancando dela um sorriso orgulhoso.

– Obrigada – respondeu Ruby em voz baixa, e olhou para Delilah. – Você pode me ensinar fotografia?

– Claro. O que você quer saber?

– Tudo. Tipo, iluminação, enquadramento e… tudo. Eu adoro suas fotos.

Delilah inclinou a cabeça.

– Você já viu minhas fotos?

A garota ficou ainda mais corada. Delilah olhou para Claire, que só deu de ombros.

– Eu… é… – disse Ruby.

De repente ela parecia amedrontada, não só nervosa.

– Ei, tudo bem – falou Delilah. – Foto é pra ser vista mesmo.

Ruby soltou um suspiro e assentiu.

– Bom… depois do brunch da Tia Astrid, pesquisei você no meu laptop e achei seu Instagram.

– Ah.

– Sua conta é maravilhosa.

– Você tem Instagram? – perguntou Iris.

Delilah olhou para ela com a cabeça inclinada.

– Sou fotógrafa. Claro que tenho Instagram.

Um sorriso maligno tomou conta dos lábios de Iris, e ela pegou o celular.

Ah, meu Deus. Delilah não tinha vergonha de sua conta do Instagram. Hoje em dia, é item obrigatório para qualquer artista visual. É que não estava preparada para ver a cidade inteira de Bright Falls olhando suas fotos. Algumas eram bem brutas, e as últimas pessoas que ela teria em mente ao postar seriam Astrid e seu clã. Só de pensar em ficar ali sentada enquanto Iris Kelly – e inevitavelmente Claire Sutherland – fuçavam sua arte, tinha vontade de vomitar.

– Aí, quer saber? – disse ela para Ruby. – Agora a luz está perfeita lá fora. Quer que eu te dê umas dicas pra tirar foto com o celular?

Os ombros de Ruby desabaram.

– Eu ainda não tenho celular.

– Mas vai ter – disse Claire, segurando o copo d'água com as mãos.

– Quando? – perguntou Ruby, endireitando a postura.

Claire riu.

– Um dia.

– Argh, você é terrível.

– Eu também te amo – respondeu Claire, os olhos brilhando para a filha.

– Nossa – disse Iris, os olhos esbugalhados encarando o celular. – Você tem 200 mil seguidores?

– E essa é a nossa deixa – falou Delilah, e agitou no ar o próprio celular para Ruby. – O que acha?

– Tá, bora – respondeu Ruby, pegando o caderno e indo na frente, passando pela sala, em direção à varanda dos fundos.

– Puta merda, Claire, olha isso. – Delilah ouviu Iris dizer.

A ansiedade disparou em seu peito e ela saiu apressada pela porta. Não sabia se era um *puta merda* bom ou ruim, mas, de qualquer forma, não queria ouvir o que Claire tinha a dizer a respeito de suas fotos.

Lá fora, o ar estava fresco e úmido, e o sol estava começando a se pôr, criando uma luz crepuscular lilás que era perfeita para um tipo específico de foto. Delilah e Ruby foram até o quintal. A grama estava um pouco alta e os canteiros de flores tinham algumas ervas daninhas, também havia uma rede pendurada entre duas árvores, além de um fio de luzes coloridas pendurado na varanda que talvez tivesse ficado do Natal, ou talvez fosse uma decoração fixa mesmo. De qualquer forma, o lugar era encantador. Imperfeito. Tinha sinal de vida e era acolhedor, o tipo de quintal que Delilah se lembrava de ter na casa que morara com o pai em Seattle, mas que nunca tivera na Casa das Glicínias.

– Tá – disse Delilah a Ruby, depois de respirar fundo para acalmar o estômago. – Olhe em volta. Veja se alguma coisa chama a sua atenção.

Ruby franziu a testa.

– Tipo o quê?

– Qualquer coisa. Fotografar não é muito diferente de desenhar. Quando vai fazer um desenho, você vê uma coisa interessante que quer desenhar ou pensa em um tema interessante, certo?

Ruby assentiu.

– Com a foto é a mesma coisa. Você vê alguma coisa e quer registrar de um jeito novo, um jeito que só você vê, para depois mostrar pro mundo.

Ruby franziu ainda mais a testa, mas era uma expressão mais de curiosidade que de dúvida. Ela olhou ao redor e começou a caminhar lentamente pelo gramado, o caderno ainda junto ao peito. Delilah deixou que ela vagasse, observando-a analisar seu pequeno mundo.

– Isso aqui – disse Ruby.

Tinha parado em uma bacia de pedra para pássaros no canto do jardim. Estava encardida, cheia de água parada e folhas mortas, mas bem no centro flutuava uma única flor branca. Delilah não sabia que flor era aquela, provavelmente uma erva daninha, mas o efeito de uma pequena forma de vida pairando acima da morte… bom, era impressionante.

– Perfeito – respondeu Delilah, sorrindo para Ruby, e entregou o celular à garota, com a câmera já aberta. – Vamos ver como você se sai.

Ruby pegou o celular e soltou o caderno na grama. Sua expressão era de incerteza, mas, depois de alguns minutos observando o objeto e inclinando a cabeça de um lado para o outro, ela começou a fotografar. Demorou um pouco. A garota era meticulosa e cuidadosa, experimentava e balançava a cabeça devagar quando via que a foto não correspondia ao que ela havia imaginado. Por fim, levantou a cabeça e entregou o celular a Delilah.

Passando as fotos, Delilah sorriu.

– Ficaram boas. Gostei do seu ponto de vista nesta.

Ela estendeu o celular para que Ruby visse a borda da bacia, os olhos do espectador quase no nível da água, apenas a flor em foco.

– Pode me mostrar como editar? – perguntou Ruby.

Delilah olhou para a casa e viu Claire em pé na varanda, com os braços apoiados no parapeito como se fizesse um tempo que estava ali.

Iris não estava à vista.

– Acho que eu preciso ir embora – disse Delilah, sentindo as mariposas em seu estômago retomarem o voo.

– E no acampamento? – perguntou Ruby.

Delilah franziu o cenho. Ela nem tinha pensado em ir acampar com eles. Quando Iris dissera *vamos todas*, não havia achado que fosse literal. Além disso, o próximo evento do casamento seria só na quarta-feira seguinte, o que queria dizer que passaria cinco dias gloriosos sem nenhuma Parker nem Parker-Green esbanjando toda a sua decepção. Havia pensado em voltar a Nova York, mas não tinha dinheiro para as passagens.

– Ah, querida, eu acho que não vou.

Ruby pareceu decepcionada.

– O quê? Você tem que ir!

– Eu acho que...

– Não, você tem que ir. Você é legal e eu gosto de conversar com você.

Delilah sorriu, sentindo um calor no peito.

– Sua mãe é legal, né? E a Iris e a Astrid?

Ruby revirou os olhos.

– É, legais que nem um saco de pedras.

Delilah riu e Ruby ficou sorrindo. Na varanda, as luzes coloridas iluminavam o rosto de Claire de azul e verde.

– Qual é a graça? – gritou.

– Viu? – disse Ruby, apontando para a mãe com o polegar e falando em voz baixa. – Uma pedra.

Delilah olhou para a garota com os olhos semicerrados, um sorriso ainda nos lábios.

– Vamos ver isso do acampamento, beleza? De qualquer jeito, vamos editar suas fotos logo, tá? Eu prometo.

Os ombros de Ruby caíram, mas ela assentiu.

Então a garota deu um passo à frente e abraçou a sua cintura. Por um segundo, Delilah ficou imóvel. Não conseguia se lembrar da última vez que tinha recebido um abraço. Anos. Jax provavelmente tinha sido a última pessoa a abraçá-la e, no fim do relacionamento, era mais uma transa sem sentido que qualquer outra coisa, alívio do estresse para as duas. E era isso que vinha fazendo desde então – toques automáticos, desespero por sentir a pele de alguém sem se importar com um coração de verdade por trás.

Isso, no entanto... Esse... abraço. E era de uma pré-adolescente ainda por cima. Todos sabem que pré-adolescentes odeiam todo mundo. Delilah ficou sem ar. Literalmente, durante alguns segundos, enquanto Ruby apoiava a cabeça em seu peito, com os braços ao redor de sua cintura, não conseguiu encontrar ar suficiente, e seus olhos arderam com uma onda de lágrimas repentinas.

Mas então ela envolveu Ruby nos braços, encostou o rosto no alto de sua cabeça, exalou o que pareceu uma década de ansiedade e aceitou o amor da garota.

CAPÍTULO DEZENOVE

CLAIRE FICOU ADMIRADA ao ver Ruby abraçar Delilah. Fazia uns dez minutos que tinha saído para dizer à filha que a mãe de Tess tinha ligado para sugerir uma festa do pijama, mas viu as duas conversando, a garotinha olhando para Delilah ansiosa, curiosa e fascinada. Ruby estava com o celular dela nas mãos e começou a andar ao redor da velha bacia para pássaros, que Claire tinha a intenção de limpar fazia tempo, mas, que no final das contas, acabava sempre no fim da lista de prioridades.

Agora estava feliz por não ter limpado.

Havia certa beleza naquela bacia cheia de folhas, e Delilah estava ajudando Ruby a enxergá-la. Ou talvez Ruby já tivesse visto e Delilah fosse apenas uma guia. De qualquer maneira, perdeu o fôlego ao ver o processo se desenrolar, Ruby se curvando e se contorcendo com o celular, Delilah observando em silêncio com uma expressão que Claire só podia descrever como orgulhosa.

Então… Ruby a abraçou. Nos últimos dois anos, ela não demonstrava afeto com facilidade. Adorava se deitar com Claire na cama à noite, bem pertinho, se aconchegando e conversando, quando seu corpo estava menos alerta e pronto para descansar. Durante o dia, no entanto, estava sempre agitada, sempre em movimento, falando, observando, imaginando, e, quando Claire se aproximava para abraçá-la, Ruby dava um tapinha nas costas da mãe e saía em disparada como o Flash para a próxima atividade. Ela mal deixava que Iris ou Astrid a abraçassem.

E, no entanto…

Claire sentiu um nó na garganta ao ver a filha se abrir para o mundo e o mundo... retribuir. Respirou fundo, estremecendo, quando as duas se separaram, balançou a cabeça para aliviá-la e limpou a umidade repentina sob os olhos.

– Ei, Coelhinha! – chamou.

Ruby se virou e olhou para a mãe.

– Oi?

– A Tess ligou. Quer dormir lá?

– Quero!

A filha correu até ela, deixando Delilah esquecida, mas ao subir os degraus da varanda ela se virou.

– Valeu – disse.

Delilah sorriu.

– De nada.

Então Ruby correu para dentro, os chinelos batendo alto no piso de madeira. Claire viu a filha desaparecer ao entrar no quarto e se virou mais uma vez. Delilah estava andando pela grama, o corpo esbelto fazendo movimentos graciosos, como se andasse sobre a água, e não sobre a terra.

– Cadê a Iris? – perguntou Delilah ao se aproximar da varanda.

– Foi embora. Ela e o Grant tinham combinado de assistir a um filme.

Claire pode até ter imaginado, mas seria capaz de jurar que os passos de Delilah se detiveram por uma fração de segundo ao ouvir a notícia. Mas ela logo continuou, até parar ao seu lado na varanda. O estômago de Claire estava embrulhado, e ela não conseguia entender por quê. Podiam ser tantas coisas. Josh, o acampamento, Astrid...

Ou Delilah.

Podia ser Delilah, parada *bem ali*, olhando para ela com uma expressão suave, e o fato de saber que, se encostasse o rosto no pescoço dela, sentiria cheiro de chuva e grama.

Podia ser Delilah e a casa atrás delas, que logo estaria vazia. Claire percebeu, ansiosa, que devia uma bebida à mãe de Tess. Queria que Delilah ficasse. Queria ficar sozinha com ela. Sabia que era burrice, que aquilo não levaria a lugar nenhum, mas desde o beijo no spa – não, antes disso, muito antes disso – ela não conseguia parar de pensar nela. E não era só uma coisa física. Algo em Delilah fazia Claire sentir aquele nó na garganta, ter vontade de contar todos os seus segredos, querer estender a mão e limpar o seu rosto com o polegar como uma namorada faria. Quando estava com ela – e até quando *pensava* nela –, Claire se sentia jovem e ousada, livre como não se sentia desde antes do nascimento de Ruby.

Olhando para Claire, Delilah mordeu o lábio inferior.

Tá, talvez como *nunca* tinha se sentido. Nem mesmo Josh a deixava tão enlouquecida, tão desesperada para sentir com os dedos a pulsação logo abaixo da orelha de outra pessoa.

O que era um problema, porque Delilah só queria saber do aspecto físico. Claire sabia que aquilo – o que quer que *aquilo* fosse – não tinha como durar, mas não conseguia se conter. Queria aquilo. Queria Delilah. Talvez ela também pudesse ter um relacionamento casual. Talvez não precisasse de encontros e de gritinhos com as amigas, mas só mesmo de uma boa noite de sexo.

Só de pensar nessas palavras, no entanto, algo tremulou em seu peito. Ela ignorou. Podia, sim. Seria bom para ela. Talvez recuperasse o que poderia ter sido a ousadia dos 20 e poucos anos, que havia passado trocando fraldas e empurrando balanços no parque.

– Quer ficar e beber uma taça de vinho? – perguntou.

Mas, exatamente naquele momento, Delilah também falou:

– Então, acho melhor eu ir embora.

As palavras saíram de sua boca como bombas.

– Ah – respondeu Claire.

De novo, ao mesmo tempo que Delilah soltou um:

– Ah.

As duas ficaram se olhando e começaram a rir. O rosto de Claire ficou quente, e ela agradeceu pela luz fraca que não deixava ver o rubor. Ao mesmo tempo, queria saber se Delilah também estava corada.

Provavelmente não. Não conseguia imaginar Delilah Green corando por quem quer que fosse.

– Desculpa – disse Claire. – Você precisa ir?

– Acho que posso ficar mais um pouco – respondeu Delilah. – Aceito o vinho.

– Ah. Legal.

– Legal.

– Branco ou tinto?

– Tanto faz.

Claire assentiu e ficou ali com cara de boba enquanto Delilah inclinava a cabeça.

– Certo. É… vamos ver o que eu tenho.

Delilah riu.

– Primeiro você.

Entraram no instante em que Ruby atravessou o corredor com a mochila, correndo em direção à porta.

– Mãe, tô indo!

– Ô, espera aí, Coelhinha – disse Claire, indo até ela.

Ruby parou e aturou um abraço da mãe. Claire sorriu encostada ao cabelo da filha e beijou sua cabeça.

– Mãe.

– Tá bom, tá bom. Aproveita. A gente se vê de manhã.

Ruby acenou para Delilah e saiu em disparada. Claire ficou na varanda da frente observando a filha avançar pela calçada até o chalé azul-marinho que ficava a três casas de distância. Depois de ver Ruby entrar em segurança, ela também entrou e fechou a porta.

O silêncio a atingiu primeiro.

Em seguida, o estouro de uma rolha, o líquido despejado em uma taça.

Ela se virou e viu Delilah em sua cozinha, levando uma taça de vinho branco aos lábios.

– Achei esse vinho aberto na geladeira – disse ela, virando o conteúdo amarelo-claro de uma garrafa de Pinot Grigio em outra taça. – Tudo bem?

– Tá ótimo – concordou Claire, observando-a por um instante.

O rosto de Delilah transparecia a calma de sempre, mas também… havia mais alguma coisa ali, alguma coisa no modo como ela inspirou o ar devagar antes de beber um gole, no modo como suas bochechas se encheram, só um pouco, quando ela exalou ainda mais devagar.

Será que Delilah estava… nervosa?

O pensamento foi como uma chuva morna de primavera em uma tarde fresca. Abriu um espaço no peito de Claire, fazendo-a avançar até a ilha da cozinha, pegar a taça e beber um grande gole.

– Não parece que a única coisa que fazemos quando estamos juntas é beber? – perguntou Delilah.

Claire riu.

– Um pouco. Mas, sabe, tem o casamento.

Delilah assentiu.

– O casamento.

– E os planos diabólicos.

– Isso também.

– Então… talvez a gente devesse fazer outra coisa – disse Claire.

Delilah ergueu as sobrancelhas, um sorrisinho torcendo os cantos de sua boca. Claire sentiu o sangue subir ao rosto. Nossa, ela não era nada discreta. Nem era *isso* que ela queria dizer. Não que não estivesse pensando *nisso*, o tempo todo e fervorosamente, desde aquele beijo, mas no momento só queria não pensar em nada. Não se preocupar. Não imaginar.

Não necessitar.

Antes que pudesse pensar no que estava fazendo, ela pegou as cartas do oráculo que a mãe tinha enviado.

– Quer experimentar comigo?

Delilah pegou a caixa e ficou observando a frente, que trazia a imagem de uma mulher com cabelo escuro repartido no meio.

– É a… Emily Brontë?

– Muito bem, você conhece as autoras vitorianas.

– Pelo tanto que me fizeram sofrer nas aulas de inglês.

Claire colocou a mão no peito e arquejou, dramática.

– Sofrer?

– *Sofrer.*

– Tá, eu até concordo que *O morro dos ventos uivantes* é o livro menos romântico da história dos romances vitorianos, mas e *Jane Eyre*?

– Esse é o do babaca que esconde a mulher no sótão e mente pra garota que ele quer comer, que tem, tipo, metade da idade dele?

Claire estremeceu.

– Bom, quando você coloca nesses termos…

– Não fui eu que coloquei nesses termos. A Brontë colocou nesses termos.

– Tá, tudo bem, a literatura vitoriana era meio zoada.

– Coitada da Jane – comentou Delilah, bebendo um gole de vinho. – Ela merecia coisa melhor.

– Vamos ver como ela foi imortalizada?

Claire balançou a caixa.

– Só acho bom que ela ofereça algum conselho sábio além de *apoie seu homem* – disse Delilah, pegando a garrafa de vinho e seguindo Claire até o sofá.

Claire se acomodou no canto e com certeza não percebeu que Delilah se sentou perto o bastante para que seus joelhos se encostassem, embora o sofá fosse enorme e houvesse espaço mais que suficiente.

Não percebeu, não.

– Tá, como é que funciona? – perguntou Claire.

Ela tirou o plástico que envolvia a caixa. Dentro dela havia um guia cor de coral e uma pilha pesada de cartas grossas e lisas. Eram trinta cartas com autoras e quarenta cartas com o que as criadoras do oráculo tinham chamado de "materiais da bruxa".

– Alguém já tirou as cartas pra você? – perguntou Delilah. – Do tarô?

Claire deu umas batidinhas no queixo, pensativa.

– Minha mãe amadora conta?

– Depende. Como foi a leitura?

– Acho que citou amor verdadeiro e grande riqueza mais de uma vez.

– Bom, vamos colocar essas cartas pra trabalhar, oras – disse Delilah, pegando uma do topo da pilha. Ela franziu o cenho. – É… um louva-a-deus.

Ela virou a carta para que Claire visse. De fato, sobre um fundo creme, havia um louva-a-deus solitário.

Claire riu.

– Meu Deus, você vai arrancar minha cabeça depois?

Delilah ergueu as sobrancelhas mais uma vez, mas Claire demorou um pouco para se dar conta do que tinha dito.

A louva-a-deus fêmea só arranca a cabeça do parceiro sexual.

– Não estava nos meus planos – respondeu Delilah, a voz baixa e um pouco rouca.

O calor aflorou no rosto de Claire – e em outros lugares também – enquanto ela folheava o guia até encontrar a imagem do louva-a-deus.

– Na verdade – disse, em tom formal –, o louva-a-deus simboliza inteligência, manipulação e diversão.

Delilah piscou, surpresa.

– Então… – continuou Claire – … você vai usar sua inteligência insuperável pra manipular alguém por diversão.

– Caramba, parece que eu sou bem babaca.

Ficaram se encarando por um instante, sérias, até Claire finalmente ceder e as duas começarem a rir. O ombro de Delilah tocou o dela, o aroma de verão e mirtilos envolvendo as duas como um entorpecente.

– Acho que não estamos lendo do jeito certo – disse Claire quando se recuperaram.

Ela abriu o guia na página de instruções e leu sobre como embaralhar e sobre as intenções e como dividir o baralho em três pilhas intuitivas. Seguiram o ritual e Claire escolheu uma carta do topo.

Era um louva-a-deus.

As duas caíram na gargalhada na hora. Claire riu tanto que seus olhos se encheram de lágrimas. Não conseguia se lembrar da última vez que tinha se divertido tanto, se sentido tão… despreocupada. Apesar do louva-a-deus.

– Tá, tá, deve haver mais que insetos manipuladores que devoram os parceiros sexuais aqui – falou Delilah. – Vamos de novo.

Delilah repetiu os movimentos antes de tirar a carta das flores silvestres, que simbolizavam renovação, romance e despertar; um pavão, esplendor, divindade e desejo; e Gertrude Stein, que aparentemente representava a perspectiva.

– Então sou uma deusa lésbica à procura do amor – disse Delilah, dando de ombros como quem diz "Óbvio".

– Ah, sim, essa é a mensagem, com certeza – respondeu Claire.

Delilah piscou para ela.

Meu Deus, aquela piscadinha.

Após se recuperar e beber mais um gole de vinho, Claire embaralhou as cartas e tirou as suas: uma maçã, Safo de Lesbos e um vulcão.

Seu estômago se revirou ao ver Safo – sabia que a poeta antiga representava algo homoerótico. Antes que procurasse o que a maçã e o vulcão simbolizavam, no entanto, Delilah tirou o guia de suas mãos.

– Ei! – protestou ela, tentando pegá-lo de volta.

– Ah, não. Você leu o meu, eu leio o seu.

Claire fez um biquinho, mas seus lábios ainda assim conseguiram formar um sorriso. Paquerando. Elas estavam se paquerando, não estavam?

– Tá, vamos ver – disse Delilah, folheando o guia. – Safo… bom, a gente conhece e ama Safo, né?

Claire riu, lutando contra o rubor.

– É.

– Ela representa a amada, o desejo, é claro, e alçar voo.

– Então eu estou fugindo daquilo que quero?

A interpretação saiu de sua boca antes que ela pudesse se conter, a primeira coisa que surgiu em sua cabeça.

– Não sei. Está? – perguntou Delilah. O tom provocante de sua voz tinha sumido completamente.

Claire pigarreou e pegou as cartas da maçã e do vulcão, observando-as com atenção.

– Mas também estou com muita fome e… estou… fervendo de raiva?

Delilah folheou o livro. As sobrancelhas erguidas, um sorrisinho no rosto, virou as páginas para a frente e para trás, várias vezes.

– Ah, meu Deus, o que foi? – perguntou Claire, tentando pegar o livro de volta e desta vez conseguindo. Ela achou a maçã.

Os sentidos, fome e… sexo.

Sentiu um aperto no estômago, mas não olhou para Delilah e virou para a página da carta do vulcão.

Paciência, repressão e… ah, pelo amor de Deus.

Luxúria.

Ela piscou olhando para as páginas, aturdida. Ao seu lado, Delilah estava rindo em silêncio, com uma das mãos cobrindo sua bela boca. Claire achou que fosse ficar envergonhada, até agoniada, mas não ficou. Em vez disso, teve vontade de sorrir, flertar e brincar. Caramba, queria dizer a verdade e não sentir vergonha.

– Tá, então estou cheia de tesão – disse finalmente, dando de ombros e jogando o livro no colo de Delilah. – E daí?

– Mas você tem muita paciência – completou Delilah, indicando a carta do vulcão.

– Ou sou reprimida pra caramba – disparou Claire.

As duas riram, serviram mais vinho e fim de papo.

Durante a hora seguinte, elas se perderam nas cartas. Tiraram galinhas e Sylvia Plath, xícaras de chá, luvas e Octavia Butler. Fizeram interpretações loucas e improváveis – e também algumas que pareciam suaves e mansas, como um sussurro. Mal tocaram a última taça de vinho, mas ainda assim a cabeça de Claire estava nebulosa. Ela não estava bêbada, mas estava diferente. Demorou alguns minutos para encontrar a palavra certa.

Feliz.

Estava feliz.

– Então – disse Delilah, batendo em uma carta com um fantasma apoiada no joelho. – Você vai amanhã?

Claire soltou um suspiro, recostando a cabeça no encosto do sofá.

– É o que parece. Não sei o que a Iris acha que vai acontecer nesse acampamento. Astrid odeia acampar.

– Não diga.

Claire deu um sorriso torto.

– Olha, ela fazia coisas ao ar livre.

– Desde que tivesse ar-condicionado e uma banheira esperando por ela no fim da trilha.

– Tá, é verdade. Mas ela vai dormir em uma barraca por mim.

Delilah inclinou a cabeça.

– Nisso eu acredito.

Claire ficou olhando para ela por um segundo.

– Você vai, né?

– Acampar?

Claire assentiu.

– Acho que não é uma boa ideia.

– Por que não? Ruby quer que você vá.

– Astrid provavelmente não quer. Não é um evento ligado ao casamento, e o objetivo é deixá-la amigável e vulnerável pra ela perceber que não está apaixonada pelo Ken.

Claire franziu a testa.

– Ken? O nome dele é…

– Eu sei, Claire. Ken de boneco Ken.

– Ah. – Claire riu e esfregou a testa. – Nossa, desculpa. Em geral eu entendo as piadas.

– Bom, você está com muita coisa na cabeça. Com o Josh e tal.

De repente o tom de Delilah ficou afiado, dilacerando toda a felicidade anterior e deixando Claire paralisada. Ela olhou para ela e sua expressão fria.

Fria demais.

A boca de Delilah estava retraída e as pontas dos dedos esbranquiçadas segurando a taça cheia. Logo ela pareceu perceber que estava toda tensa, porque se levantou de repente, jogando a carta do fantasma no sofá antes de pegar a garrafa e ir em direção à cozinha.

– Só estou dizendo que dá pra entender o seu estresse – disse ao sair.

Claire também se levantou, colocou a pilha de cartas sobre a mesinha de centro e foi atrás dela.

– Delilah.

Deixando a garrafa e a taça na bancada, Delilah abanou a mão num gesto despreocupado, como se não tivesse cuspido o nome de Josh como quem falava da peste bubônica.

Ela estava... com ciúme.

Puta merda, Delilah Green estava com ciúme de Josh.

O pulso de Claire acelerou, a respiração curta e rápida em seus pulmões. Ela precisava descobrir o que fazer, e rápido. Por um lado, tinha certeza de que Delilah queria que ela agisse como se nada tivesse acontecido e, por outro, o ciúme a fez desejá-la ainda mais, fez tudo nela se eletrizar e explodir.

Ela deixou a taça de lado e contornou a ilha para se aproximar de Delilah. Não ficou exatamente ao lado dela, mas estava mais perto do que antes. Um passo de cada vez.

– A gente... a gente vai conversar sobre aquela noite? – perguntou.

Era a transição perfeita e, pelo amor de Deus, ela precisava mesmo conversar sobre aquela noite.

Ou repeti-la imediatamente. Das duas, uma.

Delilah soltou um suspiro, colocando o cabelo atrás das orelhas. Seus cachos eram tão fartos que escaparam de novo na mesma hora. Claire desejou desesperadamente estender a mão e tirar o cabelo de seu rosto.

– Talvez a gente não devesse – respondeu Delilah.

– Por que não?

– Porque eu tirei a carta do louva-a-deus e isso pode ter um desdobramento terrível pra você.

– Bom, parece que eu tirei todas as cartas relacionadas a sexo que existem naquele baralho – disse Claire, rindo, tentando trazer de volta a leveza que havia entre elas.

Mas Delilah não riu.

– A gente não devia conversar sobre isso porque…

Mas não terminou a frase. Ficou olhando para Claire, o olhar penetrante descendo até sua boca e pairando ali antes de voltar para seus olhos.

– Por quê? – perguntou Claire.

– Por causa do Josh – respondeu Delilah.

– Ele é pai da Ruby. Ele não é… Nós não somos…

– Mas já foram? Quer dizer, depois que terminaram.

Claire piscou, hesitando, mas queria ser sincera.

– Já. Mas faz um tempo. Mais de dois anos.

– Mas ainda é complicado.

– Por que você liga pra isso?

A pergunta escapou, afiada e suave ao mesmo tempo. Delilah ficou olhando para ela por um instante, então percorreu a quina da ilha, cada vez mais perto. Claire virou o corpo, acompanhando-a, até as duas ficarem exatamente de frente uma para a outra, a lombar apoiada na pedra.

Delilah se aproximou ainda mais, cada braço de um lado do quadril de Claire, se apoiando na bancada e a confinando. Como por instinto, as mãos de Claire foram até a cintura de Delilah, os dedos agarrando o algodão de sua camiseta. Ela puxou um pouco o tecido, trazendo-a para ainda mais perto. O quadril e o peito se encostaram, não restando nem um só centímetro entre os corpos.

Delilah inclinou a cabeça, os lábios sussurrando junto da boca de Claire.

– Não ligo – disse.

E foi o que bastou para que Claire deslizasse a mão pelo cabelo de Delilah e percorresse a pouca distância que restava entre elas.

O beijo não foi como aquele no vinhedo. Daquela vez o beijo tinha começado lento e hesitante, se arrastando até apressar o passo.

Agora foi como um tiro de largada, o salto que dá início à corrida. Línguas e dentes, suspiros em bocas abertas. Claire nunca tinha sentido tanta vontade de se aproximar de alguém. Queria subir naquela mulher, arrancar as roupas dela e traçar uma risca com a língua do umbigo até aquele lindo declive na clavícula. Enterrou as mãos nos cachos de Delilah, inclinando a cabeça para conseguir um ângulo novo, a língua buscando e saboreando, vinho e chuva de primavera, um toque de menta. Já as mãos de Delilah passeavam, deslizando pelos braços de Claire até seu rosto e voltando ao quadril. Seus dedos se enfiaram embaixo da camisa dela, pele com pele. Arrepios irromperam e um gemido escapou dos lábios de Claire para os de Delilah.

– Sobe aqui – pediu Delilah, ajudando Claire a subir na bancada.

Claire saltou enquanto Delilah a levantava, afastando as pernas ao se sentar na pedra. Delilah deslizou as mãos por suas coxas cobertas pelo jeans, os polegares mergulhando nas dobras onde o quadril se unia às pernas quando as bocas voltaram a se encontrar. As mãos dela subiram até a cintura de Claire, por baixo da camisa, dançando por suas costelas e sobre o sutiã.

Claire se afastou apenas o suficiente para começar a abrir a camisa, mas Delilah a deteve.

– Eu abro – disse.

Claire sorriu e apoiou as mãos na bancada gelada. Delilah manteve os olhos nela enquanto seus dedos abriam um botão, depois outro, revelando o sutiã de renda preto. Claire agradeceu por todos os seus sutiãs serem bonitos, quase sensuais. A calcinha era outra história, mas ela se preocuparia com isso depois. Porque agora Delilah estava abrindo sua camisa e, como Claire estava sentada em um lugar um pouco mais alto, sua posição era perfeita para tocar o peitoral de Claire com a boca, o que ela fez, liberando a língua para sentir seu sabor. Ao mesmo tempo, suas mãos subiram, segurando os seios de Claire e tocando os mamilos já intumescidos com os polegares.

Claire gemeu e jogou a cabeça para trás. Fechou a boca, tentando se controlar, mas sempre fora barulhenta na cama, e tinha a sensação de que Delilah ia arrancar cada grito que estava preso em seu peito desde o último orgasmo que não fora autoinduzido.

– Nossa, seus peitos são perfeitos – disse Delilah, puxando uma das taças do sutiã para baixo e chupando com a boca quente um dos mamilos.

– Meu Deus – falou Claire, envolvendo o quadril de Delilah com as pernas. Ela tentou se concentrar. – É mesmo?

– Uhum.

– Você… você não acha que são muito…?

Delilah fez uma pausa, soltando o mamilo de Claire, a contragosto, e olhando para ela.

– Muito o quê?

Claire engoliu em seco, arfando como uma maratonista.

– É que… sabe, sempre foram grandes, e eu tive uma filha, então eles não são mais do jeito que eram e…

Delilah brincou com o mamilo entre o polegar e o indicador, fazendo Claire inspirar, trêmula. Então deslizou a alça do sutiã pelos braços dela, abriu o fecho e jogou a peça por cima do ombro.

– Perfeitos – repetiu, massageando os seios de Claire enquanto a beijava e sugava seu lábio inferior.

Os dedos de Delilah ficaram ocupados com os mamilos, apertando e roçando até Claire literalmente ofegar em sua boca, com a calcinha tão molhada que dava para sentir a umidade nas coxas. Ela se afastou, puxando a camiseta preta de Delilah. Precisava de pele com pele, suor, dedos e línguas.

– Tira – disse. – Agora.

Delilah sorriu para Claire e se inclinou para trás o suficiente para que ela tirasse sua camiseta.

Claire gemeu alto ao ver o sutiã amarelo que cobria os seios menores mas também perfeitos de Delilah. Seus mamilos estavam visíveis, dois picos rosa-escuros já rígidos, esperando pela boca e pelas mãos de Claire. Suas tatuagens eram maravilhosas, pura arte se desenrolando na pele, incluindo uma rosa delicada mas cheia de espinhos entre os seios.

Claire estendeu a mão, tocando os espinhos e as pétalas, fazendo Delilah estremecer.

De repente, estar sem camisa não bastava mais. Por mais que transar na bancada da cozinha pudesse ser divertido, ela queria espaço para se movimentar, sentir as coxas de Delilah a envolvendo, a curva de seu quadril e o quanto ela estava molhada entre as pernas.

Meu Deus, elas estavam mesmo fazendo aquilo.

– Quer ir pro quarto? – perguntou Claire.

– Só quero!

Delilah deu um passo para trás para que a outra descesse, mas então a puxou contra seu quadril, beijando-a com vontade enquanto Claire as conduzia pelo corredor. Claire andava de costas, os seios nus tocando o sutiã de Delilah e criando uma fricção maravilhosa.

– Não sei pra onde estou indo – disse Delilah sem tirar a boca dos lábios de Claire ao entrar no corredor.

Claire riu e se virou para se localizar, mas sem soltar Delilah. Não conseguia. Se soltasse, podia acordar, ou Delilah podia mudar de ideia, ou *ela mesma* podia mudar de ideia, e tudo que queria naquele momento era não pensar em nada que não fosse deitar aquela mulher na cama.

Claire as levou até o quarto e continuou avançando até as pernas de Delilah baterem na cama, fazendo-a cair de costas no colchão, rindo.

Exatamente como Claire a queria.

Então subiu em cima de Delilah, desabotoando a calça dela e a deslizando pelas coxas. Delilah estava com uma calcinha de renda rosa-choque, claro. Claire ficou literalmente com água na boca ao arrancar a calça de Delilah de seus pés e passar as mãos por aquela barriga firme, os polegares tocando a beirada da renda. Ela começou a puxar a calcinha também quando Delilah se ergueu e deitou Claire na cama.

– Ah, não. Sua vez de ficar sem calça – disse Delilah, abrindo e deslizando a peça de roupa para baixo como Claire tinha feito, revelando a calcinha branca de algodão, os furinhos nas coxas e as estrias.

Claire foi tomada por uma onda de insegurança. Sempre tinha sido encorpada, e era feliz com isso, até autoconfiante, mas a primeira vez na cama com alguém disparava, sem exceção, uma onda breve de timidez. Quis cobrir a barriga com as mãos, mas Delilah segurou seus braços e os acomodou acima da cabeça de Claire. Então, sentou-se, com os joelhos ao lado das pernas dela, para olhá-la de cima a baixo. Claire sentiu o rosto queimar, mas sentiu também uma palpitação entre as coxas ao ver o olhar de Delilah, como se fosse a sobremesa e ela ainda estivesse com muita fome.

Delilah mudou de posição, deslizando por seu corpo para beijá-la.

– Você tem noção do quanto é gostosa? – perguntou com a boca na dela.

Claire soltou uma risadinha.

– Hum… bom…

A língua de Delilah traçou um caminho quente até seu pescoço.

– Muito. Muito, muito gostosa.

Claire passou as mãos levemente pelas costas de Delilah e tirou seu sutiã puxando-o por cima da cabeça. As duas soltaram um gemido suave quando seus seios se tocaram.

– Só pra você saber – disse Claire. – Eu... eu não faço isso há um tempo.

Delilah levantou o rosto do caminho que mordiscava entre o pescoço e o ombro de Claire.

– Isso?

– Sexo.

Delilah sorriu e acomodou uma das pernas entre as de Claire, pressionando a coxa contra ela.

– Ah... meu Deus – murmurou Claire, agarrando o edredom quando um raio de prazer disparava por seu corpo. Ela sentia a excitação de Delilah na própria perna, úmida e quente, mesmo através da calcinha.

– Acho que não vamos ter nenhum problema – disse Delilah, ondulando o quadril mais uma vez, causando uma fricção bem onde as duas desejavam.

– Caramba – sussurrou, com a boca no pescoço de Claire. – Preciso sentir seu sabor. Diz que sim.

O desejo na voz de Delilah foi parar direto entre as pernas de Claire, e a ideia daquela boca quente em seu clitóris...

– Meu Deus, sim – pediu Claire, o corpo se projetando para cima, buscando mais pressão.

Delilah deu um beijo em seu pescoço e começou uma jornada lenta e tortuosa descendo pelo seu corpo. Língua, lábios, dentes, parando para explorar um mamilo, depois o outro, antes de continuar a descida molhada pela barriga. Claire viu aqueles cachos escuros descendo, sentindo cada arranhão das unhas de Delilah quando ela enganchou os dedos em sua calcinha de algodão e a puxou, passando pelas coxas e pés. Claire abriu as pernas, o quadril subindo para encontrar Delilah, que se acomodou entre elas.

– Caramba – sussurrou Delilah, dando um beijo na parte interna da coxa de Claire. – Você é maravilhosa. – A outra coxa, mais um beijo. – E está muito molhada.

Claire soltou uma risada trêmula. Estava molhada *mesmo*. Seu clitóris latejava, desesperado pelo contato, mas Delilah não parecia estar com pressa, passando a boca suavemente entre as pernas dela, a língua disparando para experimentar cada cantinho, exceto onde Claire mais precisava. Quando

Delilah traçou uma lambida lenta da entrada até o clitóris, depois soprou uma lufada de ar quente e – minha nossa – soltou um leve gemido de prazer em sua pele, Claire quase perdeu a cabeça.

– Meu Deus, Delilah. Por favor.

Delilah sorriu para ela.

– Por favor o quê?

Claire gemeu, frustrada, o quadril subindo em direção ao teto.

– Me diz o que você quer – pediu Delilah, a boca tão perto, o hálito quente deslizando pela pele dela mais uma vez.

– Me come – implorou Claire, os dedos agarrados ao cabelo de Delilah. – Por favor, me come com essa sua boca.

E descobriu que Delilah era excelente em seguir instruções. Ela enganchou os braços nas coxas de Claire, puxando-a mais para perto, e sua boca entrou em ação, fazendo exatamente o que Claire tinha implorado. Beijou e lambeu, a língua deslizando como seda. Um gemido baixinho irrompeu da garganta de Claire, um som que ela talvez nunca tivesse soltado antes, mas não queria nem saber, não estava nem aí, porque os dedos de Delilah substituíram a língua, ondulando dentro de Claire e pressionando suas paredes internas. A boca de Delilah se fechou ao redor do clitóris e sugou, então lambeu, e voltou a sugar. As coxas de Claire tremeram, suas mãos puxaram o cabelo de Delilah de um jeito que ela esperou que não fosse forte demais, mas não conseguia pensar, nem se preocupar, nem fazer nada além de suspirar e gemer enquanto a língua e a boca de Delilah a sorviam, fazendo exatamente como ela havia pedido, até atingir o auge do clímax. As pernas envolveram a cabeça de Delilah, as unhas cravadas em seu couro cabeludo enquanto ela gritava obscenidades para o teto.

Delilah ficou ali até o corpo de Claire se acalmar, trazendo-a de volta à terra aos poucos, com toques suaves da boca na pele sensível. Finalmente, quando Claire voltou a enxergar direito, ela puxou Delilah e a beijou. Sentir o gosto de seu próprio corpo na língua dela foi como acender um fósforo em sua barriga.

– Foi bom? – perguntou Delilah.

Claire apenas riu com a boca ainda na dela.

– Você fez um escândalo, então vou aceitar como um sim – continuou Delilah, e Claire ficou paralisada.

– Ah. Merda. Desculpa, eu…

Mas Delilah a interrompeu mordiscando sua orelha.

– Tá brincando? Foi a coisa mais gostosa que eu já ouvi na vida.

– Sério?

Claire mal conseguia acreditar. Delilah certamente já tinha ouvido muitas mulheres gozando.

Mas Delilah só assentiu e estendeu a língua para sentir o suor no pescoço de Claire. Seu quadril pulsava, cheio de desejo. Claire voltou a puxar os cachos dela, arrancando um gemido baixinho mas retumbante de seu peito, o que, tudo bem, talvez fosse a coisa mais gostosa que *Claire* já tinha ouvido na vida. O som fez com que ela se sentisse bestial, desesperada, e queria que Delilah gozasse com a mesma intensidade que ela. Apalpou sua calcinha, que – e aquilo era ridículo – ela ainda estava vestindo. Delilah logo entendeu, se afastando de Claire e arrancando a peça rendada com pouquíssima elegância antes de jogá-la em um canto escuro do quarto.

– Boa – disse Claire.

Passeou o olhar sobre Delilah, que estava depilada; não havia nada mais que uma pista de pouso perfeita guiando o caminho. Claire agarrou o quadril de Delilah e abriu suas pernas, puxando-a até ela ficar sentada, montada nas coxas de Claire, as mãos apoiadas em suas costelas. Quando seu centro quente encontrou o monte de vênus de Claire, as duas gemeram.

– A melhor decisão que já tomei – respondeu Delilah, com a respiração irregular.

Claire projetou o quadril e o ajeitou para que seu osso pélvico tocasse Delilah exatamente no ponto em que ela precisava. Delilah arfou e jogou a cabeça para trás, seu corpo inteiro ondulando para sentir a fricção. Claire sentiu o próprio desejo crescer de novo, como uma mola se retesando cada vez mais na barriga a cada suspiro delicioso que Delilah soltava. Claire não tirou os olhos dela, que deslizava sobre seu corpo. Estendeu a mão entre as duas, os dedos brincando no calor encharcado de Delilah.

– Ah, nossa – disse Delilah olhando para cima. – Isso.

Ela levantou o quadril só o suficiente para que Claire escorregasse primeiro um, depois dois dedos para dentro dela. Era tão apertada, tão perfeita, e as costas da mão de Claire tocavam seu próprio clitóris.

Delilah jogou o tronco para trás e projetou o quadril.

– Isso! Isso! – exclamou, antes de seu corpo se retrair.

Ela enfiou uma das mãos no próprio cabelo, puxando os cachos no rosto ao gritar, fazendo seu corpo apertar a mão de Claire com tanta força e perfeição que Claire também gozou, seus gemidos se misturando ao cheiro de suor e sexo, seus corpos se arqueando e desacelerando, a respiração pesada e irregular.

A mão de Delilah envolveu o punho de Claire entre as duas, tirando sua mão dali e segurando-a contra o peito antes de – minha nossa – abrir a boca e lamber seus dedos. O toque da língua de Delilah e seus olhos se fechando em êxtase quase deixaram Claire pronta para mais uma, mas ela estava exausta o bastante para apenas apreciar a vista, maravilhada com aquela mulher em sua cama. Ela soltou a mão, as pontas dos dedos demorando a deixar os lábios de Delilah antes de repousarem em sua coxa. Delilah desabou no colchão ao lado dela, e ficaram deitadas assim por alguns minutos, as pernas ainda emaranhadas. No quarto silencioso, o único som era o dos pulmões puxando o oxigênio.

Delilah levantou a cabeça e olhou nos olhos de Claire.

– Puta merda.

– Puta merda mesmo – concordou Claire.

Ela envolveu a cintura de Delilah com os braços, não queria que aquele momento acabasse, mas então viu o cabelo dela.

Ele. Estava. *Enorme*. Emoldurava seu rosto como um halo, os cachos emaranhados, crespos e indomáveis, a própria definição de cabelo pós-sexo.

E era a coisa mais fofa que Claire já tinha visto.

Ela simplesmente soltou uma risada comprida, aliviada, satisfeita e feliz. Então segurou o rosto de Delilah – depois de encontrá-lo embaixo de toda aquela cabeleira – e a beijou com vontade.

CAPÍTULO VINTE

UMA VIBRAÇÃO NA MESA DE CABECEIRA acordou Delilah. Ela levantou a cabeça, o quarto irreconhecível por uma fração de segundo antes que a noite ressurgisse em sua mente.

Claire.

Ela estava na casa de Claire.

Na cama dela.

Claire enrolada nela como um pretzel, o rosto encostado em seu pescoço, a respiração suave e sonolenta. Ela estava completamente desmaiada, o que não era nenhuma surpresa. Quando as duas pegaram no sono depois da meia-noite, exaustas e moles, cada uma já tinha gozado mais duas vezes e Delilah tinha descoberto que Claire tinha uma boca muito talentosa.

Agora, não fazia ideia de que horas eram, mas ainda estava escuro lá fora, e o celular de Claire fazia um barulho infernal na mesa de cabeceira.

– Claire.

Ela sacudiu Claire de leve.

– Hum. – Claire só se aninhou ainda mais ao corpo de Delilah, o braço caindo sobre a cintura da outra.

– Claire, seu celular. Oi. – Ela afastou o cabelo do rosto dela, o luar entrando pelas cortinas leves e prateando sua pele.

Porra, aquela mulher era maravilhosa.

Bzzz.

Delilah estendeu a mão e pegou o aparelho, um nome desconhecido piscando na tela.

– Claire, é a Maria. – Quem quer que ela fosse.

– Quê? – Isso chamou a atenção de Claire, que se sentou, piscando várias vezes, o lençol caindo até sua cintura. – Onde?

– No telefone?

Delilah entregou o aparelho e Claire saiu da cama meio atrapalhada, nua e perfeita, e pegou o roupão que estava em uma cadeira perto da janela. Ela colocou os óculos e levou o celular à orelha.

– Maria? Tudo bem com a Ruby? Ah, não. Quero falar com ela, sim, claro. – Ela se virou para Delilah, mordendo a unha do polegar, preocupada. – Ruby? O que foi, querida? Tudo bem… Calma, amorzinho. Respire fundo… Você tem certeza que não quer dormir e… Tá… É claro que você pode vir pra casa. Diz pra mãe da Tess que eu vou encontrar você na calçada… Tá bom, querida. Vai ficar tudo bem.

Então ela desligou, tirando o roupão e vestindo uma legging e uma regata.

– Tudo bem? – perguntou Delilah.

– Tudo, tudo. Era a mãe da Tess. A Tess e a Ruby brigaram, e ela quer vir pra casa. Diz que não consegue dormir.

– Ah.

– Elas têm brigado muito ultimamente. – Claire balançou a cabeça e esfregou os olhos, o cabelo bagunçado caindo sobre os ombros. – Eu já volto.

– Claro.

Claire parou à porta.

– É… Fica aqui dentro, tá? Vou colocar a Ruby na cama logo. Ela deve estar exausta. Só… – Ela parou de falar, com uma expressão insegura enquanto mordia os lábios.

Delilah entendeu o que ela queria dizer. *Por favor, não deixe minha filha de 11 anos saber que estamos dormindo na mesma cama.* Ela compreendia, mas ainda assim sentiu um aperto no peito e de repente quis muito estar vestida.

– É melhor eu ir embora – disse.

De qualquer forma, Delilah raramente passava a noite em outra casa depois de transar. Por que desta vez seria diferente? Mas não conseguia se levantar do colchão.

– Não, não vai embora – pediu Claire. – Me dá só dez minutos, tá?

Ela assentiu e Claire saiu. Delilah ouviu a porta da frente se abrir e fechar, e suspirou no quarto vazio. Ela devia mesmo ir embora. Tinha transado com Claire, saciado o desejo, e estava satisfeita. E sem dúvida tinha provado que Astrid estava errada com aquele papo de *Claire jamais daria em cima de você.*

É, era o fim. Claire não a queria ali com Ruby em casa mesmo. Delilah empurrou as cobertas, achou o sutiã, a calcinha e a calça, mas a camiseta não, porque ainda estava no meio do chão da cozinha.

– Merda.

Ela foi até a porta, mas, antes que pudesse abri-la para tentar sair de fininho e recuperar a camiseta – e quem sabe sair correndo pela porta dos fundos como um adolescente fugindo de um pai com uma espingarda –, ouviu a porta da frente se abrir e fechar, com a voz de Claire e de Ruby se aproximando do corredor.

– Eu… é que… ela é… tão… malvada…

Ruby estava chorando, as palavras saindo em soluços gaguejados.

– Querida, calma. Vamos dormir, tá? – disse Claire. – Podemos conversar amanhã e pensar num jeito de resolver tudo. Prometo.

– Posso… posso dormir com você? – perguntou Ruby.

Delilah ficou tensa. Olhou ao redor, imaginando se não devia mergulhar no armário ou pular pela janela.

Aquilo tudo era ridículo.

Ela estava prestes a rastejar para debaixo da cama quando Claire respondeu.

– Ah, querida, acho que você vai dormir melhor na sua cama. Mas a gente vai acampar amanhã, lembra? E você pode dividir sua barraca com quem você quiser.

Ruby respondeu, mas Delilah não conseguiu ouvir suas palavras, pois a voz das duas desapareceu quando elas avançaram pelo corredor. Ela se jogou de volta no colchão, as mãos na cabeça. Estava mesmo prestes a se esconder embaixo da cama?

Estava. Estava, sim.

A porta se abriu e Claire entrou.

– Oi.

Delilah soltou um suspiro.

– Oi.

– Desculpa. Ela já está na cama. Você…

– É melhor eu ir.

Claire ficou paralisada, a boca aberta. Ela se aproximou de Delilah, retorcendo os dedos.

– É, talvez seja melhor mesmo.

Mas nenhuma das duas se mexeu, e Delilah não sabia o que dizer. Antes, o sexo nunca tinha deixado as coisas tão... complicadas. E ela também nunca tinha sido um segredo. Às vezes, mulheres comprometidas a abordavam em bares, o excesso de vinho branco correndo nas veias, mas tinha uma regra rígida de nunca ir para a cama com a parceira monogâmica de ninguém. Sabia como era estar do outro lado dessa história, e nenhum orgasmo valia causar esse tipo de dor a alguém.

Aquela sensação aterradora de não ser o bastante.

Ela esfregou a testa, a mesma sensação – de todos os anos passados na Casa das Glicínias e depois com Jax – ressurgindo agora. Como é que isso tinha acontecido?

– Você pode ficar mais umas horas, se quiser – disse Claire. – Dormir um pouco.

– Mas ir embora assim que o sol nascer, né? – Delilah olhou para ela, um sorriso amargo nos lábios.

– Delilah, isso não é justo.

– Não. Acho que não é mesmo.

– Eu só tomo cuidado com quem eu aproximo da Ruby, só isso. A última pessoa que eu namorei nem conheceu a minha filha. E namoramos mais de um mês.

– Mas eu já estou próxima da Ruby.

– Não assim. – Claire apontou para Delilah com o peito de fora, a cama desarrumada. – Não como alguém que significa... – Ela parou de falar e fechou os olhos. Ao abri-los novamente, sua voz saiu baixinha. – Mais uma vez, por que você liga pra isso? É só sexo, né?

Delilah franziu o cenho. Ela nunca dera a entender que estava atrás de uma ficada e nada mais, embora fosse exatamente isso. Não podia ser mais que isso. Elas moravam a 5 mil quilômetros uma da outra, ela tinha o Whitney e sua arte, e nunca mais correria o risco de se magoar por uma mulher que ainda não tinha superado o último relacionamento. Não sabia o que Josh significava para Claire, mas ele devia significar alguma coisa. Era o pai da filha dela, era atraente e sempre estaria na vida dela.

– É – disse Delilah, levantando-se e indo em direção à porta. – É só sexo.

Claire bloqueou o caminho.

– Tá, então qual é o problema?

– Não tem problema nenhum.

– Tem, sim. Eu estou vendo que tem.

– Você não está vendo merda nenhuma, Claire. Você não sabe nada sobre mim. Quer me enfiar em um armário…

– Um armário? O quê?

– … e, ah, imagino que eu tenha que esconder o *sexo* da Astrid, né? Você não ia querer magoar a Princesa Perfeita. Agora, se você fizer a gentileza de sair da frente, preciso pegar minha camiseta e voltar pro meu inferno floral naquele quarto de hotel.

Claire não se mexeu. Na verdade, pareceu se fixar mais ainda no lugar, franzindo a testa ao estender as mãos e segurar os braços de Delilah.

– Olha. Para um pouco, tá? Calma.

Delilah mordeu o lábio inferior, mas parou. Sentia um aperto no peito e uma pressão que se acumulava atrás dos olhos, como se precisasse liberar alguma coisa. Meu Deus, fazia tanto tempo que não se sentia assim, como se estivesse encolhendo, como se todos à sua volta fossem mais importantes que ela. Estava cansada. Cansada, exausta e, vá lá, talvez um pouco perplexa com o fato de que aquela talvez tivesse sido a melhor transa de sua vida. Ninguém simplesmente dá as costas para a melhor transa da vida.

– Não quero que você vá – disse Claire. – Tá bom?

– Por que não?

Os olhos de Claire procuraram os dela. Foi recíproco.

– Porque eu preciso disso – respondeu Claire, finalmente, deslizando as mãos pelos braços de Delilah para enlaçar os dedos nos dela. – E foi… *muito bom.*

Delilah deu um sorrisinho triste.

– E eu entendo que você prefira as coisas casuais – continuou Claire. – Por mim, tudo bem. Tudo bem mesmo. Depois do casamento da Astrid, você vai voltar pra Nova York e eu vou ficar aqui e vai ser o fim. Mas estamos no mesmo lugar agora. E eu… bom… eu quero te ver de novo.

– Quer me comer de novo, você quer dizer – disse Delilah, mas sorrindo.

Isso ela conhecia. Isso ela entendia. Já tinha se envolvido com alguém durante alguns dias, até semanas, até que uma das duas terminasse tudo por algum motivo amigável e prático.

O rosto de Claire ficou corado.

– Tá. É isso. Você não quer?

– Que você me coma?

– Delilah.

Ela riu e levou as mãos entrelaçadas até a cintura de Claire, puxando-a mais para perto. Quando seus lábios se tocaram, ela sussurrou:

– Eu quero comer você de novo, sim.

Claire sorriu sem interromper o beijo.

– Que bom. Então estamos de acordo.

– Será que a gente assina alguma coisa?

– Tipo um pacto de peguetes?

– Claro.

Ela deslizou a boca pelo pescoço de Claire e mordiscou sua orelha.

– Você não quer que eu conte seu segredinho, quer?

Claire ficou tensa e se afastou um pouco para olhar nos olhos de Delilah.

– Delilah. Não é que você seja um segredo. É só que…

– Você não quer que os outros saibam sobre a gente.

– Isso.

– Ou seja, é segredo.

Claire se desvencilhou do abraço.

– Você está me dizendo que *quer* que a Astrid fique sabendo?

Delilah pensou no choque que tomaria conta dos olhos de Astrid e na emoção pura da vitória. Mas então pensou que Claire provavelmente tinha razão – ela ficaria chateada, e não só com Delilah. Ficaria chateada com Claire, e aí o sexo entre as duas chegaria a um fim repentino.

E Delilah não queria isso. Agora, tinha uma distração para os dez dias que passaria naquela cidade que sugava sua alma. Uma distração bela, doce e maravilhosa na cama.

Quem era ela para olhar os dentes do cavalo dado?

– Não – respondeu. – Acho que não quero.

Claire relaxou, mas ainda olhou para Delilah com os olhos semicerrados e uma ruga de preocupação na testa.

– Não é que eu tenha vergonha de você.

Delilah riu.

– Tá. Claro. A Alma Penada da Casa das Glicínias na sua cama. Nada de mais.

Nos olhos de Claire surgiu algo que parecia mágoa... até arrependimento.

– Delilah.

Ela levantou uma das mãos.

– Esquece que eu disse isso.

– Não quero esquecer.

– Claro que quer.

– Escuta. – Claire pegou sua mão e a apertou. – Não tenho vergonha de você. Mas tenho direito de ter uma coisa que é só minha, não tenho? Não preciso contar tudo às minhas melhores amigas.

– Mas você geralmente conta, né?

Claire soltou um suspiro.

– Você e a Astrid... É complicado.

Delilah ficou olhando para ela.

– Não é? – perguntou Claire.

Em resposta, Delilah simplesmente abriu e tirou a calça, voltando para a cama. Se ia conversar sobre isso, sem dúvida precisava estar deitada. Claire ficou observando enquanto ela se acomodava, então foi atrás dela, cobrindo ambas com o lençol e apoiando a cabeça no cotovelo, os olhos no rosto de Delilah.

– Não foi complicado crescer com ela. – disse Delilah. – Foi muito simples.

– Como assim?

Delilah ficou olhando para o teto, como fizera tantas noites antes, ouvindo Claire, Iris e Astrid rindo no quarto de Astrid, como fazia quando Isabel dava jantares dos quais Delilah sabia que a madrasta não queria que ela participasse.

– Foi simples – repetiu ela. – Minha mãe se foi. Meu pai morreu. Isabel se ressentia por ter que me criar sozinha. Astrid achava que eu era esquisita demais para me incluir, triste demais, deslocada demais daquele mundo perfeito pra ser parte de qualquer coisa na vida dela. Você estava lá na maior parte do tempo. Você viu.

Pronto. Era realmente simples. Vergonhosamente simples. Ela não conseguia acreditar que tinha dito aquilo tudo em voz alta, admitido que não era... fácil de se amar.

Claire ficou em silêncio por um instante, e Delilah não ousou olhar para ela.

Sentiu um nó na garganta.

– Eu vi, sim… – disse Claire. – Astrid… ela é uma pessoa difícil de conhecer. É muito fechada. Acho que a Isabel incutiu nela uma ideia de nunca deixar os outros verem você se esforçar, sabe? Nem chorar, nem demonstrar qualquer tipo de fraqueza. Pra ela, é difícil demonstrar vulnerabilidade, mas, quando ela deixa você entrar, ela é leal e forte e faz qualquer coisa por você. Era isso que eu via, e acho que eu… nunca entendi por que você não via também.

Delilah sentiu um aperto no peito.

– Porque ela não me deixou entrar, Claire. Você mesma disse, ela é uma pessoa difícil de conhecer, e não estava nem aí se eu a conhecia ou não.

Claire franziu a testa, mas não tinha o que dizer em resposta.

– E, por consequência – continuou Delilah –, você e a Iris também não.

– Delilah – disse Claire com a voz suave, se aproximando e apoiando o queixo no ombro de Delilah, o que só aumentou a dor, fazendo com que aquilo tudo fosse o oposto de *só sexo*. – Sinto muito.

Delilah balançou a cabeça.

– Não diz isso só porque a gente está se pegando. É golpe baixo.

Claire se aproximou ainda mais.

– Não estou dizendo isso só porque a gente está se pegando. Estou dizendo porque é o que sinto. Eu sinto muito por não ter me esforçado. Eu podia ter… sei lá, incentivado a Astrid a te incluir mais.

– Ninguém incentiva a Astrid a fazer nada.

– Então, *eu* podia ter te incluído mais.

Delilah bufou.

– Não podia, não. Porque você não queria.

O silêncio se infiltrou entre elas. Claire ficou sem resposta diante da verdade. Delilah imaginou que todo aquele constrangimento as afastaria de vez, que Claire soltaria um suspiro e finalmente admitiria que talvez aquilo tudo fosse um erro. Imaginou até mesmo que sentiria um pouco da velha raiva ressurgir, o ressentimento que havia alimentado seu relacionamento com qualquer pessoa de Bright Falls durante mais de duas décadas.

Mas só sentiu tristeza e uma vontade desesperada de não se sentir mais assim.

Claire estendeu a mão e passou o dedo pelo rosto de Delilah até sua boca antes de envolver sua nuca com a mão. Em vez de afastá-la, puxou Delilah mais para perto e encostou a testa na dela.

– Agora eu quero – disse, e encostou a boca na dela, suave e lentamente. Suave e lentamente até demais.

Delilah não pretendera que a conversa fosse naquela direção. Aquilo não importava. Ela não queria nem precisava do pedido de desculpas de Claire. Não queria ouvir explicações sobre o que quer que Isabel tivesse feito com Astrid para ferrar com a cabeça dela. Ela mesma já estava ferrada o suficiente. Rolou para cima de Claire, se acomodando entre suas coxas, e transformou aquela suavidade e aquela lentidão em força e rapidez. Na hora seguinte, não deixou que nenhuma das duas parasse para tomar um ar.

Depois, as duas pairando naquele lugar entre a consciência e a inconsciência, com os primeiros toques da luz lavanda atravessando a janela, Claire entrelaçou os dedos nos de Delilah.

– Vem acampar com a gente – falou com a voz suave. – Ruby quer que você vá.

Os olhos de Claire estavam livres dos óculos e nublados de sexo e sono. Delilah afastou sua franja da testa com a outra mão.

– Ruby quer que eu vá, é? – disse.

Claire sorriu.

– É. Só a Ruby.

CAPÍTULO VINTE E UM

NÃO ERA SÓ RUBY QUE QUERIA DELILAH no acampamento, e as duas sabiam disso. Ainda assim, mesmo naquele espaço íntimo entre elas na cama, Claire não quis admitir em voz alta. E, quando a caminhonete de Josh parou na entrada na manhã seguinte e Ruby saiu correndo para cumprimentá-lo, ela disse a si mesma que só estava olhando pela janela para procurar Iris e Astrid, que estavam vindo em carros separados e chegariam a qualquer momento.

Delilah tinha concordado com a viagem. Em pé no quarto às cinco da manhã, vestindo a roupa, ela resmungou um *tá, não tenho mais nada pra fazer* quando Claire perguntou mais uma vez, mas ela mal a conhecia, e Delilah não tinha o melhor dos históricos de confiabilidade. Ela se lembrava de pelo menos duas vezes em que Astrid tinha ficado irritada porque a irmã não tinha aparecido para um feriado em família, reclamado do desperdício de comida que tinha comprado ou dos ingressos que conseguira para a orquestra em Portland. Claire repetiu para si mesma que não haveria o menor problema se ela não viesse – que era só um dia e que o que havia entre elas era só sexo e não teriam oportunidade para fazer *só sexo* cercadas das melhores amigas de Claire, de sua filha e do pai da filha, seu ex-namorado.

Meu Deus.

Ela esfregou os olhos privados de sono quando o Subaru de Iris estacionou. O que Claire estava pensando? Não, com certeza seria melhor se Delilah não fosse. Talvez devesse até mesmo ligar para ela e dizer isso...

Claire agarrou a cortina com mais força quando a porta do passageiro de

Iris se abriu e Delilah saiu, com mais um jeans cinza e uma regata vinho que deixava muito claro que ela não estava usando sutiã.

Tá, então elas iam mesmo acampar juntas.

Claire colocou uma das mãos na barriga, as lembranças da noite anterior caindo sobre ela como chuva morna. A expressão de Delilah ao falar sobre sua infância ter sido simples. A solidão que ela demonstrara. Seus olhos…

Não.

Não, ela não ia pensar nos olhos de Delilah, pelo amor de Deus. Aquilo entre elas era casual, passageiro, totalmente carnal, sem nenhum sentimento envolvido. Claire respirou fundo uma… duas… três vezes, então pegou a mochila com a roupa de banho e uma muda de roupa, a garrafa de água pendurada em um mosquetão, e saiu.

– Bom dia, flor do dia! – exclamou Iris, mas quando Claire se aproximou seu sorriso desapareceu. – Meu Deus, você tá péssima.

– Obrigada, querida – respondeu Claire.

– Você já deve ter se olhado no espelho – disse Iris, segurando o queixo de Claire e examinando seu rosto.

– É que eu não dormi muito essa noite.

Seus olhos encontraram os de Delilah por sobre o ombro de Iris e ela sentiu um frio na barriga.

– Por que não? – perguntou Iris.

– Só… uns problemas com a Ruby. Ela ia dormir na casa da Tess, mas voltou pra casa no meio da noite. As duas brigaram.

Pronto. Não era mentira. Ela não estava mentindo para as amigas quanto a ter passado a noite toda ocupada com a melhor transa de sua vida – várias vezes. Estava só… guardando para si.

O que, Claire percebeu, ela faria mesmo que não fosse com quem era. A coisa com Delilah era nova, temporária, mas intensa. E Claire era uma mulher adulta, tinha o direito de guardar as coisas para si até entender como lidar com elas.

– Ah, querida, sinto muito – disse Iris. – Como ela está?

Claire soltou um suspiro. Tinha tentando conversar com Ruby sobre Tess naquela manhã, mas a filha havia se recusado a entrar no assunto. Olhando para ela agora, ajudando Josh a arrumar as coisas do acampamento na caçamba da caminhonete dele, ela parecia mais feliz que nos últimos dias.

– Acho que está, sim – respondeu ela.

– Tá bom, ótimo, porque precisamos nos concentrar – disse Iris, fazendo sinal para que Delilah se aproximasse. – Eu passei pra pegar a rabugentinha aqui…

– Rabugentinha? – indagou Delilah ao chegar ao lado delas. – Quantos anos eu tenho, 5?

– … e a gente *precisa* ficar na mesma barraca que Astrid.

– Vocês precisam ficar na mesma barraca que Astrid – argumentou Delilah, apontando as duas com o indicador. – Eu vou dormir naquela rede que acabei de ver o fulano de tal ali jogar na caminhonete.

Claire levantou a sobrancelha. *Fulano de tal?*

Delilah também levantou a sobrancelha para ela, e Claire teve que conter um sorriso.

– Olha só – disse Iris. – Agora é a hora, tá? Falta uma semana pro dia do juízo final e a gente precisa…

Iris parou de falar quando um carro que com certeza não era o de Astrid parou em frente à casa de Claire. Era prata e elegante, o emblema da Mercedes brilhando ao sol da manhã. Astrid saiu do lado do passageiro, com uma mala de mão Louis Vuitton na curva do braço, e deu a volta até a porta do motorista.

– Por favor, me diz que é o serviço de motorista de aplicativo mais chique da história – disse Iris.

A porta do motorista se abriu, e Spencer saiu com óculos de sol modelo aviador espelhado.

– Talvez ele só tenha vindo trazer Astrid – sugeriu Claire, mas suas mãos começaram a suar.

Astrid enganchou o braço no dele, sorrindo ao se aproximar. Spencer veio com uma mochila de couro que parecia bem cara pendurada na mão.

– Ou talvez – disse Delilah, colocando o braço sobre os ombros de Iris – Astrid não queira *mesmo* dormir na mesma barraca que vocês.

As Termas de Bagby ficavam nas profundezas da Floresta Nacional do Monte Hood. Claire examinou o local que Josh tinha reservado para o acampamento, que era perfeito, ela precisava admitir. O espaço era amplo e o chão bem plano para as barracas, e pinheiros altos os cercavam, criando uma área de sombra fresca e tranquila. As termas e a casa de banho, que ostentavam ofurôs recém-reformados, ficavam a uma caminhada breve, a cerca de 500 metros, e havia muitas trilhas para explorar durante o dia.

Era o refúgio perfeito.

Ou pelo menos seria se Astrid não estivesse colada a Spencer, que montava a barraca onde eles ficariam. Ela mal havia falado com Claire e Iris desde que chegaram, a não ser para perguntar o que é que Delilah estava fazendo lá, ao que Claire se enrolou com uma resposta bem desajeitada sobre o quanto Ruby tinha gostado dela e, meu Deus, quem poderia resistir àqueles olhinhos castanhos quando ela queria alguma coisa? Astrid resmungou uma resposta e logo correu até Spencer, que gritava pedindo as estacas e um pouco do espumante rosé que Iris abriu assim que chegaram.

Havia duas outras barracas – uma para Josh e Ruby e outra, pelo jeito, para Iris, Claire e Delilah.

Claire decidiu não pensar que dali a aproximadamente doze horas estaria enfiada entre a melhor amiga e a mulher com quem estava transando em segredo.

Naquele momento, as duas estavam discutindo sobre como cravar uma estaca no chão.

– É inclinada, sua tonta – disse Iris, arrancando um bastão fino de metal da terra e reposicionando-o no meio de uma das alças de náilon da barraca. – Você nunca acampou?

Delilah se sentou e abraçou os joelhos.

– Ah, sim, Isabel era uma mãe muito do mato mesmo. Era também líder escoteira e pegava peixes com as próprias mãos.

Iris ficou um tempinho olhando para ela e caiu na gargalhada.

– Meu Deus, eu adoraria ver Isabel Parker-Green comendo tiras de carne seca e bebendo em uma caneca de alumínio.

– A oitava maravilha do mundo.

Iris riu, Delilah também e, por algum motivo, aquela cena toda aqueceu o peito de Claire, como se tivesse mel correndo nas veias. Ela as observou por um instante antes de ir até Josh e Ruby, que estavam montando a barraca ao lado de uma pilha dos equipamentos que Josh tinha trazido para alimentar todos eles – panelas, duas caixas térmicas cheias de comida e uma mochila enorme que Claire sabia que ele usava para carregar todos os temperos e não perecíveis.

– Como estão as coisas por aqui? – perguntou ela, acariciando os cabelos da filha.

– Tudo ótimo! – exclamou a garota, passando uma haste preta fina através de um tubo na barraca de náilon, que se ergueu na forma de uma cúpula. – O papai está me ensinando tudo de acampamento.

– É? Tipo o quê?

– Tipo como montar uma barraca – respondeu Josh, e piscou para Ruby.

Quando os olhos dele se voltaram para Claire, ela poderia jurar que seu sorriso se desfez um pouco.

– Você sempre adorou a natureza – comentou ela.

Ele assentiu com firmeza.

– Ainda adoro. Adoraria morar em uma cabana um dia, com um riacho nos fundos.

– Você? – perguntou Claire, surpresa.

Adorar a natureza é uma coisa. Agora morar a quilômetros de qualquer outra pessoa é outra bem diferente. Ela não conseguia imaginar Josh, o homem que sempre fugia da cidadezinha natal para buscar algo melhor e maior, vivendo como um eremita na Cordilheira das Cascatas.

– Eu, sim – disse ele, fechando o zíper da entrada da barraca com mais de força do que Claire julgava necessário. – Um lugarzinho em Sotheby ou em Winter Lake. Tenho feito muitos trabalhos com o Holden por aqueles lados e parece ótimo.

– Sério?

Sotheby e Winter Lake ficavam a cerca de trinta minutos de Bright Falls, ao norte e a noroeste, respectivamente. Eram lugarezinhos minúsculos e famosos pela pesca, pelo centro pitoresco e por casas tão distantes na mata circundante que a impressão era de viver sozinho no próprio planeta.

– Sério.

A voz de Josh ficou ainda mais tensa e ele balançou a cabeça, colocando a capa de chuva sobre a barraca.

– Josh, o que...

– Rubes, pode pegar as toalhas lá na caminhonete? – pediu ele. – Estou pronto pra ir aproveitar as termas. E você?

– Também! – exclamou ela, e correu em direção à caminhonete.

Quando a filha estava longe o bastante para não ouvir, Claire se virou para ele.

– O que está acontecendo?

– Nada. – Ele prendeu a capa de chuva e jogou o saco vazio para dentro da barraca. – Vou levar minha filha pras termas. Tudo bem por você?

Ela piscou, os batimentos cardíacos disparando. Sabia que era seguro nadar nas termas. Havia uma casa de banho para imersão, mas também uma piscina natural a cerca de 800 metros da trilha principal onde dava para se esparramar um pouco mais. Ainda assim, qualquer um poderia se afogar, a qualquer momento, em qualquer lugar.

– Não, estou percebendo que talvez não esteja tudo bem por você – continuou ele, balançando a cabeça.

Ela soltou um suspiro.

– Josh, eu só…

– Eu vou assim mesmo. Você tem suas amigas, um cara ali que eu nem conheço com uma porra de um sapato de couro… O que é aquilo? Um tênis?

Claire olhou para Spencer, que estava mesmo usando o que só poderia descrever como o tênis mais chique que já tinha visto. Tinha cadarço e sola de borracha branca, mas a parte de cima era de um couro marrom liso, tão macio que ela sabia que devia ter sido caro.

– Achei que você tinha concordado que elas viessem – disse Claire, voltando a olhar para Josh.

– Ah, é, é um sonho realizado.

– O que você quer dizer com isso?

Ele pegou a mochila de cima da mesa e a pendurou no ombro, então fez um gesto indicando as outras quatro pessoas no acampamento.

– Quer dizer: que porra é essa, Claire? Era pra ser uma viagem com a *minha* filha. Ela e eu. Uma noite. Simples assim. De repente você me liga e diz que também vem? Ah, e Astrid e Iris, e agora Delilah e o Babaca Engomadinho ali.

Claire abriu a boca querendo confirmar que ele tinha percebido de cara que Spencer era mesmo um babaca engomadinho, mas sabia que não era a coisa certa a dizer no momento. Tentou se concentrar no que tinha deixado Josh chateado, que parecia ser o fato de ela e as amigas terem se intrometido na viagem dele com Ruby.

– Não vou pedir desculpa por querer garantir a segurança da minha filha – disse.

A mágoa tomou conta do rosto de Josh, mas Claire se recusou a se sentir culpada. Fora ele quem a havia colocado naquela posição, depois de anos sendo um pai com comportamento duvidoso.

– É disso mesmo que se trata? Segurança?

– O que você dizer com isso?

Ele soltou um suspiro, segurou a alça da mochila e olhou para o chão. Ao levantar o olhar, pareceu destruído, exausto.

– Eu nunca vou ser bom o bastante, né? – perguntou com a voz suave.

Ela abriu a boca, mas nenhuma palavra saiu. Nada. Ele assentiu e saiu andando em direção a Ruby, colocando o braço sobre os ombros dela ao se dirigirem para uma trilha bem demarcada.

Claire ficou olhando para eles, esperando que a filha se virasse e pelo menos sorrisse ou acenasse, mas ela não fez isso. Uma sensação de pânico queimou seu peito, mas ela a conteve. Afinal, Josh era bom naquele tipo de coisa. Na infância, os pais sempre levavam a ele e ao irmão para acampar, e Claire se lembrava vagamente de uma viagem que ele tinha feito com os melhores amigos até o Monte Rainier depois da formatura do colégio. Ninguém tinha morrido nem se perdido, nem mesmo ficado bêbado a ponto de cair no rio e quase se afogar.

Então, sim, Ruby ficaria bem. Talvez Claire nem precisasse estar ali.

Talvez seu medo fosse exatamente esse.

CAPÍTULO VINTE E DOIS

DELILAH VIU CLAIRE FICAR UM BOM TEMPO olhando para Josh e Ruby. Quis largar o saco de dormir que estava segurando, aquela coisa cheirando a naftalina que, segundo Iris, era de Grant, ir até lá e beijá-la até o dia seguinte, fazendo-a esquecer o que quer que Josh tivesse dito ou o que quer que ele pudesse significar para ela.

Mas não fez isso.

O que fez foi fixar os pés no chão coberto de agulhas de pinheiro secas, se esforçando para ignorar o pânico que se alastrava em seu peito como fogo.

Claire não era Jax.

E Claire e Delilah certamente não eram Jax e Delilah. Elas não estavam juntas. Não era algo sentimental. Estavam se pegando, nada mais. Em segredo, era bom lembrar. O fato de ela ter sentido vontade de socar alguma coisa – isso, ou levar Claire para a floresta e mostrar exatamente por que Josh não valia o tempo dela – era puramente biológico. Algo territorialista em Delilah estava erguendo a cabeça primitiva. Só isso.

A leve sensação de náusea no estômago era cem por cento por causa disso.

– Ela já passou por isso com ele.

Delilah piscou, virando-se para fazer uma careta para Iris, que tinha parado ao seu lado, também olhando para Claire.

– O quê?

– Josh e Claire. Ruby. Eles passaram por muita coisa.

– É, foi o que eu ouvi.

Iris levantou uma sobrancelha.

– De quem?

Delilah balançou a cabeça, mas logo percebeu que podia falar a verdade.

– Da Astrid.

Iris olhou para ela com os olhos semicerrados, mas assentiu e fez um gesto em direção a Claire.

– Ela merece coisas boas. Alguém bom. Alguém que a enxergue de verdade, sabe?

Essa conversa não estava aliviando a náusea nem o aperto no peito.

– E Astrid também – continuou Iris.

– E todas nós. É, muito fofo e comovente – disse Delilah, revirando os olhos.

– Talvez não todas nós – respondeu Iris.

Mas ela estava sorrindo e bateu na bunda de Delilah com a garrafa de água. Delilah não conseguiu conter uma risada aliviada. A relação levemente maliciosa que tinha com Iris já era confortável e familiar.

– Ô! – chamou Astrid, olhando para elas com uma expressão irritada. – Vamos caminhar até as termas ou não? Spencer e eu queremos fazer um pouco de exercício.

– É, garotas – disse Spencer, esfregando as mãos uma na outra. – Não viemos até aqui pra ficar falando de brilho labial e tinta de cabelo.

– Ah, saco – respondeu Iris, estalando os dedos. – Eu achei que a gente ia te maquiar todinho, Spence. Não?

Ele riu.

– Não nesta vida. E o nome é Spencer.

– Claro, Spence.

Ele abriu a boca para dizer mais alguma coisa, mas Astrid pegou sua mão e o levou até a barraca para que trocassem de roupa, lançando um olhar para Iris antes de entrarem.

– Meu Deus, eu odeio esse cara – disse Iris.

– Por quê? Ele é um doce – respondeu Delilah enquanto Claire se aproximava.

Os braços das duas se tocaram, e Delilah sentiu um arrepio imediato percorrer sua pele, o aroma campestre de Claire inundando seus sentidos.

Ela chegou um pouco mais perto de Iris. Nossa, precisava se controlar.

– Acho bom a gente se preparar pra caminhada, né? – perguntou Claire, cruzando os braços.

– Talvez a Delilah possa empurrar ele em um desfiladeiro – sugeriu Iris.

– Ah, claro – respondeu Delilah. – Tudo eu! Tudo eu!

– Você podia fazer parecer um acidente. – Iris cutucou seu braço. – Como no rio, né? Puro brilhantismo.

– Hum, caso você tenha esquecido, *eu* também caí no rio. Então não vou cair em um desfiladeiro pra pôr fim a um casamento. Estou aqui pra acabar com a felicidade, não pra morrer, sabe.

– Acabar com a felicidade? – perguntou Claire, franzindo as sobrancelhas.

Delilah soltou um "tsc". Quase tinha esquecido com quem estava. Por um instante, parecera estar simplesmente conversando com… amigas. Batendo papo, rindo, brincando. Tudo o que nunca tivera, mas Iris e Claire não eram suas amigas. Eram amigas de Astrid.

– A do Spencer – disse Delilah, forçando um sorriso.

O problema era que ela nem sabia mais o que estava fazendo. Astrid e Isabel a arrastaram de volta para Bright Falls, usando dinheiro e a memória de seu pai para exercer uma espécie doentia de controle sobre ela, e, quando Claire e Iris quiseram se livrar de Spencer, a ideia de testemunhar as Parker-Green encarando o cancelamento de um casamento da alta sociedade era deliciosa demais para deixar passar. Agora, no entanto, ver Claire olhando para ela com tanta doçura, lembrar a expressão arrasada de Astrid observando a foto infeliz ao lado de Spencer, discutir com Iris de um jeito que costumava acabar em risada… tudo isso parecia muito mais que uma viagem de duas semanas para o lugar que ela mais odiava no mundo.

Parecia o início de algo importante.

Aquilo não podia estar certo. Tudo o que tinha importância para ela estava em Nova York. Eram multidões, bares e mulheres cujo nome ela só lembrava de vez em quando. O Whitney. Colegas artistas. Agentes em potencial, vendas e prestígio.

– Sou a favor de acabar com o Spencer – declarou Iris, abrindo o zíper da entrada da barraca, pegando o saco de dormir que estava debaixo do braço de Delilah e jogando-o pela abertura. – Vou trocar de roupa.

E saiu de cena, deixando Claire e Delilah sozinhas pela primeira vez desde que ela saíra escondida da casa de Claire naquela manhã, quando os primeiros raios de luz clarearam o céu.

Assim que a porta de zíper se fechou, Claire segurou o pulso de Delilah e a puxou pelo acampamento até ficarem atrás da barraca de Josh e Ruby, fora de vista. Antes que Delilah pudesse perguntar o que estava acontecendo, os lábios de Claire tocaram os seus, suaves e quentes. Ela apoiou os braços nos ombros de Delilah, deslizando os dedos por seu cabelo. As mãos de Delilah encontraram o quadril dela, puxando-a mais para perto, e Delilah se abriu para Claire, a língua deslizando na dela como seda, arrancando o seu gemido mais suave.

Meu Deus, aquela mulher a deixava louca. Ela se sentia atrevida e fora de órbita, como uma adolescente excitada atrás do próximo amasso.

– Esperei o dia todo por isso – disse Claire quando se afastaram.

– É?

– É.

Mais um beijo. Mais um gemido suave.

– É melhor você tomar cuidado – sussurrou Delilah em seus lábios, deslizando as mãos até a bunda de Claire. – Estou prestes a comer você aqui mesmo.

Claire ficou tensa e se afastou.

– Calma. Não vou fazer isso – disse Delilah.

– Não foi isso que eu... – Claire fechou a boca, procurando os olhos de Delilah. – Quero ficar sozinha com você.

Delilah deu um sorrisinho malicioso e encostou a boca no pescoço de Claire, rosnando baixinho contra sua pele.

– Eu também.

Claire riu.

– Não pra isso.

A língua de Delilah traçou um caminho até a orelha de Claire, que respirou fundo.

– Tá, não só pra isso – emendou ela. – Mas eu quero... também quero conversar.

Delilah se afastou, sentindo um frio na barriga.

– Sobre o quê? Não vou contar pra ninguém o que estamos fazendo. Já falei isso pra você.

– Não, não é isso.

– O quê, então?

Claire soltou um suspiro e encostou a testa no ombro de Delilah.

– Ei – disse Delilah, beijando sua têmpora. – O que foi?

Claire levantou a cabeça e sorriu, mas o sorriso não chegou a seus olhos.

– Nada. Não é nada.

– Aconteceu alguma coisa. Dá pra ver.

Claire balançou a cabeça.

– Na verdade, não… eu… – Ela levantou as sobrancelhas, só um pouco. – Quero ver aquela foto. Que você tirou de mim na beira do rio.

Os olhos de Delilah se arregalaram. Ela teve a sensação de que não era sobre isso que Claire queria conversar de verdade, mas deixou passar.

– Sério?

Claire assentiu e abraçou Delilah com mais força, descendo as mãos por suas costas.

– Claro que quero. Você sabe que a Iris e eu reviramos seu Instagram, né?

O calor se espalhou pelo rosto de Delilah. Ela ainda não tinha se acostumado com a ideia de alguém que não fosse gente estranha rolando o feed de suas obras.

– Eu imaginei – disse ela.

Claire franziu o cenho.

– Tudo bem?

– Tudo, tudo. Só é esquisito.

– Bom, não devia ser. Você é muito talentosa, Delilah. Até a Iris gosta do seu trabalho. O jeito como você usa a luz e os ângulos que escolhe. Não sei nada de fotografia, mas suas fotos… Não sei. São emocionantes. Raivosas, tristes e empoderadas. Me fizeram sentir alguma coisa.

Como qualquer artista, Delilah via o próprio trabalho com uma mistura confusa de autoaversão e autoengrandecimento, então as palavras de Claire se aninharam como uma brasa no fundo de seu peito e ficaram ali, reluzindo, calorosas e brilhantes.

– Sério? – perguntou.

– Sério – sussurrou Claire. – As fotos que você vai exibir no Whitney vão ser de tirar o fôlego.

E Claire a beijou, um beijo suave, lento. Aquela brasa no peito de Delilah se acendeu, queimando como uma chama intensa. Nesse momento, ela não se importou com segredos, nem com Josh, Astrid ou o fato de Jax ter pulverizado seu coração, tampouco com a ideia de expor no Whitney e *ainda assim* não avançar na carreira a fazia querer se deitar em posição fetal e chupar o polegar. Ela só se importava com Claire em seus braços, sussurrando coisas que a faziam sentir que alguém a enxergava pela primeira vez em...

Merda.

Talvez fosse a primeira vez que ela se sentia assim. Ou não, não aquele exato momento, mas cada momento com Claire desde sua volta a Bright Falls – conversando com ela na livraria, deitada na cama com ela no Lírio Azul, ouvindo-a falar sobre suas preocupações no que dizia respeito a Josh, contando a ela sobre Jax, vendo os olhos de Claire literalmente brilharem quando ela falava sobre Ruby. Caramba, até quando a deixara dar em cima dela na Taverna da Stella, desavisada.

E na noite anterior, sua pele, seu corpo, seu toque. *Só sexo* que de repente parecia muito mais.

Delilah se entregou ao beijo, tentando desligar seus pensamentos com a boca, a língua, as mãos deslizando para dentro do bolso da bermuda da Claire.

Não funcionou. Claire suspirava em sua boca como se estivesse *feliz*. Tudo isso rodopiava na mente de Delilah como um furacão reunindo forças. Ela se afastou. Precisava de ar, de espaço. Precisava colocar a cabeça de volta no lugar naquele jogo casual de sexo.

Claire franziu o cenho.

– Tudo bem?

Delilah não disse nada, não precisou. O som de um zíper ecoou pelo acampamento, seguido pela voz retumbante de Spencer mandando Astrid encher sua garrafa de água.

– É melhor a gente começar a acabar com essa felicidade logo – disse Delilah, virando-se e engolindo em seco aquela coisa irritante que parecia fechar sua garganta.

CAPÍTULO VINTE E TRÊS

ELA FOI COM MUITA SEDE AO POTE. Deve ter sido isso. Delilah percebeu que na verdade Claire queria conversar sobre *elas*, sobre o que era aquilo entre elas, embora já tivessem estabelecido que era sexo, sexo e mais sexo. Por que outro motivo teria se afastado daquele jeito, buscando o ar como se Claire a estivesse sufocando? Ela sabia que aquilo era um erro. Claire não era capaz de se relacionar de um jeito casual, e agora Delilah estava pirando e percebendo que Claire estava carente de amor e só queria entrar no coração dela e não sair mais de lá.

Mas Claire não queria isso.

Não podia querer.

Aquela era *Delilah Green*, a irmã postiça da sua melhor amiga que abandonara a família havia doze anos e mal tinha olhado para trás, e Claire sabia muito bem como era amar alguém que não podia ficar. Que não queria ficar.

Mas… depois de ouvi-la falar sobre Astrid na noite anterior, dizendo que a relação dela com a irmã não era nada complicada, que Astrid e Isabel simplesmente não a queriam… as palavras pareceram verdadeiras. Não que ela culpasse Astrid. Já tinha perdido o pai e depois um padrasto, e Isabel não era o tipo de mãe que distribuía amor com facilidade. Delilah *era* uma criança esquisita, fria e distante, mas tinha perdido o pai e a mãe antes de completar 10 anos.

Será que isso não deixaria qualquer pessoa estranha, fria e distante?

E agora, adulta, ela não era nada disso. Um pouco arisca, verdade, e espinhosa. Mas algo nela fazia o pulso de Claire acelerar, além do sexo espetacular, mesmo quando estavam só conversando. Delilah era brilhante, engraçada e forte, e Claire queria envolvê-la todinha, inundá-la, ajudar a ocupar aquele olhar assombrado com algo suave e doce.

Claire esfregou os olhos por debaixo dos óculos, tentando reprimir aqueles malditos *sentimentos*. Sempre quisera ser do tipo de pessoa capaz de ir para a cama com alguém e deixar que fosse só isso – sexo, sensação, pele. Sabia que não havia nada de mau no fato de nunca ter sido assim. Além disso, tivera a filha muito cedo e sempre houve muito em jogo, ou simplesmente não havia tempo suficiente a cada dia, mas era muito divertido ouvir sobre as façanhas de Iris aos 20 e poucos anos. Até Astrid tivera algumas noites de sexo casual e essas foram apenas as que havia contado para Iris e Claire.

Você não é do tipo casual, e tudo bem.

As palavras de Iris daquela noite na Taverna da Stella ecoaram na cabeça de Claire, mas ela ignorou. Podia ser do tipo que quisesse ser, e naquele momento o que a satisfazia era ter Delilah em sua cama. Ajeitou a roupa e endireitou os ombros, determinada a ir com calma com ela dali em diante.

Sexo, disse a si mesma. *Pense em sexo, e só.*

– O que você está fazendo? – perguntou Iris ao vê-la sair de trás da barraca de Josh e Ruby.

– Ah, é, só procurando uma garrafa de água que eu possa usar – respondeu ela, olhando ao redor. – Josh sempre traz milhares.

– É, mas a *sua* garrafa está com a sua mochila – disse Iris, apontando para a mochila de Claire, encostada na barraca delas, uma garrafa roxa presa em uma das alças.

– É mesmo – respondeu Claire, e deixou por isso mesmo. Pegou a garrafa e bebeu um gole da água já morna.

– Muito bem, vamos nessa – chamou Spencer, batendo palmas uma vez como se elas fossem gado.

E deu um tapa na bunda de Astrid quando ela foi em direção à trilha. Deu um sorrisinho para ela, então a envolveu nos braços e a beijou.

Claire ficou olhando, de dentes cerrados, Astrid retribuir o beijo. Mas sua melhor amiga não estava sorrindo e seus braços pareciam rígidos ao redor dos ombros de Spencer, cujas mãos passeavam por sua bunda. Não estava gostando daquilo, nem um pouco, mas nunca tinha sido muito de demonstrar afeto em público. Enquanto muitas mães ensinam boas maneiras, Isabel martelava decência na cabeça da filha.

– É pedir demais que uma pedra bem grande, sei lá, caia na cabeça dele? – perguntou Iris amarrando as botas de trilha.

– Se ao menos a gente fosse do tipo que reza – disse Claire.

– Estou disposta a me converter se isso tirar esse chapéu de merda da nossa vida.

– Agora ele é um chapéu de merda?

– Ele é qualquer coisa de merda. Camisa. Cinto. Casaco.

– Bota de merda soa bem.

– Soa mesmo.

Claire riu, mas seus olhos viajaram até Delilah sem sua permissão. Ela estava sentada à mesa de piquenique, mexendo no celular. Claire se esforçou para desviar o olhar.

– Prontas? – chamou Astrid, afastando-se de Spencer.

– Arrã – respondeu Iris, enlaçando o braço no de Claire e apertando com força.

Juntas, caminharam até o início da trilha, mas, ao chegarem lá, Delilah ainda não tinha se levantado da mesa.

– Você vem, Del? – perguntou Astrid.

Delilah levantou o olhar. Parecia entediada.

– Não. Parece que vai chover.

– Aqui é o Noroeste do Pacífico – disse Spencer. – Sempre parece que vai chover.

– Ai, nossa, você tem razão. – Delilah olhou para as árvores ao redor, com os olhos arregalados e a voz doce. – Quase esqueci em que parte do país eu estava. Muito obrigada.

Iris soltou uma risada bufada, mas Spencer resmungou alguma coisa que pareceu muito com *vaca*, bem baixinho, e o sorriso de Iris virou uma encarada assassina. Claire ouviu Astrid respirar fundo. Em seguida, a amiga se virou e bebeu um gole da garrafa de água.

– Estou de boa aqui – disse Delilah, voltando para o celular.

– Tem certeza? – perguntou Claire.

Ela voltou um passo em direção ao acampamento, desejando que Delilah olhasse para ela.

Mas Delilah não olhou. Em vez disso, só assentiu, e Claire sentiu o estômago despencar até os pés. Iris puxou o braço dela em direção à trilha, e ela foi, mas não conseguiu se livrar da sensação de pânico que borbulhava em seu peito. Primeiro Josh, agora Delilah. Ela se sentia ilhada, fora de controle e prestes a irromper em lágrimas extremamente constrangedoras.

Depois de cinco minutos de caminhada, ela soltou o braço que estava enlaçado no de Iris.

– Sabe de uma coisa? Vou dar uma olhadinha na Ruby nas termas.

– O quê? – perguntou Iris, empalidecendo.

– É, é que eu… estou nervosa, sabe? Com ela e o Josh e eu…

Não sabia como dizer que simplesmente precisava *ir*, que precisava chorar e abraçar a filha, a única coisa da vida que lhe trazia alguma certeza.

– Querida, está tudo bem? – perguntou Astrid, se aproximando dela. – Quer que a gente vá com você?

Claire balançou a cabeça.

– Vão fazer a trilha. Aproveitem.

– Você ouviu – disse Spencer, pegando o braço de Astrid. Ele começou a levá-la pela trilha, com tênis de couro e tudo. – Ela está bem. Vamos.

– Claire – falou Iris, arregalando os olhos cheios de significado. – Você tá falando sério?

– A gente se vê no acampamento, tá? – respondeu ela, antes que Iris pudesse dizer mais alguma coisa. A culpa se revirou em suas entranhas, mas ela se afastou da amiga e correu de volta pela trilha.

Claire correu pelas árvores até chegar ao acampamento, com a respiração pesada, os olhos percorrendo o espaço. Delilah ainda estava empoleirada na mesa, o celular na mão, e levantou a cabeça rápido ao vê-la, as sobrancelhas franzidas em uma expressão que esperava que fosse de preocupação, não irritação.

– Você não tinha ido fazer a trilha? – perguntou Delilah.

Claire tentou se acalmar o mais discretamente possível enquanto todas as respostas erradas surgiam em sua cabeça.

Eu queria ver você.

Eu estava preocupada com você.

Eu estava preocupada com a gente.

Mas sabia que não podia dizer nenhuma dessas coisas. Não eram respostas *casuais* à pergunta de Delilah.

– Decidi não fazer – respondeu Claire. – Vou até as termas dar uma olhadinha na Ruby.

Isso. Uma resposta descontraída e perfeita. Sua voz nem tremeu.

Delilah assentiu, e Claire foi em direção à barraca para vestir a roupa de banho. Abaixou-se para passar pela entrada, fechou o zíper e esfregou os olhos sob os óculos. As lágrimas afloraram e ela tentou reprimi-las. Aquilo era ridículo. Ela brigava com Josh o tempo todo. E Delilah tinha todo o direito de não fazer a trilha, de ficar longe *dela*.

Mas Claire nunca lidara bem com conflitos. Quando era criança, seus pais brigavam sem parar, e a mãe passara a maior parte da vida em São Francisco infeliz. Depois que o pai foi embora e ela e a mãe se mudaram para Bright Falls, passou anos garantindo que a mãe estivesse bem, que sua vida fosse o mais tranquila possível, sempre seguindo as regras o máximo que podia.

Então ela engravidou.

Mesmo assim, a mãe a apoiou – fazia muito tempo que elas só tinham uma à outra – e tudo acabou bem. Maravilhoso, até. Mas ela e Josh começaram a discutir, duas crianças idiotas com problemas de adulto, e ela sempre acabava chorando quando brigavam, sempre acabava se sentindo patética. E agora, sem dúvida, Iris estava irritada com ela por tê-la abandonado com o Calça de Merda, então Claire tinha basicamente piorado tudo. Ainda assim, não teria conseguido seguir a trilha sem fazer o que estava fazendo naquele momento – deixar que algumas lágrimas caíssem e dar umas respiradas trêmulas. Só precisava de alguns minutos e ficaria bem. Estaria pronta para encontrar a filha, ignorar o que quer que Delilah estivesse fazendo e pensar em um jeito de recompensar Iris. Estaria…

A entrada da barraca se abriu e, antes que Claire pudesse secar o rosto ou pelo menos puxar a camiseta por cima da cabeça para esconder o rosto e os olhos, que provavelmente estavam bem vermelhos, Delilah entrou.

– Ah, oi – disse Claire.

Calma. Descontraída. Mas sua voz saiu rouca e lacrimejante. Ela se virou de costas para Delilah, se abaixando para abrir a mochila e pegar a roupa de banho.

– O que foi? – perguntou Delilah, a voz tão suave que Claire sentiu mais vontade ainda de chorar, o que ela *não* ia fazer.

– Nada. – Encontrou um maiô vermelho e branco de bolinhas e segurou-o contra o peito ao se levantar. – É que... acho que sou alérgica a alguma coisa por aqui.

Nossa, ela estava começando a mentir muito bem.

– Claire, não minta.

Tá, talvez não tão bem assim.

Ela soltou um suspiro e se virou para Delilah.

– É que... briguei com o Josh. Não foi nada de mais, mas me abalou.

O olhar de Delilah se suavizou. O interior da barraca estava quente e úmido, apesar do frescor do ar de junho lá fora. Não havia muito espaço ali dentro, e, quando Delilah se aproximou, dando um passo, Claire seria capaz de jurar que sentiu a respiração das duas se misturar.

– Qual foi o motivo da briga? – perguntou Delilah.

Claire deu de ombros, o peito mais uma vez apertado.

– Ruby. A gente. O mesmo de sempre.

Uma pequena depressão surgiu entre as sobrancelhas de Delilah, mas ela só assentiu.

– O que eu posso fazer pra ajudar?

Claire não esperava por essa pergunta. Não de Delilah. Um aceno empático, claro, ou uma piada sobre o horror universal que são os homens cis brancos, talvez. Mas não essa oferta carinhosa, pronunciada enquanto passava os braços pela cintura de Claire e a puxava mais para perto. Isso a fez querer enterrar o rosto no pescoço dela, inspirando aquele aroma que era todo Delilah, sol e chuva ao mesmo tempo.

– Eu... eu não sei – disse Claire. – Ir até as termas comigo?

A súplica deixou seus lábios antes mesmo que ela pudesse repensar. Era uma resposta razoável, mas o jeito como ela disse, desesperada e com um leve resfolegar, a fez querer se enrolar feito uma bolinha mais uma vez.

Mas Delilah não pareceu incomodada. Ao contrário, sorriu, puxando o quadril dela contra o seu. O desejo vibrou no abdômen de Claire.

– Só isso? – perguntou Delilah, e mergulhou a língua na clavícula de Claire.

– Hum... Bom... – disse Claire, mas, quando os dentes de Delilah roçaram sua pele, um gemido escapou no lugar de qualquer palavra coerente. Ela largou o maiô e enterrou as mãos nos cachos de Delilah.

– Isso ajuda, é? – perguntou Delilah.

– Um… um pouco.

– E isso?

Delilah levou os dedos até o botão da bermuda de Claire, soltando o fecho e abrindo o zíper tão devagar que ela sentiu a vibração entre as pernas.

– Isso… é, isso talvez ajude – respondeu.

Ela apertou as costas de uma das mãos contra a boca para tentar ficar quieta enquanto Delilah enfiava a mão dentro da sua bermuda e a espalmava sobre a calcinha, os dedos pressionando e explorando.

– Já está molhada – disse Delilah, com os lábios em seu pescoço.

Meu Deus, e como estava. Claire tinha a impressão de ter passado a semana inteira encharcada, sempre que estava perto de Delilah Green, mesmo antes de elas começarem… o que quer que aquilo fosse.

Os dedos dela trabalharam sobre o algodão em círculos deliciosos. Claire se agarrou aos ombros dela, as pernas bambas, pressionando o quadril contra a mão de Delilah.

– Tudo bem? – perguntou Delilah, os dedos subindo e deslizando devagar sobre o cós da calcinha de Claire.

Em resposta, Claire só conseguiu assentir, desesperada para sentir a pele dela na sua. Delilah não a fez esperar muito, soltando também um gemido baixinho ao mergulhar os dedos no calor úmido de Claire. Ela fazia círculos para cá e para lá, explorando devagar, tortuosamente, até escorregar um dedo para dentro e apertar a palma da mão contra o clitóris de Claire.

Claire arfou e jogou a cabeça para trás. A língua de Delilah se libertou para sentir o sabor da pele logo abaixo de sua orelha ao inserir mais um dedo, movimentando-os para que sua mão friccionasse exatamente onde Claire precisava.

– Mais rápido – sussurrou Claire, as unhas cravadas nos ombros nus de Delilah.

Outras palavras saíram de sua boca, coisas que Claire nunca tinha dito durante o sexo, palavras bem picantes, mas ela não ligava, porque isso… era disso que ela precisava. Transar com força, rápido, sem nada de sentimental.

Ela pressionou o quadril contra os dedos talentosos de Delilah, se impulsionando contra sua mão até alcançar o clímax. O orgasmo tomou conta dela, que desabou contra o corpo de Delilah, seus gritos abafados pelo pescoço dela. Delilah ficou com a mão no lugar onde estava até os espasmos do corpo dela cessarem e, mesmo então, não teve pressa, provocando-a e acariciando-a com os dedos até tirá-los devagar da bermuda de Claire.

– Melhorou? – perguntou Delilah, um sorrisinho malicioso nos lábios.

Claire tentou sorrir também, mas acabou rindo. Um espaço se abriu em seu peito sem que ela pudesse explicar.

– Muito melhor.

Ela levou a mão até a calça de Delilah, mais que disposta a retribuir o favor, mas Delilah a deteve.

– Depois – disse.

Claire franziu o cenho.

– O quê? Mas eu quero...

– Eu sei. – Delilah pegou a mão de Claire e colocou-a na própria cintura, aproximando-as ainda mais, seus lábios se tocando enquanto falava. – E você vai. Mas, agora, vamos nadar. Você queria ver a Ruby, não queria?

Claire exalou em seus lábios.

– Queria.

Delilah assentiu.

– Então vamos lá.

Ela fez menção de se afastar, provavelmente para pegar suas roupas de banho, mas Claire a puxou para mais perto. Ela manteve os olhos abertos enquanto se beijavam, um beijo suave e lento. Quando se afastaram e viraram para vestir as roupas de banho, Claire seria capaz de jurar ter visto uma faísca de algo que parecia felicidade na expressão de Delilah.

– Iris vai me matar.

Claire olhou para Delilah enquanto andavam pela trilha que levava às termas. Ela estava com um biquíni preto que deixava todas as tatuagens à mostra, uma bermuda jeans de cintura alta e botas. Parecia suave e fodona ao mesmo tempo, e Claire não conseguia parar de olhar para ela.

Era um problema.

– Por quê? – perguntou Delilah, de olho nas agulhas secas dos pinheiros.

– Eu deixei ela sozinha com Spencer e Astrid – respondeu Claire.

Delilah estremeceu.

– É, ela não vai te agradecer por isso. A não ser que vocês tenham dado um jeito de avançar com a Operação Bota de Merda de longe.

Claire soltou um lamento, mas de repente parou e pousou a mão no braço de Delilah.

– É isso – disse.

– O quê?

– Operação Bota de Merda.

Ela se virou para Delilah, e um sorriso meio Gato Risonho curvou seus lábios.

– O que é que tem?

Claire gesticulou com as mãos.

– Precisamos… sei lá. Ampliar.

Delilah levantou uma das sobrancelhas.

– Você está falando de fazer pegadinhas?

– Isso!

Claire bateu palmas uma vez e apontou para Delilah.

– Exatamente. Pegadinhas de acampamento.

– Tipo despejar mel no saco de dormir dele ou coisa do tipo? Porque eu topo.

Claire franziu o cenho.

– Bom, não isso exatamente. Quer dizer… ele vai dividir a barraca com Astrid. Quero deixar ele louco, não ela.

– Podemos dar sonífero pra eles e depois levar o colchão de ar dele até a água, como naquele filme *Operação Cupido*.

– Ah, meu Deus, eu adoro esse filme. – Claire deu umas batidinhas no queixo. – Mas acho que ele não tem um colchão de ar.

– E a água não fica exatamente a uma distância que dê pra arrastar o colchão até lá – disse Delilah.

– Dar água com açúcar pra ele pra atrair insetos?

– Você sabe quanto ele detesta insetos.

Elas riram, mas nada que sugeriam parecia viável nem, bom, maduro.

Mas Claire não estava ligando muito para maturidade no momento. Ela ligava para *isto*: Delilah e ela embaixo das árvores, tramando como adolescentes para ajudar a amiga. Parecia algo mais que apenas planejar uma pegadinha – parecia que estavam recuperando alguma coisa, algo divertido, leve e cheio de significado que elas nunca tiveram quando crianças.

Algo que Claire nunca nem pensara em tentar ter.

Mas que sem dúvida poderia tentar agora.

– Talvez a gente deva consultar o oráculo – propôs Claire, pegando a mão de Delilah e entrelaçando seus dedos quando elas voltaram a caminhar.

– Ah, o onisciente – disse Delilah, sorrindo. – Se Astrid tirasse a carta do louva-a-deus, seria ideal. Era só arrancar a cabeça dele e pronto.

Claire riu.

– Eu duvido muito que ela tiraria a maçã.

– Bom, ela não é tarada como você.

– Ei! – Claire bateu o ombro no dela, e Delilah bateu de volta.

Caminharam assim por um tempo, quase até chegar às termas, quando a postura de Claire se endireitou de repente.

– Já sei – disse, fazendo Delilah dar meia-volta e levando-a pela mão de volta para o acampamento.

– A gente não ia nadar? – perguntou Delilah.

– A gente vai – respondeu Claire, chutando um galho seco de pinheiro do caminho. – Mas primeiro vamos dar uma olhadinha nos suprimentos de cozinha do Josh.

CAPÍTULO VINTE E QUATRO

MEIA HORA DEPOIS, Delilah não conseguia parar de sorrir enquanto elas corriam pela trilha até as termas. As duas estavam com os dedos entrelaçados sob as árvores, e Claire soltava umas risadinhas que faziam Delilah se sentir como se tivesse voltado para a época da escola, mas não a escola que ela frequentara. Essa era toda *pertencimento* e *amizade* e *risadas*. Delilah não tinha essas coisas nem agora, menos ainda quando era criança.

Um milhão de sentimentos se enroscavam em suas entranhas, confusos e viciantes. Ela não sabia ao certo o que fazer com eles, senão ignorá-los, reprimi-los e se concentrar na sensação da mão de Claire na sua.

Em como Claire parecia… feliz.

Era uma sensação inebriante fazer uma mulher linda sorrir e rir daquele jeito. Tão inebriante que, quando as árvores acabaram e a pequena piscina natural cintilou diante delas, Ruby dando gritinhos enquanto Josh a jogava para cima, Delilah e Claire não se soltaram. Não de cara. Por um segundo, pareceu tão… normal ficar de mãos dadas na presença de outras pessoas.

Mas, quando Ruby emergiu da água, Claire se soltou. Delilah estava determinada a não deixar que aquilo a incomodasse, o segredo. Claire era adulta e tinha uma filha, e ela sabia que não era a parceira dos sonhos de ninguém.

Ela entendia.

Contudo, quando Claire se afastou dela, indo em direção à água, tirando os sapatos e descendo a bermuda por suas belas coxas, Delilah começou a pensar que não gostava daquilo.

Não gostava nadinha.

Delilah passou o resto da tarde com Ruby. Nadaram na água quente enquanto Claire conversava baixinho com Josh, Delilah fingindo o tempo todo não ouvir o estresse no tom de voz dela. Mais tarde, quando voltaram ao acampamento e vestiram roupas secas, ela se sentou com Ruby em um tronco e mostrou a ela como editar a foto da bacia de pássaros que a garota tinha tirado na noite anterior.

– Caramba! – exclamou Ruby quando Delilah ajustou a exposição. – É incrível como faz diferença.

– Bom – disse Delilah, mexendo na saturação –, o truque é fazer parecer que não tem edição nenhuma. Entender como fazer com que a luz natural, a cor e o tom naturais fiquem realçados, não completamente alterados. Tipo, olha essa parte aqui. – Delilah apontou para a flor no meio da água turva na tela. – O que você faria pra ela ficar melhor?

Ruby fez uma careta, pensando.

– Eu… eu deixaria mais nítida.

Delilah sorriu e cutucou seu ombro.

– Eu também. – Ela tocou na aba *Detalhe* e entregou o celular a Ruby. – Manda ver.

A garota brincou com a ferramenta de nitidez, observando como a foto mudava, antes de escolher uma configuração que deixava os contornos da flor um pouco mais nítidos.

– O que mais? – perguntou Delilah.

Ruby olhou para a tela.

– A cor. Quero deixar meio… desbotada?

– Por quê?

– Porque… porque é uma foto meio triste? Uma bacia de pássaros antiga, uma única flor, água suja. Não é… não é uma coisa que os pássaros usam. Está esquecida.

Delilah abriu os lábios enquanto observava a garota olhar para a foto com as sobrancelhas franzidas e sentiu um aperto no peito. Mas não era um aperto ruim, só trazia de volta uma sensação que ela havia experimentado com Claire um pouco antes, como se os anos se repetissem. Ruby via o mundo de um jeito que Delilah conhecia, o ponto de vista de uma artista, e podia ser um modo solitário de viver a vida. Ruby não estava sozinha, é claro, a garota tinha várias pessoas que a amavam, então, ela e Delilah eram diferentes nesse aspecto. Mas em outros, como aquela bacia de pássaros e o que podia simbolizar, eram parecidas.

E isso era… reconfortante.

Delilah sentiu uma vontade louca de estender a mão e colocar o cabelo úmido da garota atrás de sua orelha, mas não o fez. Em vez disso, só assentiu.

– É. Desbotar a cor um pouco vai deixar a foto poderosa.

Ruby olhou para ela.

– Sério?

– Com certeza. – Ela abriu a aba *Cor*. – Você pode ajustar a temperatura aqui, tipo, deixar os tons mais frios ou mais quentes, e a vibração, que vai suavizar a cor sem deixar a foto em preto e branco.

Ruby assentiu e começou a mexer no aplicativo. Delilah se acomodou e, ao levantar o olhar, viu Claire observando da mesa. Ela tentara fazer as pazes com Josh se oferecendo para ajudá-lo com o chili que ele ia preparar, então agora estava abrindo latas de feijão e despejando o conteúdo em uma panela enquanto ele refogava a carne no fogareiro. Claire estava com um sorriso discreto no rosto, o olhar suave observando Ruby criar.

Delilah se levantou, deixando Ruby com sua arte, e se sentou em frente a Claire.

– Obrigada por isso – disse Claire, abrindo mais uma lata de feijão.

– Não precisa agradecer. Foi legal. Ela é uma menina incrível.

Claire abriu um sorriso.

– É mesmo.

– E talentosa.

– Você acha?

– Pra caramba. Desenha muito bem e tem olhos bons, uma boa intuição.

Claire respirou fundo, mas seu sorriso murchou quando ela olhou para a trilha.

– Será que a gente deve se preocupar por eles ainda não terem voltado?

Delilah franziu o cenho, pegando o celular de Claire para ver que horas eram. Fazia um tempo que eles tinham ido.

– Você mandou mensagem pra Iris?

Claire assentiu.

– E pra Astrid. Três vezes. Mas o sinal não é muito bom lá.

– Talvez eles...

Mas Delilah foi interrompida pelo barulho de vozes vindo da trilha. Os três apareceram, todos carrancudos, e estavam... bom, estavam com uma aparência péssima. Spencer estava totalmente vestido e encharcado, inclusive o tênis de couro, que fez um barulhinho chiado quando ele saiu da trilha. Iris tinha galhos presos no cabelo, e a expressão de Astrid era uma tempestade.

Não, um furacão.

– Putz – disse Claire, estremecendo.

Ela se levantou e foi em direção às amigas, mas parou quando Spencer jogou a mochila no chão e gritou:

– Graças a Deus essa merda acabou! – E entrou na barraca.

– O que aconteceu? – perguntou Claire enquanto Astrid respirava fundo e esfregava os olhos.

– Nada – respondeu ela. – A gente se perdeu um pouco.

– Que merda – disse Josh, levantando-se de onde estava agachado em frente ao fogo. – Vocês estão bem?

– Óbvio – respondeu Astrid, a voz cheia de desprezo.

Josh levantou as mãos, como quem se rende, e voltou a cozinhar, resmungando baixinho alguma coisa que Delilah não conseguiu decifrar.

– *A gente* não se perdeu – explicou Iris. – Spencer, o grande explorador da natureza, fez a gente se perder.

– Iris – falou Astrid, soltando um suspiro. – Deixa isso pra lá.

– Não tenho culpa se seu noivo é incapaz de seguir uma trilha – respondeu Iris. – O caminho estava bem demarcado, mas não, ele tinha que dar uma de pioneiro.

– Ele queria explorar.

– É assim que as pessoas morrem na floresta, Astrid, o que eu disse com todas as letras.

– Bom, a gente não morreu.

– Não, só fomos picados por milhões de insetos, vimos a porra de um urso e ficamos sem água há uma hora. Muito divertido explorar.

– Opa, opa, vocês viram um *urso*? – perguntou Claire.

– Estava bem longe – disse Astrid, revirando os olhos. – E ele nem ouviu a gente.

Delilah pegou a garrafa de água e a levou para Iris, que arrancou a garrafa de sua mão e bebeu fazendo barulho. Claire ofereceu a sua para Astrid, que a aceitou com os olhos fixos no chão.

– A única parte boa foi quando o querido Spencer levou um tombinho ao decidir que jamais seria um homem de verdade se não atravessasse os grandes rios da terra.

– Ah, pelo amor de Deus, Iris – disse Astrid. – Ele estava tentando encher a garrafa de água.

– É um ótimo jeito de pegar cólera – respondeu Iris.

Astrid enfiou a garrafa de volta nas mãos de Claire e saiu pisando firme em direção à barraca sem dizer mais nada.

– Meu Deus – disse Delilah, segurando um sorriso.

Nada era mais divertido que ver Astrid Parker fora da sua zona de conforto. Mas, quando ela se virou e viu Iris olhando para Claire e Claire retorcendo as mãos, sua alegria desapareceu.

– Você – disse Iris, os dentes cerrados. – Me. Abandonou.

– Desculpa – respondeu Claire. – Eu achei…

– Você me deixou sozinha com eles, e sabe que eu não consigo ficar de boca fechada perto daquele Mocassim de Merda.

– O que você disse pra ele? – perguntou Claire.

– Quando? Quando ele não parava de falar do precioso sapato de couro italiano que ele decidiu usar na porra do meio do mato ou quando ele ficou falando pra Astrid que não precisava ter vergonha de usar um bastão de caminhada já que ela estava tão fora de forma? Ou, não, espera, que tal quando ele começou a me encher o saco porque Grant e eu não somos casados e não temos filhos, embora Astrid tenha pedido pra ele deixar isso pra lá, e ele tenha começado a dar uma palestrinha poética sobre meus óvulos estarem secando?

– Puta merda, ele disse isso? – perguntou Claire.

– Disse, sim. Ainda bem que o Grant teve que trabalhar hoje e não estava aqui pra ouvir.

Os ombros de Iris caíram, e todo o ar deixou seus pulmões enquanto ela esfregava a testa.

Delilah sentiu que lhe faltava uma peça para entender o que tinha acontecido, uma peça importante e em formato de grande amizade, mas não sabia como perguntar.

– Querida, sinto muito – disse Claire, se aproximando de Iris e acariciando seus braços. – Josh e eu brigamos e eu...

– Eu entendo – interrompeu Iris, agora com a voz suave. – Mas nosso plano, infelizmente, foi por água abaixo.

– Não sei, não – disse Delilah. – Astrid parecia chateada.

– É – respondeu Iris. – Comigo.

Delilah inclinou a cabeça.

– Talvez um pouco. Mas parece que o Spencer foi bem babaca. Talvez ela esteja meio frustrada com ele também.

Iris entrelaçou o braço no de Claire e encostou a cabeça no ombro da amiga, a raiva esquecida.

– Pode ser. Eu descobri que ela não convidou ele pra vir acampar.

– Não? – perguntou Claire.

– Não. Quando a gente se perdeu, eles começaram a discutir porque a Astrid queria voltar e ele achava que a gente devia seguir em frente. Ele disse irritado que a viagem tinha sido ideia dela, e ela retrucou dizendo que, pra começo de conversa, nem tinha convidado ele. Que ele *tinha* que vir junto porque achava que ela não conseguia encarar a natureza sozinha.

– Meu Deus – disse Claire. – Ele disse isso pra ela?

– Bom, a Astrid não é exatamente do mato – comentou Delilah.

Iris olhou para ela.

– Não é essa a questão. A questão é que ele acha que ela é incompetente, e ela sabe disso.

– Coitada da Astrid – disse Claire. – O que a gente faz agora?

– A gente só precisa conversar com ela, Claire – respondeu Iris. – Já chega. Você e eu. Hoje à noite.

Claire assentiu, agarrando a mão de Iris. Nenhuma das duas olhou para Delilah nem tentou incluí-la no plano das melhores amigas. E, por Delilah, tudo bem. Tudo ótimo.

Ela se virou e deixou as duas sozinhas para planejar o que dizer a Astrid, voltando a se sentar ao lado de Ruby para ver a beleza que a garota tinha criado.

Todos já tinham se acalmado quando se sentaram em volta da fogueira para comer. Delilah sentou-se com Ruby, que havia tirado mais algumas fotos com o celular dela e queria mostrar como as havia editado. Ficou mais que satisfeita por desaparecer no mundo da cor, dos ângulos e dos tons por um tempo. Os últimos dias tinham sido muito intensos com Claire e, para falar a verdade, ela precisava de uma pausa de tanto pensar e sentir. Josh sentou-se do outro lado de Ruby, ouvindo a filha contar a Delilah sua visão de uma imagem das coníferas contra o céu. Delilah olhava para ele de vez em quando, buscando sinais de tédio ou desprezo – ou de que ele não conseguia tirar os olhos da ex –, mas ele não correspondeu a essa expectativa. Em vez disso, às vezes soltava um "oh" ou um "ah" ao ver as fotos da filha, fazendo perguntas aqui e ali. Mas na maior parte do tempo ficou de boca fechada e deixou Ruby falar, aproveitar o momento. Delilah diria ter ficado impressionada, mas ainda não estava disposta a ser tão generosa com ele.

Claire estava ocupada com Iris. Elas se sentaram juntas em um tronco, conversando e rindo, mas olhando de vez em quando para Astrid, que estava à mesa ao lado de Spencer, que não parava de falar das picadas de inseto que tinha sofrido na trilha.

Astrid mal respondia, comendo com os olhos vidrados.

Fazia uns dez minutos que estavam comendo quando Delilah percebeu um silêncio repentino. Spencer tinha finalmente calado a boca, e uma carranca franzia suas sobrancelhas douradas. Ela observou-o se remexer no banco como se estivesse tentando se acomodar… e se remexer de novo.

Pigarreou, tentando chamar a atenção de Claire, mas ela estava com o rosto virado, conversando em voz baixa com Iris.

Pigarreou de novo, então tossiu.

– Você precisa de um gole de água, Delilah? – perguntou Astrid em um tom já irritado.

– Preciso, sim, muito obrigada – respondeu Delilah, e bebeu da própria garrafa.

Astrid revirou os olhos e voltou a olhar para a comida, enquanto Spencer começava a suar ao lado dela. Ele não conseguia ficar parado, e Delilah viu quando tentou ajustar o gancho da calça o mais discretamente possível.

Tossiu mais uma vez.

– Nossa, esse chili está bem *apimentado* – disse em voz alta.

Isso finalmente chamou a atenção de Claire. Ela olhou para Delilah, que arregalou os olhos e inclinou a cabeça em direção a Spencer.

– É mesmo? – perguntou Josh, olhando para a própria cumbuca. – Eu quase nem coloquei pimenta-caiena. Descobri que não trouxe tanto quanto imaginava.

Delilah engasgou com a risada, algo bobo e infantil e simplesmente *divertido* surgindo em seu peito. Claire cobriu a boca com a mão, e Iris olhou para Spencer com um brilho maníaco nos olhos. Ficou óbvio que Claire tinha contado a Iris que ela e Delilah tinham pegado *emprestado* a pimenta-caiena de Josh e despejado uma quantia generosa em todas as quatro cuecas boxer pretas Ralph Lauren de Spencer, e agora as três observavam o homem se contorcer e suar, secando a testa com as costas da mão.

– Está tudo bem? – perguntou Astrid, finalmente percebendo o desconforto do noivo.

Ele assentiu, mas seu rosto ficava cada vez mais vermelho, o suor pingando da testa.

– Não está, não – disse Astrid, assustada. – O que está acontecendo?

– É que eu… ah, merda!

Desta vez ele nem tentou esconder o fato de que estava coçando a virilha. Levantou-se do banco atrapalhado, sacudindo o corpo para lá e para cá em busca de alívio.

– Mas o quê…? – indagou Josh.

– Ele está bem? – perguntou Ruby.

– Ah, ele está ótimo – disse Delilah, agitado uma das mãos.

Mas então Spencer arrancou a bermuda cáqui, deixando a cueca boxer à mostra e agarrando a virilha, desesperado.

– Opa, cara. Para! – gritou Josh, cobrindo os olhos de Ruby com as mãos.

– Spencer!

Astrid se levantou de um salto e bateu no peito do noivo, empurrando-o em direção à barraca antes que ele se expusesse mais.

– Água! Preciso de água! – gritou ele.

Astrid pegou a garrafa de água de cima da mesa e continuou a arrastá-lo em direção à barraca. Quando já estavam protegidos do lado de dentro, os gemidos e resmungos e *mas que porra* ecoando entre as árvores, o resto do grupo ficou sentado em silêncio e choque durante uns dez segundos até Iris ter um ataque de riso tão forte que caiu do tronco onde estava sentada.

– Ah. Meu. Deus – disse, ainda gargalhando deitada no chão, os braços abertos e a cumbuca de chili segura entre seus pés.

– O que foi isso? – perguntou Josh.

Delilah trocou olhares com Claire, uma gargalhada também borbulhando na língua.

– Bom, Josh – respondeu. – Digamos que a gente te deve um pouco de pimenta-caiena.

Delilah não conseguia dormir.

Estava silencioso e quente demais dentro da barraca, e sua cabeça estava agitada demais. Claire estava ao seu lado, completamente apagada e ressonando baixinho, Iris ao lado dela. Mais cedo, quando ficou claro que Astrid e Spencer não iam mais sair da barraca – e Iris parou de rir como uma vilã de filme da Disney –, todos se acomodaram ao redor da fogueira enquanto o sol se escondia atrás das coníferas. Passaram as horas seguintes bebendo a cerveja que Josh tinha trazido em uma das caixas térmicas enormes e ouvindo-o contar histórias de fantasma para Ruby, que não parecia nem um pouco assustada com a garota que encontrou uma picada de aranha no rosto ao voltar de um acampamento e viu, no espelho de casa, a ferida estourar e um milhão de filhotes de aranha se espalharem por seu rosto.

– Josh – chamou Claire quando a história terminou, esfregando o rosto sem perceber.

– Que foi?

Ele sorriu e cutucou Ruby, que não conseguia parar de rir e tagarelar sobre a foto incrível que isso daria.

– Né, Delilah? – perguntou.

– Com certeza – respondeu ela, piscando para a garota.

Claire balançou a cabeça, mas seu olhar vagou até a barraca de Astrid, a preocupação franzindo sua testa. Iris disse a ela várias vezes que não se preocupasse, que elas conversariam com Astrid no dia seguinte, quando voltassem a Bright Falls. Ela assentia, mas Delilah quase conseguia sentir o estresse de Claire pesar nos próprios ombros, o que era uma ideia absurda.

Delilah não estava nem aí se Astrid tinha ficado irritada por causa da pimenta. E sem dúvida não estava nem aí para o possível vergão na virilha de Spencer. Também não dava a mínima se Iris tinha se sentado ao seu lado perto da fogueira e apoiado a cabeça no ombro dela, ainda soluçando por causa da gargalhada e... ficado assim. Delilah esperava que ela dissesse alguma coisa sobre a pimenta, mas ela não disse. Iris Kelly simplesmente ficou sentada ali por uns dez minutos, *aconchegada* na Alma Penada da Casa das Glicínias enquanto bebia sua cerveja.

Delilah começou a beber mais rápido, na esperança de que o álcool a acalmasse e lhe desse coragem para afastar o rosto de Iris, mas isso não aconteceu. Na verdade, fez com que ela ficasse mais sentimental, a palavra *amigas* tremeluzindo em seu cérebro como os vaga-lumes no verão.

Quando todos se acomodaram em suas barracas no horário chocante de nove e meia da noite e Iris foi fazer xixi no mato, Claire se aproximou em seu saco de dormir, roubou-lhe um beijo e sussurrou em seu ouvido sobre saírem de fininho para ir até os ofurôs quando Iris estivesse dormindo.

– Depois que apaga, ela não acorda por nada – disse Claire.

Delilah concordou, ansiosa por... alguma coisa. Estava inquieta e agitada, então, talvez uma hora com a pele de Claire sob suas mãos e seus lábios a acalmasse. Mas Claire, exausta por não ter dormido quase nada na noite anterior, apagou completamente menos de meia hora depois de anunciar seu plano de pegação no meio da noite.

Então agora Delilah estava totalmente acordada, apesar de também não ter dormido na noite anterior, olhando para o teto da barraca e quase sufocando com o calor das árvores sob o céu de junho. Claire resmungou alguma coisa e largou um dos braços sobre a barriga de Delilah, chegando mais perto, até sua boca encostar no pescoço dela. Ela continuava dormindo, os membros pesados, mas Delilah não conseguiu conter a propagação de calor que correu por suas veias ao passar os dedos pelo braço macio de Claire.

Por fim, sentou-se, agora com o coração batendo rápido demais para que conseguisse dormir. Saiu de baixo de Claire, desvencilhando as pernas nuas do saco de dormir, e abriu a barraca. O ar fresco da noite entrou, e ela ficou ajoelhada ali na entrada por um instante, esperando o coração voltar ao normal.

A uns cinco metros dali, os restos da fogueira ainda reluziam. Delilah saiu da barraca em direção às caixas térmicas de Josh para pegar mais uma cerveja, mas encontrou-as trancadas com um mecanismo complicado que ela não conseguia enxergar direito no escuro.

– Que porra é essa? – perguntou baixinho, se agachando para tentar ver a tranca.

– É pros ursos não abrirem.

– Meu Deus do céu! – Delilah caiu de bunda. Agora, o coração com certeza estava a toda a velocidade.

– Não se assuste, sou eu – disse Astrid, desanimada, mostrando sua latinha de cerveja para Delilah sem sair do tronco onde estava sentada, perto da fogueira. – Achei que valeria a pena ver você cair de bunda e gritar que nem criancinha.

– Eu não gritei que nem criancinha – protestou Delilah, levantando-se e batendo a terra do short de dormir.

– Gritou, sim. Não tem problema.

Astrid piscou para ela. Estava com um cobertor sobre os ombros, o cabelo um pouco menos penteado que de costume e um brilho inebriado nos olhos. É claro que podia ser só efeito do fogo, mas sua voz também estava um pouco confusa. Delilah nunca tinha visto Astrid Parker bêbada. Nem uma vez, nem mesmo quando eram adolescentes e, à uma da manhã, ela via da janela do quarto a irmã postiça, Iris e Claire saindo de fininho para encontrar garotos no Parque Bryony, a quase um quilômetro de distância da Casa das Glicínias, na mesma rua. Astrid sempre voltava totalmente sóbria. Claire também, aliás. Iris, nem tanto.

– É só levantar a trava de baixo e girar pra esquerda – explicou Astrid, apontando para a caixa térmica.

Delilah ficou olhando para ela por um instante antes de voltar a se agachar e seguir suas instruções. Como esperado, a caixa se abriu, revelando algumas latas de cerveja boiando em um mar de água com gelo. Ela pegou uma e fechou a caixa antes de ir até a fogueira, acomodando-se em um tronco em frente a Astrid, longe o suficiente para indicar que não estava ali para conversar. Só não tinha nenhum outro lugar aonde ir no meio da noite, com ursos e sabe Deus mais o que vagando pela floresta.

– Spencer tá legal? – perguntou, abrindo a cerveja.

A pergunta simplesmente saiu, impensada e impulsiva. Ela não sabia se Astrid tinha alguma desconfiança a respeito do... é... probleminha de

Spencer. A pimenta não tinha cheiro e era difícil de enxergar no algodão escuro da cueca, principalmente à luz fraca do sol poente. Provavelmente pareceria um pouco de terra se olhassem de perto. De qualquer forma, Delilah esperava pelo menos alguma reação, um olhar penetrante ou uma resposta sarcástica, porque era assim que as duas interagiam, mesmo quando perguntava apenas sobre o tempo. Mas Astrid não fez nada disso. Só soltou um suspiro, bebeu mais um gole de cerveja e deu de ombros.

Delilah ficou olhando para ela, o cérebro calculando automaticamente a próxima coisa a dizer para irritá-la, atazaná-la, importuná-la, fazê-la sentir-se culpada por alguma coisa. Todos os mecanismos que costumava usar para interagir com a irmã.

Não conseguiu pensar em nada. Astrid parecia pequena, perdida até, os ombros caídos e meias-luas roxas sob os olhos. Nada que um pouco de corretivo não resolvesse, mas ainda assim... Delilah não conseguia se lembrar da última vez que a tinha visto tão desgrenhada.

Teve vontade de pegar a câmera do celular, a visão de Astrid parecendo uma personagem de filme de terror – pelo menos, segundo seus próprios padrões – era quase inebriante demais para resistir. Mas ela nem se mexeu. Depois de todas aquelas emoções dos últimos dias, percebeu que não tinha a clareza mental necessária para jogos maldosos entre irmãs.

Então não jogou. Bebeu a cerveja e deixou a brisa fresca do verão deslizar por sua pele. Ficou olhando para a fogueira e tentou fingir que Astrid nem estava ali. Isso se provou impossível, no entanto, pois, na ausência de qualquer brincadeira maldosa, a mente de Delilah se encheu de coisas que a levavam de volta a Astrid de um jeito ou de outro: Claire, Iris, Ruby, o casamento e o dinheiro que ela ia gastar, até mesmo a exposição no Whitney, que só a fazia lembrar quanto estava desesperada para ser alguém na vida. Alguém importante, de quem as pessoas lembrariam, sobre quem perguntariam e a quem procurariam, mesmo se fossem apenas estranhos atrás das emoções que sua fotografia evocava.

Geralmente, essa linha de pensamento levava a uma determinação firme: produzir fotos espetaculares para o Whitney, se dedicar mais, ter mais criatividade, estabelecer mais contatos com artistas e donos de galerias, ser mais, fazer mais, não parar enquanto não vendesse todas as obras ou enquanto uma ideia para mais uma série não se concretizasse. Agora, no entanto, os olhos arregalados de Ruby, maravilhados, tomavam conta de seus pensamentos. A admiração da garota, o entusiasmo com a criação. Claire também apareceu, trazendo a sensação de tê-la nos braços, os sons que fazia quando Delilah a tocava, o modo como se aproximava dela mesmo quando estava dormindo.

O que deve ter sido acidental. Claire era o tipo de pessoa que abraça – Delilah sabia disso desde a primeira noite que passaram juntas – e estava de frente para ela, simplesmente. Teria se aconchegado em Iris se estivesse virada para ela.

Não teria?

Saco. Delilah esfregou a testa e bebeu um gole de cerveja. O ar fresco, pelo jeito, não estava ajudando nem um pouco a se livrar daqueles malditos *sentimentos*.

– O que aconteceu? – perguntou Astrid.

Delilah levantou a cabeça de repente.

– Quê? Nada.

Agora apareceu o olhar penetrante.

– Nada porra nenhuma – rebateu Astrid.

– Você anda uma verdadeira especialista em palavrões.

– É difícil me segurar perto de você.

Delilah sorriu para ela do outro lado da fogueira.

– De mim? Tem certeza?

– Por que eu não teria?

– Bom, você está aqui fora no frio bebendo cerveja. Do que você chamou aquela vez? Um pedaço de pão enlatado?

– Isso é fato. Você já viu a quantidade de carboidrato que tem nisso?

– Enquanto isso – continuou Delilah –, seu Príncipe Encantado está dormindo sob as estrelas abraçado ao edredom de penas.

– Ele não trouxe um edredom de penas.

– Tá, não importa, ao edredom de seda. A questão é que talvez outra pessoa esteja arrancando esse monte de *merdas* e *porras* de você.

Ela esperou pela resposta atravessada de Astrid, algo extremamente maldoso e talvez humilhante, mas seu comentário foi recebido apenas com o silêncio. Astrid girou a cerveja dentro da lata, olhando para baixo. Era a situação perfeita, na verdade, para continuar implicando com a irmã postiça, cutucando-a como a um urso adormecido. Talvez fosse o pão líquido, mas, em vez disso, Delilah de repente imaginou o que Claire diria ou faria naquela situação. Era um pensamento estranho. Mais estranho ainda era o fato de ela saber o que ela diria e faria. Ela seria doce e consoladora. Colocaria a felicidade de Astrid na frente da sua. Ela se *importaria*.

E Delilah e Astrid nunca foram assim.

– Lembra quando minha mãe conversou com a gente sobre sexo? – perguntou Astrid.

– Ah, meu Deus. – Com certeza não era isso que ela esperava ouvir. – Por que trazer à tona uma lembrança tão terrível?

Um sorrisinho minúsculo surgiu nos lábios de Astrid.

– A gente tinha o quê? Uns 12 anos?

– E já sabia alguma coisa sobre sexo pelo currículo desastroso de educação sexual de Bright Falls. Agradeço a Deus pelos romances baratos que a babá sempre deixava entre as almofadas do sofá, só digo isso.

Astrid riu.

– Meu Deus. Eu só me lembro daquele em que a cortesã ou sei lá o que gostava de amarrar o amante no trono da rainha.

– E aí ele tinha que chamar ela de *Vossa Majestade*? Se isso não nos ensinou tudo o que precisávamos saber, não sei o que ensinaria.

– A versão da minha mãe era meio diferente.

Delilah endireitou a postura, segurando a lata de cerveja como se fosse uma xícara de chá e levantando o dedinho.

– Minhas caras – disse, com um sotaque afetado que não lembrava nada o de Isabel Parker-Green –, sempre usem o toalete depois de ter *intimidades* e, pelo amor de Deus, *não* deixem que ele convença vocês a ficar por cima.

Astrid riu alto e cobriu a boca com uma das mãos.

– Ela não disse essa última parte.

– Ela estava pensando. Acredite.

O sorrido de Astrid desapareceu.

– É, provavelmente estava. – Depois sua voz ficou meio fantasmagórica, os olhos vidrados. – "Nem sempre é agradável, mas deixa o marido feliz, então, considero tempo bem gasto."

– Quê?

– Foi o que ela disse. – Ela olhou nos olhos de Delilah. – Você não se lembra dessa parte?

– Não palavra por palavra. E com 12 anos eu já tinha um pressentimento de que a palavra *marido* nunca se aplicaria a mim, então devo ter me distraído quando ela foi por esse caminho.

Astrid assentiu.

– Ela disse isso. E eu nunca esqueci.

– Espera aí, espera aí – disse Delilah, se levantando e sentando em um tronco mais próximo da irmã. – Ela disse isso mesmo? Com essas palavras?

Astrid assentiu de novo.

– Você sabe quanto isso é perturbador, considerando que ela era casada com meu pai, né?

Astrid estremeceu, mas sorriu para Delilah, algo que parecia camaradagem florescendo entre elas. De repente, Delilah se sentiu jovem e esperançosa – o que era uma tolice. Ela não era mais tão jovem assim e nunca tinha associado Astrid à esperança nem em seus sonhos mais loucos.

– Desculpa – disse Astrid. – É… é esquisito, mas… por algum motivo, não consigo parar de pensar nisso.

– Então Spencer é péssimo na cama? É isso?

Astrid soltou um gemido.

– Não, ele é…

– Porque você sabe que isso não tem nada a ver, né? De a mulher ter que transar com o marido, ou qualquer parceiro, pra deixar ele feliz.

– Eu sei. Não tem a ver com sexo em si, é a ideia por trás do que ela disse. Como se eu tivesse que…

Ela hesitou, olhando para o nada à sua frente. A luz do fogo dançou em seus olhos arregalados, e Delilah poderia jurar ter visto uma pequena onda de lágrimas, mas Astrid piscou antes que ela pudesse ter certeza.

– Como se você tivesse que o quê? – perguntou Delilah com voz mansa.

Astrid olhou para baixo e passou o dedo pela borda da lata.

– Que dizer sim. O tempo todo, pra tudo. Ser calma e equilibrada e controlada e simplesmente dizer sim.

Ficaram em silêncio por alguns segundos, a confissão de Astrid pairando entre elas. Delilah pensou na infância das duas, na adolescência, em toda a atenção que Isabel dispensava a Astrid em relação às notas e à corrida, às idas mensais ao salão de beleza, às dietas balanceadas e aulas de francês, ao grupo de debate do colégio, à inscrição antecipada na faculdade e ao diploma de administração. Tudo o que Isabel nunca se preocupou em empurrar para Delilah. Bom, isso não era exatamente verdade. Isabel cobrava que ela fizesse a lição e garantia que ela comesse um jantar decente todas as noites, mas em todo o resto, até o cabelo desgrenhado de Delilah e o desprezo por qualquer coisa que se assemelhasse a esporte, Isabel a deixava em paz. Ela aceitava com muita facilidade as recusas de Delilah, como se fosse um alívio e ela pudesse dedicar toda a atenção ao que importava de fato: sua Astrid perfeita, que nunca reclamava por ter que vestir um longo de cetim e desfilar em um evento beneficente como uma princesa.

Astrid tinha razão. Ela nunca dizia não. Mas Delilah achava que era porque não queria.

– Astrid... – disse Delilah.

Mas a irmã postiça a interrompeu se levantando de repente.

– Você não liga pra nada disso – disparou Astrid, abanando a mão e oferecendo um sorriso plástico a Delilah.

Ela puxou o cobertor em volta dos ombros e saiu em direção à barraca antes que Delilah pudesse dizer mais alguma coisa.

CAPÍTULO VINTE E CINCO

CLAIRE NÃO FALOU COM ASTRID nem com Delilah durante dois dias.

A manhã de sábado no acampamento tinha sido tranquila. Tirando Josh e Ruby, todos estavam de ressaca ou não tinham dormido bem. Apenas Delilah continuava desmaiada na barraca quando todos já estavam prontos e de mala feita. Astrid e Spencer foram embora antes mesmo de Josh terminar de preparar o café da manhã no fogo, não dando a Claire e Iris nenhuma chance de conversar com a amiga. E Delilah dormiu durante todo o percurso de volta à cidade.

Agora era segunda à noite e Claire se sentia como se estivesse saindo do corpo. Ela e Iris trocaram muitas mensagens durante o fim de semana, mas em especial sobre o fato de nenhuma das duas conseguir falar com Astrid. Claire teria ido até a casa da amiga para confrontá-la, mas tanto ela quanto Iris estavam sobrecarregadas de trabalho em suas respectivas lojas, compensando os dias de folga que tiraram no spa e no acampamento improvisado. Além disso, ela não queria emboscá-la. Estava na hora de ser sincera quanto a suas preocupações, sim, mas ela e Iris concordaram em abordar a situação com cautela, ainda mais agora que Astrid estava claramente evitando as duas e não facilitaria as coisas.

Todo esse estresse poderia ser gerenciável – afinal, ela estava preocupada com Astrid desde que a melhor amiga ficara noiva –, mas agora também tinha Delilah, que não tinha mandado mensagem nem telefonado nem passado na livraria desde que voltaram das Termas de Bagby. Tudo bem, Claire também não tinha ligado nem mandado mensagem. Fazer qualquer uma das duas coisas daria um tom de *namoro* à coisa, e elas com certeza não estavam namorando. E, como não estavam namorando, entrar em contato daria a entender que havia segundas intenções, e isso não parecia legal.

Nada parecia legal.

Ela sabia que um relacionamento casual era assim e disse a si mesma várias vezes que estava tudo bem. Disse a si mesma que estava tudo bem quando Ruby perguntou se Delilah podia vir comer uma pizza com elas sábado à noite e ela disse que não. Disse a si mesma que estava tudo bem ao se virar na cama domingo e ainda sentir o cheiro de Delilah em seu travesseiro. Disse a si mesma que estava tudo bem ao rolar o feed do Instagram de Delilah segunda à noite, deitada no sofá enquanto a chuva caía lá fora, ignorando o fato de que a dor em seu peito ficava maior e mais forte a cada imagem.

Ficou especialmente melancólica ao ver a fotografia de uma mulher negra maravilhosa usando um vestido formal com saia de tule, descalça no fluxo de água de um hidrante em Nova York, com um muro de pedras grafitado atrás dela. O vermelho do hidrante se destacava em meio às roupas neutras da mulher, ao cinza e aos azuis e verdes desbotados do muro, às gotas de água que pareciam pedacinhos de cristal suspensos no ar.

Era uma foto linda. Digna de estar pendurada em uma parede. De uma galeria, até.

Ela havia acabado de abrir mais uma imagem de tirar o fôlego, se afundando na pena que estava sentindo de si mesma, quando a campainha tocou. Empurrou o casulo de cobertores, xingando Josh por ter chegado cedo pela primeira vez na vida. Ele ia levar Ruby e Tess ao cinema, e depois elas iam dormir no apartamento dele. Ainda faltavam quinze minutos para o horário combinado. Puxou a alça da regata que ficava caindo, mas nem se preocupou em dar um jeito no cabelo, que estava preso em um coque bagunçado no topo da cabeça desde que ela chegara da livraria, mas já tinha cedido um pouco à gravidade.

– Ruby, seu pai chegou! – gritou em direção ao corredor ao chegar à porta.

– Nossa, ele está adiantado!

– Ouviu isso? – perguntou Claire, abrindo a porta. – Você chocou sua …

Ela piscou olhando para a pessoa que estava em sua varanda embaixo de um guarda-chuva rosa com babados. Uma pessoa que com certeza não era Josh.

– Eu choquei quem? – perguntou Delilah.

– Ah. Ninguém. Achei que fosse o Josh.

– Sinto muito decepcionar.

– Não! – gritou Claire, alto o bastante para deixar Delilah levemente assustada. Ela se esforçou para se acalmar. – Desculpa. Não, não estou decepcionada. Só surpresa.

Delilah assentiu, e ficaram se olhando por alguns segundos, durante os quais Claire se deu conta de que estava com uma calça de moletom suja, uma regata com uma mancha antiga de mostarda perto do seio esquerdo e o cabelo parecendo um ninho de vespa. Estava um pouco maquiada, mas, com uma noite inteira para sentir pena de si mesma e beber vinho pela frente, nem tinha se preocupado em dar uma ajeitada ao chegar da livraria.

– Então posso entrar? – perguntou Delilah. – Tirei umas fotos hoje que adoraria mostrar pra Ruby.

Claire sentiu um frio na barriga, mas deu um passo para trás.

– Claro, desculpa, entra. Mas a Ruby vai sair co...

– Olha só. Olá, senhoras. – Josh veio correndinho pela calçada, com uma calça justa e uma camiseta cinza básica salpicada de pingos de chuva no peito e nos braços. – Que noite linda, hein?

– Oi – disse Claire. – Ruby está quase pronta.

– Beleza. Oi, Delilah.

– Oi.

– Belo guarda-chuva.

Delilah olhou para cima, como se tivesse esquecido a aparência daquela coisa.

– Era o único que a Pousada Caleidoscópio tinha pra me emprestar.

– Parece uma torta de morango – comentou Josh. – O que vocês vão aprontar hoje?

– Nada – respondeu Claire.

– Nadinha – garantiu Delilah.

Josh franziu o cenho, olhando de uma para a outra. Claire quase conseguia ouvir a mente dele trabalhando e queria que ele caísse fora. Por sorte, Ruby veio saltitando pelo corredor naquele exato momento, beijando o rosto de Claire e cumprimentando Delilah antes de se jogar nos braços do pai. Então eles partiram em um alvoroço de capa de chuva verde e mochila, com a promessa de que Josh traria a filha de volta na manhã seguinte às dez.

Claire ficou observando a filha entrar no banco de trás da caminhonete de Josh e colocar o cinto de segurança. Deixou a porta aberta mesmo depois que o carro arrancou e eles saíram de vista.

– Desculpa – disse. – Ruby vai ficar com o pai hoje.

– Sim, percebi – respondeu Delilah.

– Você... Quer dizer... Você quer...

Ela não conseguia pronunciar as palavras. Queria que Delilah ficasse, mas não queria que ela pensasse que era só pelo sexo. Mas, pensando bem, já tinham estabelecido que estavam só transando, então Claire podia con-vidá-la para ficar sem medo. Delilah era quem tinha aparecido à sua porta, pelo amor de Deus.

Ainda assim, não conseguia deixar de querer algo mais. Jantar. Ver um filme. Talvez só dividir uma garrafa de vinho na varanda, ouvindo a chuva e conversando.

Mas isso era ridículo.

Era... impossível.

– Eu quero o quê? – perguntou Delilah, dando um passo à frente.

Claire balançou a cabeça.

– Deixa pra lá. Eu...

Mas então Delilah fechou o guarda-chuva, deixou-o na varanda e entrou. Ela fechou a porta antes de entrar no espaço de Claire, com as mãos em seu quadril e a boca tocando seu lábio inferior ao dizer:

– Eu estava com saudade.

Claire não conseguia respirar. Nem ousava.

– Estava?

Delilah assentiu e a beijou – uma vez, duas, um beijo suave e doce que não indicava que ela esperasse ir para a cama imediatamente. Na verdade, com aquele beijo, bom, parecia que Delilah esperava... *algo mais.*

CAPÍTULO VINTE E SEIS

DELILAH BEIJOU CLAIRE e afundou o rosto no pescoço dela, abraçando-a pela cintura. Inspirou seu aroma campestre, com um leve toque de suor no fim, e sentiu o coração desacelerar pela primeira vez em dois dias.

Ela havia tentado.

Havia tentado muito ficar longe de Claire desde que Iris a deixara na Pousada Caleidoscópio sábado à tarde. Nada de mandar mensagem, nada de ligar e, sem dúvida, nada de aparecer na casa dela sem avisar. Sabia que precisava dar um tempo em todos os sentimentos que aquela mulher despertava nela. Passara as horas fotografando pela cidade, analisando o portfólio on-line para a exposição no Whitney, matando o tempo na Taverna da Stella na noite anterior até perto da meia-noite, mas Bright Falls não era um lugar fácil de encarar sozinha. Era tranquila e calma e, embora houvesse certo charme na introspecção que a cidade inspirava, Delilah nunca tinha sido muito boa em autorreflexão.

Na verdade, tinha passado os últimos doze anos evitando isso.

Então não foi surpresa nenhuma quando, naquela manhã, ela começou a enlouquecer. Não conseguia parar de pensar em Astrid e na conversa que tiveram em volta da fogueira. Sua infância teimava em reaparecer, saindo do lugar onde ela a mantinha escondida havia tanto tempo, as amarras em que preservava a frieza e o desinteresse de Astrid se desfazendo.

Mas talvez ainda pior que todos esses *pensamentos* fosse o *desejo*. Aquela atração por Claire estava ficando absurda. E não era só o desejo de passar a noite com ela mais uma vez. Delilah queria simplesmente vê-la, conversar com ela. Beijar aquela boca maravilhosa também, claro, mas o simples fato de ficar ali, na entrada da casa dela, era como mergulhar em um lago fresco depois de caminhar pelo deserto.

– Está tudo bem? – perguntou Claire, colocando os braços sobre os ombros de Delilah e passando as mãos em seu cabelo.

Delilah assentiu, o rosto ainda apoiado em seu pescoço. Mas a verdade era que ela não tinha certeza. Não se sentia bem. Sentia-se pequena e desesperada, como uma criança precisando de um abraço.

– Conta qual é o problema – pediu Claire.

Delilah finalmente levantou a cabeça.

– Eu disse que está tudo bem.

Claire inclinou a cabeça.

– E eu não acredito.

– Não?

– Não.

Delilah sentiu um sorrisinho surgir em seus lábios. De repente, o fato de Claire Sutherland perceber quando ela estava mentindo – e mais, demonstrar se importar de verdade – parecia um pequeno milagre.

– Vamos fazer alguma coisa – disse Delilah, puxando Claire mais para perto e deslizando as mãos pelas costas dela. Deu-lhe um beijo, só um.

– Tipo… sair?

– É. – Beijo. – Tipo sair. – Beijo.

Claire riu.

– Pra onde?

Delilah deu um sorrisinho maroto, uma ideia surgindo em sua cabeça. Sabia que, por enquanto, Claire queria guardar a relação em segredo. Se não tomasse cuidado, Delilah poderia voltar a ficar muito rabugenta com aquela situação, mas hoje só queria se divertir.

Queria sair com a mulher de quem gostava, simples assim.

– Um lugar aí – respondeu, beijando Claire mais uma vez –, onde posso segurar sua mão.

– Andar de patins?

Claire riu, levando as mãos à boca aberta enquanto Delilah estacionava o Prius dela no estacionamento do Sparkles. A pista de patinação ficava em Graydon, uma cidade cerca de 25 minutos a leste de Bright Falls, então eram poucas as chances de algum conhecido vê-las. Delilah se lembrava de algumas festas lá quando estava na escola, antes da morte do pai, quando as comemorações de aniversário eram algo de que ela participava como qualquer outra criança.

– Andar de patins – disse, saindo do carro e abrindo o guarda-chuva de babados, depois dando a volta para abrir a porta para Claire.

Claire levantou as sobrancelhas ao sair, a chuva e as luzes de neon da pista se refletindo em seus óculos. Após Delilah sugerir que elas saíssem, ela havia vestido uma calça jeans e uma camiseta de ombro caído, e penteara o cabelo bagunçado, que agora descia por seus ombros em ondas suaves.

– Obrigada – disse.

– Que fique registrado que eu sou galante pra caramba – respondeu Delilah.

Claire riu.

– Me sinto muito cortejada.

Então Delilah entrelaçou os dedos nos de Claire e elas correram para dentro, debaixo da chuva, como duas adolescentes em um primeiro encontro. E era assim que Delilah se sentia: eufórica e… feliz. Era estranho sentir algo pela primeira vez em tanto tempo. Ela se deu conta do quanto sentia falta disso, do quanto essa sensação era importante. Durante anos, vinha se virando, confundindo uma noite de proximidade física com alguém com a felicidade em si. Mas segurar a mão de Claire agora, trocando olhares furtivos que faziam o rosto dela se iluminar, era totalmente diferente.

Delilah pagou e elas pegaram os patins, guardando os sapatos em compartimentos que ficavam ao longo do piso acarpetado. A pista de madeira reluzia sob um globo espelhado de discoteca, luzes coloridas piscavam e músicas dos anos 1980 movimentavam os patinadores como se estivessem seguindo pela correnteza de um rio.

– Eu não faço isso há uma eternidade – disse Claire, rindo ao entrar na pista.

– Eu também – respondeu Delilah, ainda segurando a mão dela.

Foi um erro. Porque, quando Claire cambaleou, Delilah também cambaleou, e o cambalear virou tropeçar, e as duas caíram com uma torrente de palavrões e um emaranhado de braços e pernas.

– Ai – disse Claire, passando a mão na bunda enquanto adolescentes e pré-adolescentes passavam por elas e riam.

– Meu Deus, voltei pra escola – resmungou Delilah, mas estava sorrindo. Conseguiu ficar de joelhos, depois de pé, puxando Claire consigo. – Tá, vamos devagar.

– Boa ideia.

E foi o que fizeram. Delilah segurou a mão de Claire e elas deslizaram pelo piso, ganhando velocidade depois de uma volta na pista. Era quase como andar de bicicleta, a memória muscular voltando, e logo estavam voando, com o vento do ar-condicionado no cabelo enquanto Whitney Houston cantava sobre sentir o calor com alguém. Andar de patins era tão simples, bobo até, mas, quando Claire apertou seus dedos e riu quando ela tentou patinar de costas e caiu de bunda mais uma vez, dando-lhe um beijo rápido depois de ajudá-la a se levantar, Delilah não conseguiu pensar em um momento em que já tivesse se sentido assim.

Nem com Jax, nem com ninguém.

No fundo, Delilah sabia que isso não era bom. Sabia que o lance com Claire se baseava no fato de que teria fim. Sabia, mas mesmo assim não conseguiu deixar de encostar os lábios na têmpora de Claire quando estavam na fila para comprar pizza e refrigerante. Não conseguiu impedir que o sorriso enrugasse seus olhos quando Claire colocou um cacho de cabelo fujão atrás de sua orelha. Não conseguiu deixar de imaginar uma vida inteira, muito diferente daquela que ela já tinha montado para si mesma a centenas de quilômetros dali.

Passaram toda a volta até Bright Falls sem conversar. Também não falaram ao parar na casa de Claire, nem quando Delilah abriu o guarda-chuva ridículo e colocou o braço sobre os ombros dela, protegendo-a da chuva enquanto corriam até a porta.

Não falaram quando Claire abriu a porta para que entrassem na casa escura, as duas com a camiseta salpicada de chuva. Claire não acendeu nenhuma luz nem ofereceu uma bebida a Delilah. Simplesmente pegou sua mão e levou-a até o quarto. Lá, a despiu, devagar e com uma expressão séria no rosto que fez a garganta de Delilah se fechar. Seus dedos tremiam, e Delilah pegou sua mão, encostando os lábios na palma. A respiração de Claire ficou trêmula, mas elas continuaram sem dizer nada. O quarto estava escuro; os únicos sons eram de sua respiração e do algodão deslizando pela pele e caindo no chão.

Claire empurrou o peito de Delilah, insinuando que ela deitasse na cama. Obediente, Delilah ainda tentou pensar em algo para dizer, algo de que pudessem rir, mas nada daquilo parecia engraçado. Não parecia desespero, nem distração, nem algo de que ambas precisavam para aliviar o estresse. Não parecia um transbordamento de luxúria reprimida.

Parecia significativo.

Claire encostou os lábios nos de Delilah, e as línguas se tocaram em uma dança lenta e sedosa. Ficaram assim por um tempo, trocando um beijo suave e tranquilo. Quando Claire começou a descer, beijando o pescoço de Delilah, o espaço entre seus seios e logo abaixo do umbigo, ela a observou, as mãos passeando em qualquer pedaço da pele de Claire que pudessem alcançar. O desejo vibrou por seu corpo, não só entre as coxas, mas em toda parte. Nas suas entranhas, no centro do peito. Tirou-lhe o fôlego, e Delilah não queria que essa sensação acabasse nunca mais.

– Espera – pediu quando Claire abriu suas pernas e começou a se aco- modar entre elas. Então puxou-a pelos braços, fazendo-a subir de novo até ficarem frente a frente. – Quero olhar pra você.

Claire encostou a testa na de Delilah, beijou-a devagar, então posicionou o corpo para que as pernas das duas ficassem entrelaçadas como pretzels, as coxas pressionando o centro do prazer uma da outra.

Delilah suspirou com o contato. O deslizar úmido da pele de Claire con- tra a sua era quase insuportável. Era quente e íntimo, ao mesmo tempo ousado e seguro. Ela mexeu o quadril e Claire fez o mesmo, uma dança que lhe arrancou um gemido gutural. Claire soltou um som animalesco quando Delilah agarrou sua bunda, guiando-a para cima e para baixo e em círculos, a pressão intensa e perfeita no lugar certo. Seu abdômen se contraiu, o clitó- ris ardendo ao deslizar pela coxa da outra. Ela meio que queria desacelerar, saborear Claire, sentir o calor entre suas pernas com os dedos, e lembrou que tinham tempo.

Tinham a noite toda.

Claire arqueou as costas, levantando um pouco o torso para que sua coxa pressionasse com mais força bem onde a outra queria. Delilah sentiu o orgasmo chegando quando Claire intensificou os movimentos, passando o polegar em seu mamilo intumescido. Ainda assim, nenhuma das duas teve pressa, mesmo quando o desejo de Delilah atingiu o ápice do desespero, o sangue correndo em suas veias como mel. Ela estava enganada. Ela não estava comendo Claire. Elas não estavam trepando. Isso era outra coisa, embora ela não soubesse ao certo o quê. Só o que sabia era que o corpo de Claire reagia a seu toque, a respiração acelerando, o centro do seu prazer se impulsionando contra o de Delilah em busca de alívio, sem deixar de olhar em seus olhos.

E, quando as duas gozaram, Claire mordeu o lábio inchado, um gemido baixo retumbando em seu peito, mantendo os olhos abertos e fixos em Delilah o tempo todo.

Era a coisa mais maravilhosa que já tinha visto.

Ela não se desvencilhou de Claire. Em vez disso, desdobrou a colcha que estava na ponta da cama e a puxou até acima da cabeça das duas, que ficaram em um casulo. Ela ainda não estava pronta para o mundo lá fora. Queria que aquilo durasse. Tinham a noite toda, claro, mas uma noite parecia não bastar. Não queria que o sol nascesse, não queria o drama do casamento nem o fim das duas semanas em Bright Falls se aproximando como uma montanha que ela não sabia como escalar. Ela só queria aquilo.

Claire abraçou Delilah pela cintura e a puxou para perto, sem deixar nenhum espaço entre a pele aquecida das duas. As pernas entrelaçadas, a cabeça de Delilah encaixada sob o queixo de Claire, os dedos percorrendo suas costas.

– Você faz muito isso? – perguntou Claire depois de um tempo, enrolando um dos cachos de Delilah entre os dedos.

Delilah levantou a cabeça para olhar para ela.

– Isso o quê?

Claire sorriu.

– Serviço completo.

– Você chama isso de serviço completo?

Claire riu.

– Quer dizer… a patinação e depois… sei lá… isso.

Claire fez um gesto com a mão indicando o estado de emaranhamento em que se encontravam, o que, se fosse com qualquer outra pessoa, Delilah definitivamente classificaria como chamego.

A verdade era que não, ela não fazia muito isso. Não *namorava*. Ela pegava. Não ficava deitada depois do sexo, de chamego. Virava-se para o lado e dormia até as duas da manhã, quando acordava sobressaltada tentando lembrar onde estava antes de juntar as roupas e ir para casa. Com certeza nunca tinha levado uma mulher para andar de patins. Nunca tinha levado uma mulher nem para jantar. Desde Jax.

Delilah ficou observando Claire olhando para ela. Não conseguia saber ao certo o que ela estava pensando, mas o que havia entre elas não era mais casual. Disso tinha certeza. E mais, Delilah não queria que fosse só isso, só beijos e orgasmos. Queria… tudo. A patinação, o sexo incrível e aquela paz de falar e *não* falar, o chamego, as perguntas e a sensação de estar no lugar certo.

Com a pessoa certa.

Ela não sabia o que dizer nem como aquilo ia funcionar. Se é que *podia* funcionar, se é que Claire queria que funcionasse. Mas, por enquanto, emoldurou o rosto de Claire com as mãos e deu um beijo leve em seus lábios.

– Não – sussurrou Delilah. – Nunca fiz isso na vida.

Claire pareceu relaxar, apoiando-se nela e retribuindo o beijo, e passaram o resto da noite sem falar.

CAPÍTULO VINTE E SETE

DOIS DIAS DEPOIS, Claire ainda se sentia como se estivesse flutuando em um sonho. Nem sempre era um sonho agradável. Às vezes, mais parecia um pesadelo, envolto em pânico e respiração pesada quando ela se perguntava como é que ia sobreviver àquilo – ao que quer que Delilah e ela estivessem fazendo – sem acabar com o coração partido.

Mas sem dúvida havia momentos de sonho também: a lembrança do beijo de Delilah, do toque, de como ela havia segurado sua mão quando voaram pelo piso de madeira da pista de patinação, rindo, com os olhos brilhando sob o globo espelhado. Nem em um milhão de anos Claire imaginaria andar de patins com Delilah Green, dividir uma fatia enorme de pizza gordurosa e um refrigerante gelado e depois fazer amor em sua cama como se o mundo estivesse acabando.

Porque a sensação era a de que estavam fazendo isso mesmo.

Amor.

Não só sexo pelo sexo.

Desde a noite de segunda-feira, as duas passaram todos os momentos possíveis juntas. Delilah tinha ido embora na manhã seguinte antes que Ruby voltasse para casa, mas passou na livraria depois do almoço, com várias fotos para analisar e editar com Ruby, as duas sentadas nos pufes da seção infantil enquanto Claire trabalhava. Depois ela fez estrogonofe de carne e as três jantaram juntas na mesa da cozinha, e aquilo pareceu tão natural e certo que Claire teve que pedir licença e ir ao banheiro no meio da refeição, jogar água no rosto e obrigar as lágrimas repentinas a voltarem para o lugar de onde tinham vindo.

Agora era tarde de quarta-feira, e Claire não via Delilah desde a noite anterior. Elas assistiram a um filme com Ruby depois do jantar e trocaram uns beijos depois que a menina foi dormir, mas só isso. Claire não estava muito à vontade com a ideia de dormirem juntas com Ruby em casa, então Delilah voltou à pousada e ela foi para a cama sozinha – e detestou. Foi uma noite agitada, a mente pensando em milhões de maneiras de dizer a Delilah que ela a queria.

Não teve nenhuma ideia muito boa.

– Ruby, temos que ir! – chamou Claire no corredor.

Ia deixar a filha na casa de Tess para que ela e Iris pudessem levar Astrid a Portland para uma despedida de solteira, evento pequeno e comportado. Delilah também ia – pelo menos, era o que Claire esperava –, e Iris e Claire já tinham decidido conversar com Astrid sobre Spencer.

Esse era outro problema.

– Mãe, não consigo falar com meu pai – disse Ruby, vindo pelo corredor com a mochila, o celular novinho na mão.

Claire finalmente tinha cedido e deixado Ruby ter um celular. Josh a levara para sair no dia anterior e comprara um para ela. Precisava admitir que saber que podia falar com Ruby sempre que quisesse, ainda mais quando a filha estivesse com Josh, diminuía um pouco seu nível de estresse. Todos os controles para pais disponíveis nos smartphones atuais o diminuíam ainda mais.

– Como assim? – perguntou Claire, pendurando a mochila dela no ombro.

– Eu mandei mensagem pra ele umas quatro vezes hoje, e ele não respondeu.

– Hum. – Claire pegou o próprio celular e o agitou no ar. – Manda uma mensagem pra mim pra saber se elas estão chegando.

Ruby digitou na tela. Um segundo depois, o celular de Claire tocou.

– Viu? – disse Ruby.

– Tá. Bom – respondeu Claire –, tenho certeza de que ele está bem. Ou sem bateria. Às vezes ele se esquece de carregar.

Ruby assentiu, mas franziu a testa, preocupada. Claire sentiu uma pontada de pânico. Tinha sido exatamente assim que Josh fugira da cidade na última vez, dois anos antes. Um dia ele estava lá, no dia seguinte tinha sumido. Alguns dias depois do truque de desaparecimento, ele havia mandado uma mensagem para Claire com a desculpa de sempre – *Sinto muito, preciso de um tempo, diz pra Ruby que eu a amo, eu vou voltar*, blá, blá, blá.

Agora, olhando para Ruby, Claire sabia que a filha estava vagando pelas mesmas lembranças.

– Vai ficar tudo bem – disse Claire, passando o polegar no rosto de Ruby. – Aposto que ele só está ocupado. Ele trabalha, né?

A sensação da mentira era incômoda em sua língua, mas o que ela poderia dizer? Não suportaria destruir as esperanças da filha naquele momento. Sabia que Josh agradeceria pelo benefício da dúvida, sabia que ele estava tentando e, para falar a verdade, estava se saindo muito bem durante a última semana. Se ele tinha mesmo desaparecido de novo, Claire não estava preparada para encarar o que aquilo significava para sua filha.

– Ah, merda – disse Iris ao estacionar na frente da casa pequena mas impecável de Astrid.

Claire estava no banco do passageiro com o rosto encostado no vidro. Tinham ficado de pegar Astrid e depois passar na pousada para pegar Delilah antes de ir para Portland, mas, naquele momento, a despedida de solteira parecia ser a última coisa na lista de prioridades de Astrid.

Ela estava parada na varanda, Spencer ao seu lado com as mãos na cintura, e ela estava gritando.

E jogando roupas no gramado.

Roupas masculinas.

E vários pares de sapatos chiques de couro italiano.

– O que está acontecendo? – perguntou Claire.

– Pelo jeito, nada de bom – respondeu Iris.

Claire segurou a mão da amiga no console central, o coração apertado. Queria abria a porta e correr até Astrid, ajudá-la de alguma forma, mas aquele parecia ser um momento bem íntimo entre ela e Spencer, e Claire não sabia ao certo o que fazer.

Iris apertou um botão e a janela do motorista abriu uns dez centímetros. A voz de Astrid entrou no carro.

– ... não acredito que você achou certo fazer isso. Não é. Nunca vai ser.

Mais um sapato atirado no gramado.

– Dá pra você se acalmar, porra? – indagou Spencer. – Você está histérica.

A expressão de Astrid ficou ainda mais furiosa.

– Histérica? Esta – ela agitou a mão ao redor do rosto – é uma reação perfeitamente razoável e lógica ao que você fez.

Claire respirou fundo.

– O que ele fez?

– Esse aí? Pode ter sido qualquer coisa – respondeu Iris.

– Será que é melhor a gente ir embora? – perguntou Claire. – Isso tá parecendo meio invasivo. Parece que a gente está espionando a Astrid.

Iris balançou a cabeça e abriu a boca, mas, antes que ela pudesse responder, Spencer gritou de novo, juntando suas roupas.

– Eu fiz aquilo por *você*. Por nós. Você precisa se afastar desta cidade e de todo mundo que vive aqui.

– Isso não é…

– Sua mãe? Um pesadelo. Você parece uma marionete perto dela. E suas amigas são umas canalhas.

Iris endireitou a postura na hora.

– Somos mesmo, seu meião de merda.

– Não ouse falar das minhas amigas – retrucou Astrid.

– Eu te fiz um favor comprando aquela casa em Seattle – continuou Spencer. – Você se contentou em não ser ninguém em Bright Falls, Astrid. Só estou tentando te ajudar a enxergar isso.

– Puta merda – disse Iris.

– Ele… comprou uma casa em Seattle? – perguntou Claire. Seu estômago pareceu despencar até os pés, as palavras de Spencer passando por cima dela como uma escavadeira. – Eu achava que eles só iriam embora daqui a um ano.

– Pelo jeito, Astrid também achava – falou Iris.

Astrid não respondeu. Só pegou um paletó listrado e jogou no gramado.

– Isso é um Armani! – berrou Spencer, correndo pela escada e pegando a peça.

– Não tem mais lugar pra isso na minha casa – declarou Astrid, apontando para o paletó. – Nem pra você. Aproveite sua casa nova em Seattle.

– O que você vai fazer, cancelar o casamento? Cancelar nossa vida? –

perguntou Spencer, abrindo os braços. – O casamento é daqui a três dias. Você não ousaria.

A expressão de Astrid ficou séria e seu queixo começou a tremer. Claire abriu a porta do carro, pronta para interferir, mas Astrid não lhe deu essa chance. Ela simplesmente se virou e entrou em casa, batendo a porta.

Spencer ficou olhando para ela por um instante, então pegou o resto das roupas e disparou em direção ao Mercedes reluzente, que estava estacionado em frente à casa. Ele olhou para Claire e Iris dentro do carro, mostrou o dedo do meio para elas sobre uma pilha de camisas sociais, já que era mesmo um cara cheio de classe, entrou no sedã e saiu.

As duas ficaram em silêncio por um momento, até que Iris por fim se pronunciou:

– Acho… acho que eles acabaram de terminar?

Claire soltou um suspiro.

– Acho que sim.

– Era isso que a gente queria.

Claire assentiu, mas estava péssima. Não culpada – Spencer tinha cavado a própria cova –, mas era difícil ver a amiga magoada. Além disso…

– Isabel vai matar a Astrid – disse.

– Vai – respondeu Iris, também soltando um suspiro. – Acho que vai mesmo.

– Não tem por que ela morrer sozinha, então – concluiu Claire.

Iris apertou sua mão e sorriu para ela.

– Uma por todas, e todas por uma, porra.

Saíram do carro e foram até a entrada, o coração de Claire disparado o tempo todo. Iris apertou a campainha, mas em seguida abriu a porta e entrou. A casa de Astrid, como sempre, era uma visão de design e estilo modernos. Paredes cinza, sofás beges cheios de almofadas em vários tons de azul, aparadores de madeira rústica, bancadas de quartzo branco e utensílios de aço inoxidável. A sala de estar, a cozinha e a sala de jantar eram um único espaço aberto e enorme, e janelas cobriam toda a parede dos fundos, revelando um pequeno terraço com vista para o rio.

– Astrid? – chamou Claire. – Querida?

Não houve resposta. Então olhou para Iris antes de as duas seguirem para o corredor que levava aos quartos.

Em seu quarto, Astrid estava sentada na cama queen size olhando a janela, de costas para a porta. A luz do fim de tarde atravessava o vidro, transformando em lavanda tudo que era cinza no quarto.

– Amiga? – chamou Iris, entrando devagar. – Estamos aqui.

Astrid não se mexeu. Seus ombros estavam caídos, uma postura que não tinha nada de Astrid.

– Querida? – disse Claire.

Ela deu a volta em Iris e sentou ao lado de Astrid. A cama afundou, e o ombro da amiga se encostou no dela. Ela levantou o braço e a envolveu, abraçando-a com força. Iris sentou-se do outro lado.

Astrid não estava chorando, mas olhava pela janela com os olhos meio vermelhos. Claire e Iris trocaram olhares por cima da cabeça loura da amiga, com ar de *o que a gente faz?*. Não sabiam. Finalmente, o braço de Iris também envolveu os ombros de Astrid, e as três ficaram juntinhas, como sempre estiveram.

Astrid respirou fundo. Abriu a boca algumas vezes, mas foram necessárias várias tentativas até que ela finalmente falasse.

– Eu não amo o Spencer.

Iris e Claire se olharam com os olhos arregalados.

– E eu devia amar a pessoa com quem vou me casar – continuou Astrid, sem olhar para nenhuma das duas. – Não devia?

– Devia – respondeu Claire, com a voz mansa.

Iris passou a mão pelo cabelo dela.

– Eu devia confiar nele e estar animada pra me casar com ele.

– Isso também – respondeu Iris.

– E não confio. Não estou animada.

Claire encostou a cabeça na de Astrid.

– Ele comprou uma casa – contou Astrid. – Uma casa, sem me contar. Sem perguntar nada. Ele simplesmente… comprou, como se eu nem existisse.

– Bom, essa é uma atitude bem merda – disse Iris.

– Vocês… vocês lembram quando eu tinha 13 anos e minha mãe me colocou no tênis?

Claire e Iris trocaram olhares mais uma vez, as duas com os lábios contraídos. Claro que lembravam. Astrid detestava tênis. Sempre tinha detestado, desde que o professor de educação física fizera uma aula sobre o esporte na quarta série e uma bola acertara o nariz dela em cheio. Mas Isabel achava que a corrida – o esporte favorito de Astrid desde o ensino fundamental – não era uma atividade muito feminina. Não era... elegante o suficiente. Então colocou a filha no tênis, no Clube Rio Bright, com aulas particulares e sainha branca plissada, o pacote completo.

E Astrid jogou durante um ano, até ficar bem claro que ela era péssima. Só então, quando Isabel correu o risco de ficar famosa por ter uma filha ruim na quadra, ela cedeu e deixou que Astrid voltasse às pistas de corrida.

– É – disse Claire –, a gente lembra.

Astrid soltou um suspiro.

– Ela nunca me perguntou se eu queria jogar. Acho que nunca nem pensou em perguntar.

Claire acariciou suas costas, fazendo círculos.

– Ela nunca me perguntou se eu queria fazer aulas de francês nem que cor de vestido eu queria usar em todos aqueles eventos. Nunca me perguntou que tipo de bolo eu queria pro meu aniversário. Ela sempre comprou o que ela queria e pronto.

– Nossa, eu sempre detestei seus bolos de aniversário – disse Iris.

– Iris – sibilou Claire.

Mas Astrid deu risada.

– Não, ela tem razão – disse. – Bolo nuvem é péssimo. Mas era o que minha mãe queria, como todo o resto, como assumir a empresa de Lindy Westbrook, como...

– Espera aí, como é que é? – perguntou Iris. – Assumir a empresa da Lindy não era o que *você* queria?

Astrid soltou um suspiro, levantando uma das mãos.

– A questão é que ela não pergunta. Ninguém *nunca pergunta*, e Spencer também nunca perguntou.

O coração de Claire doeu pela amiga. Ela colocou uma mecha de cabelo louro atrás da orelha de Astrid.

– Sobre a casa?

Astrid deu de ombros.

– Sobre a casa, sobre mudar para Seattle. Ele só imaginou que eu diria sim, porque eu sempre digo sim. Não digo?

Elas ficaram um tempo em silêncio. Claire não fazia ideia de como responder àquilo, porque Astrid não estava errada.

– Não quero ir pra Seattle – disse ela, por fim.

– Então não vá – respondeu Iris. – Você não tem que ir.

– Eu… Eu não sei… – Lágrimas finalmente brotaram dos olhos de Astrid, escorrendo por seu rosto tão rápido que era como se tivessem esperado anos para se libertarem. – Não sei dizer não. Não sei como fazer isso.

– A gente ajuda – falou Claire. – Fazemos o que você precisar.

– Eu sou ótima em dizer não – afirmou Iris.

Astrid abriu um sorriso, mas ele desapareceu logo, e ela enxugou as lágrimas.

– Meu Deus, minha mãe. Ela…

– Vai superar – respondeu Iris. – A vida é *sua*, não dela.

– Nossa, que confusão – disse Astrid, e de repente endireitou a postura. – Tem tanta coisa pra fazer. Preciso ligar pros fornecedores. Pra florista. Meu Deus, a Delilah. Eu preciso…

– Para – pediu Claire, puxando a amiga mais para perto. Seu coração disparou ao ouvir o nome de Delilah, mas ela ignorou. – Temos tempo. Agora… fica sentada aqui com a gente e só, tá?

– Ou – disse Iris –, se quiser praticar dizer não, pode mandar a gente praquele lugar agora mesmo e podemos começar a telefonar pra esse pessoal todo.

Astrid riu, então balançou a cabeça.

– Não, não. Acho que é bom descansar um pouco.

– Viu? – indagou Iris. – Você acabou de dizer não pra mim. Já é especialista.

Astrid riu mais uma vez e se jogou para trás na cama, os braços abertos acima da cabeça. Uma coisa nada Astrid, e fez Claire sorrir. Ela se jogou para trás também, seguida de Iris, e as três amigas enlaçaram os braços, lágrimas de alívio escorrendo pelo rosto e caindo no edredom de mil fios.

CAPÍTULO VINTE E OITO

DELILAH ESTAVA ESPERANDO em frente à Pousada Caleidoscópio, algo que parecia preocupação se acumulando em seu peito por Claire estar tão atrasada e não ter respondido às três mensagens que ela enviou. Mas então seu celular tocou. Já estava agarrada ao aparelho, a mão suada, e só deslizou o dedo sobre a tela, se enchendo de alívio ao ver o nome de Claire.

– Oi – disse, levando o telefone à orelha. – Você está bem?

– Oi – respondeu Claire. – Estou bem, sim.

– Cadê vocês?

– Estamos… bom, estamos indo pra Casa das Glicínias.

– O quê? – Delilah franziu o cenho e ajeitou a bolsa da câmera no ombro. – Por quê?

– Eles terminaram. Astrid e Spencer. Faz uma meia hora.

– Ah. – Delilah se escorou na parede de tijolos da pousada. – Puta merda.

– É. Parece que ele comprou uma casa em Seattle sem falar com ela, nem mostrar fotos, nem nada.

– E essa foi a gota d'água?

– Acho que sim.

Delilah assentiu, embora Claire não pudesse vê-la. Queria se sentir aliviada, até feliz. Era isso que ela queria, o que todas elas queriam, embora as motivações de Iris e Claire fossem diferentes das dela. Para Delilah, agora ela podia voltar para Nova York e se preparar para a exposição no Whitney. E estava 15 mil dólares mais rica. Conforme o contrato, ela receberia mesmo em caso de cancelamento, e Isabel desembolsaria o dinheiro sem pensar duas vezes. A madrasta estaria ocupada demais perdendo as estribeiras com

Astrid. Sem dúvida, o casamento cancelado da filha perfeita com o garoto de ouro seria um pesadelo para ela.

O trabalho de Delilah tinha acabado.

Ela estava livre.

Nunca mais precisaria colocar os pés naquela cidade se não quisesse.

Então por que suas costas estavam coladas naquela parede de tijolos vermelhos como se fosse a única coisa que a mantinha em pé?

– E agora, o que acontece? – perguntou Delilah, a voz constrangedoramente baixa.

Ela pigarreou, como se um pequeno pigarro fosse o único motivo do quase sussurro.

– Iris e eu vamos com Astrid conversar com Isabel – disse Claire.

– Ah, claro. Astrid com certeza vai precisar de ajuda com isso.

– Foi o que a gente pensou.

Um silêncio se impôs entre elas, e Delilah o detestou. Já que ia acabar, era melhor acabar logo, como uma decapitação. Indolor e rápida.

– Tá – respondeu ela. – Acho que eu vou...

– Vem com a gente – falou Claire.

Delilah piscou e se afastou da parede.

– Quê?

– Vem com a gente – repetiu Claire.

– Astrid não vai querer.

– Você sabe como a Isabel é. Talvez possa ajudar.

Delilah riu, um som amargo e claro.

– Isabel não vai me querer lá de jeito nenhum.

– Bom, eu quero.

Delilah fechou os olhos.

– Claire.

– Por favor. Vem, tá? Quero ver você. E Astrid é a sua família. A única que você tem, né?

– Você sabe que é mais complicado que isso.

– Eu sei. E você não preferia que não fosse?

Delilah franziu o cenho, sem saber o que dizer. Claro, ela queria que o relacionamento com Astrid e Isabel fosse mais simples. E seria mesmo, assim que ela voltasse para Nova York, praticamente inexistente, como sempre fora entre uma visita e outra. Mas, ao pensar isso, algo cutucou o fundo de sua mente. Outro desejo. Um desejo em que *família* significava mais que encontros constrangedores e mensagens ignoradas, em que *amigas* significava mais que uma conhecida, uma colega ou uma ficada. Em que *lar* significava mais que um apartamento no quinto andar sem elevador e com móveis de lojas de departamentos.

Mas era tarde demais para isso.

Não era?

– Por favor – repetiu Claire.

E, caramba, Delilah não queria dizer não para ela. E, para falar a verdade, ela não queria ir embora sem ver Claire uma última vez.

– Tá – respondeu Delilah. – Mas me encontra lá na frente, tá? Eu não...

– Não quer entrar sozinha. Eu sei.

De repente, os olhos de Delilah ficaram úmidos. Ela desligou antes que Claire pudesse ouvir as lágrimas em sua voz.

Claire não estava lá para encontrá-la, embora o carro de Iris estivesse na entrada. Ainda assim, Delilah ficou paralisada enquanto o carro que a deixou ali ia embora. Ela devia simplesmente dar meia-volta, ir para a pousada e reservar o voo de volta para casa. Aquele não era seu lugar, nunca seria.

E ainda assim...

Delilah não tivera a menor pressa em chegar à Casa das Glicínias. Tinha parado para tomar um café e depois caminhado devagar até ter certeza de que Claire já estaria lá.

Parou em frente à livraria e, pela vitrine, olhou para todas as lombadas coloridas e as paredes em branco que Claire não conseguia decidir como preencher. Brianne, a gerente, acenou para ela de trás do balcão, um sorriso largo no rosto. Delilah acenou de volta e percebeu que também estava sorrindo, o que deixou ainda mais salientes os sentimentos confusos que se acumulavam em seu peito como uma tempestade.

Agora, parada na frente da casa, ela não conseguia se obrigar a ir embora. Pela primeira vez desde a morte do pai, ela *queria* entrar.

O que Claire Sutherland tinha feito com ela?

Aquilo não era bom. Ela precisava ir embora imediatamente. E daí se Astrid estava chateada, se o conto de fadas perfeito da Isabel estava desmanchando atrás daquela porta?

Ela não estava nem aí. Delilah Green não dava a mínima. Porque elas nunca se importaram com ela.

Ela se escorou na porta, encostou a testa no vidro. Não estar nem aí era simplesmente exaustivo.

Antes que pudesse se conter, girou a maçaneta grossa e entrou, o cheiro de lavanda e alvejante atacando seus sentidos como sempre. A casa estava fresca, quase gelada, e, como ela imaginava, as portas da sala à esquerda estavam fechadas. Vozes murmuravam atrás delas. No passado, aquele cômodo era o escritório do pai dela, ocupado por sofás de couro macios e uma mesa enorme de carvalho embaixo da qual Delilah se encolhia com um livro enquanto o pai trabalhava. Agora, parecia um cômodo de Versalhes, com sofás e divãs dispostos com elegância. Ela foi até a porta e encostou a mão na madeira.

– ... tem ideia do quanto isso é constrangedor? – indagou Isabel.

– Constrangedor pra quem, mãe? – perguntou Astrid, a voz rouca e chorosa. Delilah nunca tinha ouvido a voz dela assim. – Pra você ou pra mim?

– Pra nós duas – respondeu Isabel, o tom completamente calmo.

Ela não gritou nem levantou a voz. Delilah nunca a vira fazer nada disso, mas, meu Deus, aquela mulher sabia cuspir um insulto como ninguém, o tom sempre calculado e frio, o que, para falar a verdade, deixava tudo ainda pior. Na adolescência, havia tentado mais de uma vez fazer a madrasta perder a cabeça, ao menos para que ela não fosse a única naquela posição.

– Bom, sinto muito – disse Astrid. – Mas desta vez, *só desta*, preciso que você...

A voz de Astrid sumiu, o silêncio preenchendo o espaço. Delilah encostou a orelha na porta. Pensou ter ouvido um "Está tudo bem" no tom suave de Claire, mas foi tão baixinho que não conseguiu ter certeza. Ouviu umas fungadas, uns "xius".

– Ah, pelo amor de Deus, Astrid – disse Isabel. – Pare de chorar. Se está tão chateada com isso, ligue pro seu noivo e resolva.

– Não é ele que está me deixando chateada, mãe, é você – respondeu Astrid.

– Como é? – perguntou Isabel, a voz afiada como uma faca.

– Uma vez na vida, por favor – pediu Astrid –, me coloque em primeiro lugar.

– Eu passei a vida inteira colocando você em primeiro lugar, mocinha.

– Não colocou, não. Você colocou sua imagem em primeiro lugar. Seu dinheiro. Sua posição social. E estou cansada, mãe. Estou cansada. Delilah está cansada.

Delilah estremeceu ao ouvir seu nome. Seu coração acelerou, a adrenalina inundando o organismo, deixando-o quente e de repente gelado.

– Não ouse falar sobre aquela garota comigo – retrucou Isabel. – Faz muito tempo que ela deixou bem claro o que sente por esta família. Você acha que eu não sei que foi ela que empurrou o pobre do Spencer no rio? E aquele fiasco na Vivian, meu Deus. Ela parece um animal. Não sei onde eu errei com ela.

– Mãe, chega.

– Se quer mesmo saber, isso é culpa dela – disse Isabel. – Você estava muito feliz por se casar com Spencer até ela voltar pra cidade. Eu avisei que ela só arrumaria confusão, mas não, você precisava trazer a sua *irmã* pro seu casamento, não é?

Delilah franziu o cenho, piscando para a porta e tentando processar o que tinha acabado de ouvir. Mesmo depois de tantos anos, a indiferença de Isabel em relação a ela ainda doía. Queria que não doesse, dizia a si mesma que não ligava, mas não conseguia evitar. Em se tratando de Isabel, uma necessidade infantil e desesperada de amor sempre surgia dentro dela. Delilah dizia não se importar, mas a verdade era que Isabel era a única mãe que ela conhecia, e a mulher a odiava. Ou, pior, não sentia nada por ela.

Isabel não amava Delilah Green, e nunca amaria.

E não a queria no casamento de Astrid. Não tinha contratado Delilah para fotografar o evento. Não tinha usado a culpa para que ela viesse, sugerindo que seu pai gostaria que ela estivesse presente. Não tinha oferecido uma quantia absurda de dinheiro que ela sabia que Delilah precisava.

Astrid era quem tinha feito tudo isso.

Astrid a queria ali.

Delilah balançou a cabeça e se afastou da porta cambaleando. Não queria ouvir mais nada. Não *suportaria*. Seu peito estava apertado e seus olhos ardiam. Ela se virou em direção à porta da frente, pronta para fugir, mas também não queria fazer isso.

Ela queria Claire.

Queria até Iris.

Sem pensar, deixou que a memória muscular assumisse o controle. Seus pés a levaram para a direita até a escadaria ampla, a mão deslizando pelo corrimão de carvalho como tantas vezes antes. No andar de cima, ela parou à porta do seu antigo quarto, mas não havia nenhuma lembrança ali. Todas as suas coisas tinham sido enviadas para Nova York um mês depois que ela deixara Bright Falls aos 18 anos, quando ficara claro para Isabel que ela não voltaria. Agora, o espaço era um quarto de hóspedes, com roupa de cama branca com detalhes cinza-azulado, quadros sem graça de rios e cachoeiras na parede e cortinas brancas cobrindo a janela.

Ela foi até o quarto seguinte. No instante em que abriu a porta, sentiu que entrava em um museu de seu passado. O quarto cavernoso de Astrid tinha exatamente a mesma aparência de quando eram adolescentes. Todos os livros favoritos continuavam nas prateleiras, o edredom no mesmo tom delicado de lavanda com desenhos amarelos, a penteadeira de madeira branca ainda exibindo o porta-joias da Cinderela que ela ganhara aos 8 anos e que Delilah cobiçava em segredo, mas nunca soubera como pedir.

A única diferença eram as caixas plásticas no chão, cheias de objetos da infância, cadernos e pastas da escola, prêmios e medalhas de todas as conquistas de Astrid, ingressos de cinema e programas amarelados do balé de Portland, coisas que ficaram no armário, esquecidas, desde que ela fora para a faculdade.

Delilah entrou no quarto e se sentou na cama. Nunca tinha passado muitas horas ali. Ela e Astrid nunca foram esse tipo de irmãs, claro. Ainda assim, algumas vezes ela havia parado à porta e Astrid fizera sinal para que entrasse para pegar um livro emprestado ou assistir a um filme na TV pequena que ficava sobre a cômoda, principalmente quando Isabel estava dando uma de suas festas e as duas estavam vestidas com babados e rendas, cansadas de interpretar um papel e prontas para voltar a ser apenas garotas.

Memórias havia muito reprimidas a envolveram, confusas como se ela estivesse despertando de um sonho. Espiou dentro de uma das caixas, que estava cheia de livros com capa de couro. Os diários de Astrid. A irmã postiça estava sempre rabiscando naqueles livros. Delilah nunca perguntara o que ela escrevia, mas tinha certeza de que, se os abrisse agora, veria uma entrada para cada dia da vida de Astrid. Imaginou se ela ainda mantinha um diário, o que escreveria sobre hoje ou amanhã.

Pegou o primeiro caderno da pilha de dentro da caixa. Era de couro marrom-escuro, com flores e trepadeiras em relevo sobre a capa. Abrindo o diário, Astrid tinha escrito seu nome na primeira página – *Astrid Isabella Parker* – ao lado de datas importantes, a primeira das quais localizava aquele diário uns três meses depois da morte do pai de Delilah, quando elas tinham 10 anos.

Delilah folheou as páginas, o papel enrugado pelo tempo e pela falta de uso. A letra perfeita de Astrid, sempre em tinta azul-escura, borrou sua visão. Ela não tinha intenção de ler o diário. Era de Astrid, estava cheio de pensamentos íntimos, e nem mesmo Delilah Green ultrapassaria esse limite. Mas então, conforme as letras passavam, seu olhar ficou preso a uma palavra.

Delilah

Segurou a página com o polegar e abriu o caderno no colo, virando algumas páginas e procurando seu nome de novo.

Estava por toda parte.

Não em todas as páginas, mas em muitas. Ela piscou olhando para a escrita. Sabia que devia fechar o caderno e sair do quarto naquele instante, mas alguma coisa a manteve ali. Alguma coisa infantil e curiosa, uma garotinha procurando algo para aliviar o nó no peito.

Ou talvez para deixá-lo ainda mais apertado.

Ela engoliu em seco, respirou fundo e começou a ler uma página em que seu nome aparecia várias vezes.

25 de setembro

Fui até o quarto de Delilah hoje à noite para ver se ela não queria fazer o dever de casa ou assistir à TV comigo, mas quando bati ela não atendeu. Então, quando espiei lá dentro, ela estava deitada na cama, olhando para o teto, o que deve ser bem chato, mas ela está sempre olhando as coisas. Acho que não ela não tem culpa. Ela está triste. Eu sei que está, como a mamãe está e eu também. Mas não sei como ajudar. Quando perguntei se ela queria ver um filme, ela virou para o lado e ficou olhando para a janela. Ela não quer a minha ajuda.

3 de outubro

As folhas estão começando a mudar de cor e é minha época do ano favorita. Queria que Delilah fosse à fazenda de abóboras do Gentry comigo, Claire e Iris hoje, mas não tive chance de chamar. Quando Claire e Iris chegaram, Delilah estava na sala vendo TV, mas assim que a campainha tocou ela desapareceu. Não estava no quarto quando fui procurá--la. Iris disse que ela é meio esquisita, o que eu acho que é verdade. Não sei o que dizer a minhas amigas sobre ela, então não digo muita coisa. Dá um pouco de vergonha minha irmã postiça não gostar nem um pouquinho de mim. Ela também não gosta da minha mãe, mas acho que minha mãe não é lá muito fácil de se gostar. Mesmo quando Andrew estava vivo, Delilah era bem calada, mas não tanto assim. Não sei o que fazer.

Delilah deixou o caderno no colo, os pulmões bombeando o ar com força, a memória voltando, voltando, voltando até aquela época, meses depois de a morte do pai deixá-la órfã. Ela lembrava que Astrid a convidava para assistir à TV ou fazer a lição com ela de vez em quando, mas aquele… aquele… *anseio* que parecia preencher a escrita de Astrid, a preocupação, as dúvidas e até a mágoa…

Isso era novidade.

Era… impossível. Astrid nunca se sentia assim. Ela nunca quis que Delilah fizesse parte da família. Depois da morte do pai, Delilah era apenas um fardo, uma órfã, uma garota esquisita estragando a vida perfeita de Astrid e Isabel.

Não era?

Avançou mais algumas páginas, parando em um registro da primavera seguinte, quando elas tinham 11 anos.

Claire e Iris dormiram aqui ontem. Estou tão feliz por elas serem minhas amigas. Iris é muito engraçada, e Claire deve ser a pessoa mais fofa que já conheci. Não sei o que eu faria sem elas, principalmente com Delilah me ignorando a maior parte do tempo. Claire perguntou dela ontem enquanto estávamos fazendo biscoitos, perguntou por que ela nunca fica com a gente nem fala comigo. Fiquei com o rosto meio quente e não sabia o que dizer.

Será que minha irmã me odeia?

Será que minha irmã queria ter outra família?

Daria muita vergonha admitir isso, embora fosse verdade. Então eu dei de ombros e disse que Delilah era esquisita e que ela gostava de ficar sozinha.

Iris concordou e disse que Delilah é superestranha. Claire franziu a testa e voltou a misturar a massa, e não falamos mais nada sobre ela, mas eu sabia que meu rosto estava muito vermelho, porque ficou quente durante uma hora. Meu peito também estava doendo, como sempre acontece quando faço uma coisa que sei que não é certa, como se eu não conseguisse respirar direito.

Delilah fechou o caderno com força e o jogou em cima da cama. Então enfiou a mão na caixa aos seus pés, procurando outro diário. Suas mãos estavam tremendo porque nada daquilo parecia certo. Não podia estar certo.

Pegou um diário de capa verde que estava mais para o fundo da pilha. Abrindo, viu a data, que o localizava quando ela e Astrid estavam no ensino médio, entre 15 e 16 anos. Uma olhada rápida nas primeiras páginas encheu-a de alívio – seu nome não aparecia –, até chegar à metade, onde *Delilah* aparecia o tempo todo.

11 de janeiro

Eu odeio minha mãe, juro por Deus. Às vezes parece que não posso falar, não posso pensar por conta própria. Sou apenas uma boneca programada para dizer "sim, mãe" e "tudo bem, mãe" e "o que você quiser, mãe". Estou de saco cheio disso. Às vezes, acho que Delilah é que está certa – o negócio é ser bem chata com todo mundo, que uma hora as pessoas te deixam em paz. Quer dizer, minha mãe pergunta da escola e trata de garantir que ela não vai fazer nada que manche o grande nome Parker-Green, a arrasta para uns eventos beneficentes aqui e ali, mas na maior parte do tempo ela deixa Delilah em paz.

Por que ela também não me deixa em paz?

Fico pensando o tempo todo o que Delilah acha do show de horrores que é meu relacionamento com minha mãe. Ela deve ficar aliviada por não ter que lidar com isso. Não que ela vá me dizer. Se não estamos na escola nem somos obrigadas a sentar à mesa porque minha mãe quer, Delilah fica no quarto dela, lendo ou fazendo sei lá o quê. Sempre que eu tento fazê-la sair do quarto, ela mal responde as minhas perguntas. Como semana passada, que eu perguntei se ela queria ir comigo até a livraria. Achei que isso fosse chamar sua atenção porque ela adora a livraria. É o único lugar aonde ela vai na cidade. Claire sempre me diz quando vê Delilah por lá, pelo menos algumas vezes por semana depois de sair da escola. Mas e quando eu convidei? Levei um "Não, obrigada" bem na minha cara. Até quando eu perguntei por que não, ela só deu de ombros e resmungou alguma coisa sobre ter ido até lá no dia anterior, como se nunca tivesse ido dois dias seguidos. Conclusão lógica: ela só não quer ir comigo.

Tudo bem, tanto faz. Aprendi há muito tempo que nada que eu faça é suficiente para Delilah. Eu nem queria uma irmã mesmo.

Delilah deixou o caderno cair em seu colo, as letras azuis borrando e girando diante dela. Sentia o peito mais apertado do que nunca. Tinha que sair dali. Precisava ir embora, imediatamente.

Ao ficar em pé, deixou o diário cair no chão. Correu até a porta, mas, antes que conseguisse sair, Claire apareceu, os olhos arregalados suavizando ao ver Delilah.

– Achei você – disse. – Desculpa não ter saído pra encontrar você. Eu estava olhando pela janela, mas Isabel...

Ela ficou paralisada. Sua expressão voltou a ser de preocupação, alarme até, ao observar Delilah.

– Você está bem?

Delilah assentiu, tentou sorrir, tentou fazer qualquer coisa que a fizesse voltar a ser a mesma pessoa de antes de entrar naquela casa. Não, antes disso. Antes de voltar a Bright Falls.

– Está merda nenhuma – ponderou Claire.

Ela falou com tanta doçura que, embora houvesse um palavrão ali, Delilah se sentiu desmoronar. Seus lábios se contorceram e seus olhos arderam e ela não sabia o que dizer nem o que pensar, sobre tudo, sobre Astrid, sobre si mesma, sobre toda a sua infância.

– Ei – disse Claire, estendendo a mão e pegando a de Delilah. – O que aconteceu?

Delilah balançou a cabeça, mas seus dedos se agarraram aos de Claire. Ela engoliu em seco várias vezes. Tinha saliva demais na boca. Talvez precisasse vomitar. De repente, ficou tonta, perdendo o equilíbrio.

Claire percebeu na hora, levou-a até a cama e a fez sentar-se. Acariciou suas costas, em círculos, e Delilah respirou fundo, então soltou o ar devagar.

– O que aconteceu? – perguntou Claire, acariciando o pescoço dela.

Delilah olhou para o diário no chão e se abaixou para pegá-lo.

– Você... Como eu era quando a gente era criança? Você lembra?

Claire franziu o cenho. Ficou claro que aquela não era a pergunta que ela estava esperando.

– Hum. Eu lembro, sim.

– E aí?

Claire deslizou a mão pelas costas de Delilah.

– Você era calada. Triste. Você… não parecia que… – Ela esfregou a testa com a mão que estava livre. – Sei lá.

– Pode falar.

Claire soltou um suspiro.

– Você não parecia ligar muito pra nada. Pra ninguém. Pra fazer amizades e conhecer as pessoas. Mas você só era diferente, e acho que ninguém sabia como…

– E Astrid? Como eu era com ela?

Claire estremeceu.

– Por que isso agora?

Delilah passou a mão pelos diários.

– *É que eu…* Você já imaginou se entendeu tudo errado?

– Tudo o *quê*?

– Não sei. Alguma coisa importante. Como se não tivesse percebido os sinais ou não soubesse como interpretá-los.

– Do que você está falando?

Delilah balançou a cabeça.

– Não sei. Não sei do que estou falando.

Ela pensou nos primeiros meses após a morte do pai, no quanto se sentira sozinha, abandonada. Isabel estava cuidando do próprio luto, Astrid também, provavelmente, então não havia ninguém para ajudar a Delilah de 10 anos a passar por aquela escuridão, ninguém para segurar sua mão nem para abraçá-la, nem para dizer que ia ficar tudo bem. Ela se lembrava de se sentir invisível, perdida, como se talvez seu corpo nem fosse real. Quando Isabel se recompôs o bastante para ser uma presença em casa, Delilah já tinha desaparecido. Pelo menos na própria cabeça. Ela sabia que não a queriam. Sabia que Isabel nunca planejara criar uma criança que nem tinha seu sangue. E ainda por cima uma criança esquisita.

E Astrid… tinha *mesmo* tentado se relacionar com Delilah? Será que ela queria uma irmã e Delilah simplesmente não soube ser uma? Não soube ser nada para ninguém, nada além da garotinha que tinha acabado de perder a única pessoa que a fazia se sentir amada?

– Tudo bem – disse Claire, encostando os lábios na testa de Delilah. – Seja o que for, está tudo bem. Conversa comigo.

Delilah se virou de frente para Claire, buscando seus olhos castanhos. Toda aquela solidão da infância, todos aqueles sentimentos de ser indesejada, de ser um fardo, algo a ser tolerado, ela não sentia nada daquilo quando olhava para Claire.

Sentia o oposto.

Era assim desde aquele primeiro dia na Taverna da Stella, antes mesmo que Claire soubesse quem ela era e Delilah transformasse tudo em uma piada hilária, um planinho tortuoso de vingança. Mesmo então, algo a atraía naquela mulher, e ela não queria perder isso.

Não queria interpretar errado, nem ignorar, nem pôr um fim.

Antes que pudesse pensar melhor, ela se aproximou e encostou os lábios nos de Claire, que ofegou, surpresa, mas logo relaxou, tocando o rosto de Delilah com as mãos e abrindo os lábios para deixar os dela entrarem. O beijo foi lento e desesperado ao mesmo tempo, exatamente aquilo de que Delilah precisava. Ela deixou que o diário voltasse a cair no chão, para colocar os braços ao redor da cintura de Claire. As duas caíram nos travesseiros, emaranhadas como um nó. Delilah não queria parar para respirar e conversar, mesmo sabendo que Claire ouviria, entenderia e a acolheria. Naquele momento, ela só queria sentir o corpo dela junto do seu, deslizando os dedos por seu rosto como se ela fosse algo precioso.

– Escuta – disse Claire, segurando o rosto de Delilah e se afastando só um pouquinho. – Delilah, eu… – Ela fez uma pausa, havia dúvida em seu olhar.

– O que foi? – perguntou Delilah, o lábio inferior batendo no dela. Não gostava daquela dúvida. Queria removê-la como um tumor. – Você o quê? Fala.

Claire passou o polegar na testa de Delilah.

– Eu… eu não quero que você vá embora.

Delilah se afastou um pouco mais.

– O quê?

– Eu não quero que você vá embora. Não quero que isso seja um relacionamento casual ou só sexo ou o que quer que a gente tenha combinado. Detesto casual. Casual é uma merda. Não entendo como as pessoas fazem isso.

– Claire, eu…

– Eu sei que você mora em Nova York e precisa estar lá e eu preciso estar aqui, mas não ligo. A gente pode fazer dar certo, não pode? Podemos contar pra Astrid. Pra Iris também. Eu… eu acho, eu não quero…

Delilah encostou o dedo na boca de Claire, silenciando-a. Ficou olhando para ela, tentando analisar o sentimento em seu peito, mas levou menos de um segundo.

Alívio.

Uma fagulha de medo, que parecia bem normal diante de algo tão importante.

Felicidade.

Antes desse momento, quando tinha sido a última vez que ela ficara feliz de verdade? Não conseguia lembrar. Ao receber o e-mail sobre a exposição do Whitney, talvez, mas era diferente. Era… sucesso. Isso era uma *felicidade* que aquecia o sangue, assentava os ossos, enevoava a mente.

Mas ela não conseguia colocar o sentimento em palavras, ainda não. Então puxou Claire mais para perto, passou a mão por suas costas e em sua nuca, o polegar alisando a pele macia enquanto a beijava, despejando tudo o que não sabia traduzir em palavras em cada toque, cada impulso de seu corpo colado ao de Claire.

Sim. Beijo. *Sim.* Beijo. *Sim.* Beijo.

Claire riu sem se afastar e envolveu o quadril de Delilah com uma das pernas. Delilah colocou as mãos embaixo da camiseta de Claire, sentindo sua pele macia, esquecendo completamente onde estavam e por que estavam lá. Aquele momento era a única coisa que importava, e…

– Que merda é essa?

Por uma fração de segundo, a voz, o tom irritado, as palavras pareceram um sonho. Um filme na TV a que ninguém estava assistindo. Mas de repente Claire respirou fundo, se afastando de Delilah, e Delilah se viu sozinha na cama enquanto Astrid Parker, com o rosto molhado de lágrimas, olhava para ela no quarto de sua infância, a boca aberta em choque.

CAPÍTULO VINTE E NOVE

OS BATIMENTOS CARDÍACOS DE CLAIRE estavam enlouquecidos, as pontas dos dedos fervendo de tanto oxigênio. Por um segundo, nada parecia real – o pedido para que Delilah ficasse, a decisão de contar à melhor amiga que ela talvez, quem sabe, provavelmente estava apaixonada por sua irmã postiça distante, e agora isso.

Astrid olhava para ela boquiaberta, mágoa e raiva irradiando por seu corpo. Iris estava atrás dela com uma expressão de *puta merda* no rosto.

– Astrid – disse Claire. – Eu…

– Não – respondeu Astrid, levantando a mão trêmula.

Claire soltou um suspiro e se levantou. Sua camiseta estava retorcida, mas ela definitivamente não queria chamar a atenção para suas roupas amarrotadas naquele momento.

– Querida, me deixa explicar.

– Explicar o quê? – perguntou Astrid.

Ela não gritou nem levantou a voz. Claire quase queria que ela fizesse isso, mas seu tom se manteve baixo, exausto. Triste.

– Que você está, o quê? Trepando com a minha irmã e nem se deu ao trabalho de me contar?

– Não, Astrid, eu…

– Então você não está trepando com minha irmã?

Claire piscou várias vezes olhando para a melhor amiga, a vergonha aquecendo seu rosto.

Astrid assentiu.

– Foi o que eu pensei.

– Amiga, que tal ouvir o que ela tem a dizer? – sugeriu Iris, apertando o ombro de Astrid.

Astrid se virou.

– Você sabia disso?

– Não, ela não sabia – respondeu Claire.

Mas Iris deu de ombros e disse:

– Eu imaginava.

– O que é que está acontecendo? – perguntou Astrid. – O que mais vocês estão escondendo de mim? Ah, espera, eu já sei que vocês odeiam o Spencer.

– A gente não odeia ele – respondeu Iris. – Só não achamos que ele seja o cara certo pra você. Você merece coisa melhor. A gente queria conversar com você sobre isso, mas não sabia como. E, no decorrer da semana, Claire, Delilah e eu imaginamos que se a gente conseguisse fazer você parar pra pensar em…

– Espera aí – pediu Astrid, levantando o dedo trêmulo no ar. – Você, Claire e *Delilah*?

Iris abriu a boca, depois fechou os olhos.

Aquilo era um desastre. Nada estava indo bem. Claire não sabia como explicar as coisas, as palavras se emaranhavam em sua língua.

– Ela estava com a gente o tempo todo – Claire finalmente conseguiu dizer. – E ela… bom… ela é…

– Eu sou boa em estragar tudo – disse Delilah em voz baixa.

Parecia que Astrid ia vomitar. Ficou encarando as três, uma de cada vez, mas seu olhar parou em Delilah.

– Eu não acredito nisso. Faz 22 anos que somos irmãs. Vinte e dois anos de você vivendo distante e fazendo cara de *não estou nem aí pra mais ninguém além de mim.*

– Astrid – disse Claire, a preocupação tomando conta dela ao ver o rosto de Delilah pálido –, espera um pouco.

Mas Astrid a ignorou.

– Vinte e dois anos tentando entender qual era o meu problema, o que eu tinha feito, por que você não me dava uma chance, por que…

– Por que *eu* não *te* dava uma chance? – perguntou Delilah, se levantando. – Desde o dia que meu pai morreu, sua mãe deixou bem claro o que eu era nesta família. Uma tutelada. Uma garota sem casa. Uma órfã. Alguém que ela ia alimentar e vestir, só isso. Não alguém da família. Não uma filha.

– Isso é a minha *mãe* – disse Astrid, e bateu no peito com tanta força que Claire se encolheu. – E eu?

Delilah levantou o queixo, quase desafiadora, mas percebeu um leve tremor em seu lábio inferior e tensionou o maxilar para firmar.

Astrid balançou a cabeça.

– Eu não devia ter convidado você.

– Por que convidou?

– Porque você é minha irmã, caramba! E eu queria ver você no meu casamento. Achei que... Não sei o que achei, mas com certeza não esperava isso. Minha mãe tinha razão, você não está nem aí pra gente. Você não dá a mínima pra mim, você não...

– Você nunca me deu uma chance – falou Delilah.

– Eu te dei uma chance quando te contratei pro casamento! Eu te dei uma chance em todos os feriados em que você nunca veio pra casa e toda vez que eu passava no seu quarto quando a gente era criança, a cada jantar, a cada...

– Então eu devia saber ler mentes? Você me ignorou durante todo o ensino médio. Todo o ensino fundamental. Você me ignorava sempre que Claire e Iris vinham aqui, fazia questão de fazer com que eu me sentisse uma intrusa o tempo todo.

Astrid piscou muito, as lágrimas caindo em silêncio. Quando falou, sua voz saiu frágil, despedaçada:

– Você me ignorou primeiro.

Delilah contraiu os lábios e virou a cabeça, os olhos brilhando levemente. Claire queria envolvê-la nos braços. Queria pegar a mão de Astrid, fazer as duas se acalmarem e conversarem, mas não se mexeu. Não se atreveu. Aquela ligação de arame farpado entre Astrid e Delilah era muito mais afiada do que ela imaginava. Havia tanta mágoa ali, tanta raiva, e ela não sabia como ajudar nenhuma das duas.

– Eu não sabia que estava ignorando você – disse Delilah, finalmente, a voz tão baixa que Claire quase não ouviu. – Eu achava... eu achava que era isso que você queria.

Astrid balançou a cabeça, levantando as mãos e as deixando cair novamente.

– Então você voltou pra cidade, conspirou pelas minhas costas com as únicas pessoas que eu amo de verdade, roubou minha melhor amiga, por quê? Pra se vingar de mim?

Delilah esfregou a testa, mas ficou em silêncio.

– Ah – disse Astrid. – Eu esqueci. Foi exatamente isso que você fez. Você inclusive me disse que ia fazer isso. Não disse?

Delilah baixou a mão.

– O quê? Astrid, Claire e eu…

– Me deixa adivinhar. *Aconteceu.*

– É. Aconteceu.

– Claro. Ela deu em cima de *você*, né? Ela queria *você*. Você é irresistível. Não teve nada a ver com isso.

– Eu não disse isso.

Astrid fungou.

– Então você não apostou comigo que pegaria Claire antes do casamento?

Claire demorou alguns segundos pare entender o que Astrid disse, as palavras se espalhando pelo quarto como uma nevasca repentina em abril – silenciosas, frias e chocantes.

Claire se virou para Delilah.

– Você… você fez o quê?

Delilah fechou os olhos.

– Não foi isso que aconteceu.

– Espera aí – disse Iris. – Delilah *apostou* com você que conseguiria dormir com Claire?

– Na manhã do brunch – respondeu Astrid, gesticulando para Claire. – Ela disse que você estava muito bem, aí eu falei pra ela ficar longe e ela só deu um *sorrisinho*. Como se fosse uma piada. Então ela apostou comigo que em duas semanas estaria na sua cama.

– E você aceitou a aposta? – perguntou Iris, boquiaberta.

– Não! Eu mandei ela se foder.

– Não foi isso que aconteceu – repetiu Delilah, mas sua voz soou frágil, insegura.

– Então você não tentou dormir com Claire só para me irritar? – perguntou Astrid.

– Você está distorcendo as coisas – respondeu Delilah.

– Estou mesmo?

– Espera aí – disse Iris, se aproximando. – Não pode ter sido isso. O que é que a gente ainda não entendeu? – Ela franziu o cenho olhando para Delilah, a mágoa abrindo uma vala em sua testa.

E ainda assim Delilah não disse nada. Não se defendeu, não ofereceu nenhuma explicação. Só ficou parada ali, os braços cruzados, os olhos no chão, os dentes mordendo o lábio inferior como se estivesse pensando no que dizer. Mas se ela *precisava* pensar, se *precisava* se preocupar, então...

Claire não conseguia processar tudo aquilo. Virou-se para a mulher a quem tinha implorado que ficasse *mais* com ela. A mulher em quem não conseguia parar de pensar, que não conseguia imaginar voltando para Nova York sem um plano para continuarem fazendo parte da vida uma da outra. Sabia que Delilah era difícil, que era impetuosa e descarada, e na verdade amava isso nela. Além do mais, por baixo de tudo isso, Delilah era... Ela era terna. Era gentil, atenciosa e corajosa. Ela era verdadeira. Tudo tinha parecido tão verdadeiro.

Era verdadeiro.

Não era?

Mas, agora, a verdade do quanto o relacionamento delas era inviável pesou sobre os ombros de Claire.

Ela havia pedido a Delilah que ficasse. Que tentasse. Que fizessem dar certo juntas.

E Delilah... não tinha dito sim. Ela beijara Claire, tocando-a com tanta delicadeza e tanto carinho que Claire sentia um aperto na garganta só de lembrar, mas não tinha dito sim. Porque não podia. E mais, não queria. Delilah sempre iria embora, como Josh, como o pai de Claire. Não importava como tinha começado nem o que ela sentia por Delilah ou o que esperava que pudesse acontecer, ela não podia entregar seu coração a outra pessoa só para ser abandonada mais uma vez.

O que quer que houvesse entre elas – sexo, *mais*, nada – estava acabado.

Porque Delilah Green nunca ficaria em Bright Falls por Claire Sutherland.

– Claire – disse Delilah. – Por favor, a gente pode...

Mas Claire levantou a mão, interrompendo-a. Delilah se encolheu como se tivesse levado um tapa, e foi essa a sensação de Claire também – a palma ardida, os dedos tremendo, a adrenalina correndo por suas veias.

Por fim, Delilah assentiu uma vez, o maxilar tenso, e foi em direção ao corredor.

– Vai, vai embora – murmurou Astrid. – É o que você faz de melhor.

Delilah parou à porta, os ombros encolhidos até as orelhas. Claire queria gritar *não, não, não*, aquilo não estava certo, mas estava. Estava, porque Delilah não se virou, não ficou, não tentou.

Ela foi embora, e só.

CAPÍTULO TRINTA

JOSH TINHA IDO EMBORA.

Claire precisava admitir.

Fazia dois dias que não tinha notícias dele.

Fazia dois dias que muitas coisas tinham acontecido.

Dois dias que Astrid havia cancelado o casamento e flagrado Delilah e Claire. Dois dias que Delilah tinha deixado Bright Falls. Dois dias que Astrid não falava com Claire.

Iris era a intermediária relutante, mandando mensagens para Claire com sugestões do que ela podia fazer para ajudar Astrid a cancelar o casamento. Desde quarta-feira, Claire estava escondida dentro de casa, após dizer à gerente da livraria, Brianne, que estava doente, quando na verdade estava deitada no sofá bebendo água gaseificada com limão, até mudar para vinho por volta das cinco da tarde todos os dias, ligando para convidados e fornecedores do casamento e para quem quer que Iris mandasse por mensagem.

Claire também não tinha conversado com Iris. Pelo menos, não pessoalmente. Depois que Delilah saíra do quarto de Astrid, tentara conversar com a amiga, contar o processo todo desde o início da relação com Delilah, mas Astrid não quisera ouvir. E tinha razão – não era hora de dar desculpas, por mais que sentisse que suas decisões eram justificadas. Astrid tinha acabado de cancelar o casamento. Estava de coração partido… embora Claire achasse que o motivo não era Spencer. Não depois de tudo o que acontecera entre Astrid e Delilah.

Então o celular de Claire virou um fluxo sem fim de mensagens frias e autoritárias, todas desprovidas de qualquer pergunta pessoal.

Ligar para a florista.

Enviei a lista de convidados por e-mail para você ligar.

Cancelar o Quarteto de Cordas Graydon.
Segue o número deles.

Ela fazia tudo com um emoji de polegar para cima na hora, executando qualquer tarefa que pudesse ajudar Astrid a cuidar daquela confusão… uma confusão que ela queria, que tinha planejado com Iris e Delilah. Ela não tinha justificativa para isso, para nunca ter ficado à vontade para ser sincera com Astrid sobre o que sentia em relação a Spencer, para sempre ter se esquivado do confronto.

Agora, escrevendo para Josh pela milionésima vez, sem resposta, e deixando mais uma mensagem de voz, o que ela queria era brigar. Queria empurrar aqueles ombros largos idiotas e gritar na cara dele. As palavras se confundiam em sua mente, tudo que ela diria para ele, tudo que se avolumava em seu peito como uma tempestade.

Eu sabia que você ia fazer isso. Eu tinha razão, você sempre vai embora, todo mundo sempre vai embora.

Ela ligou mais uma vez, mas foi direto para a caixa postal, como em todas as vezes em que tentara entrar em contato com ele nos últimos dois dias. Ruby estava inconsolável. Também estava ligando e mandando mensagens para o pai sem parar, e ele não respondia. No dia anterior Claire usara a chave que Josh tinha deixado com ela algumas semanas antes para entrar no apartamento, só para dar uma olhada e ter certeza de que ele não estava jogado no chão com um ferimento fatal na cabeça ou algo do tipo. No apartamento, tudo parecia estar no devido lugar, mas a caminhonete dele não estava lá, nem os itens de higiene pessoal e a mochila grande que ele sempre levava quando saía da cidade.

Agora, finalizando uma ligação tensa para os Bradfords em Portland, lidando com um milhão de perguntas incrivelmente invasivas a respeito da sanidade de Astrid, Claire sentou-se no sofá e esfregou a testa. No fim do corredor, Ruby estava trancada no quarto, a música triste passando por debaixo da porta. Claire se sentia como um tecido esticado até esgarçar, desfiando nas pontas. Não aguentaria ver a filha passar por aquilo de novo.

Ela não aguentaria passar por aquilo de novo.

Pegou o celular e abriu as mensagens, o polegar pairando sobre a conversa com Delilah pela centésima vez desde que ela fora embora. Queria conversar com ela. Queria contar sobre Josh, implorar a ela que voltasse, mas não podia. Não se permitiria. Delilah já tinha ido embora, voltado ao lugar dela, e Claire… bom…

Talvez não fosse apenas Josh que ela não suportaria ver indo embora mais uma vez.

E era isso que aconteceria se ela entrasse em contato com Delilah agora, se é que aconteceria alguma coisa.

Delilah não está nem aí.

Claire disse isso para si mesma, várias vezes, ignorando a centelha de dúvida no fundo da mente. Em todo caso, não era dúvida. Era mágoa, desejo, talvez até um pouco de saudade, mas não era dúvida.

Abriu as mensagens com Iris e finalmente engoliu o orgulho.

Podemos conversar? Por favor?

Ela apertou enviar e segurou a respiração, mas aqueles três pontinhos apareceram no mesmo instante, a resposta de Iris chegou logo depois.

Já estou indo praí.

Dez minutos depois, Claire abriu a porta e inspirou, surpresa. Iris estava lá, com um vestido verde de verão, o cabelo ruivo comprido caindo ao redor dos ombros nus, mas não estava sozinha.

Astrid estava ao lado dela na varanda da casa de Claire, de braços cruzados e óculos escuros escondendo os olhos. Os lábios pareciam tensos, mas Claire nem ligou. Ela estava *lá*, e Claire nunca ficou tão aliviada na vida.

Ela deve ter se escorado no batente da porta, ou talvez as olheiras que sabia que estavam aninhadas sob seus olhos tenham entregado seu estado de espírito. De qualquer forma, Iris deu um passo à frente e a envolveu nos braços. Claire se apoiou nela, as lágrimas entupindo sua garganta de repente.

– Josh é um bota de merda honorário – disse Iris, traçando círculos nas costas de Claire.

Claire se afastou.

– Como você sabia?

Ela não tinha citado o desaparecimento para nenhuma das duas porque a hora certa para soltar essa bomba por mensagem parecia nunca chegar.

– Você deu um celular pra sua filha, e nosso número – respondeu Astrid, tirando os óculos. – Ela tem 11 anos, a vida dela é mandar mensagem.

Claire suspirou.

– Meu Deus. Me desculpem. Eu dei o número de vocês pra emergências, e eu...

– Querida – disse Iris, segurando os braços de Claire. – Está tudo bem. A gente faz parte da família da Ruby. É claro que queremos que ela mande mensagem quando precisar.

Claire olhou para Astrid, que assentiu discretamente; para ela, era o bastante.

Elas entraram e Claire abriu uma garrafa de vinho rosé. As três se acomodaram no sofá que, nos últimos dois dias, tinha se tornado um ninho de cobertores, livros, copos de água e pacotes de salgadinhos.

– Você se preparou mesmo pra passar um bom tempo aqui – falou Iris, sentando-se em um canto.

Claire riu.

– Você sabe que eu fico na toca quando estou deprimida.

– Sei mesmo – disse Iris, piscando para ela por cima da taça.

Astrid estava na outra ponta do sofá, Claire no meio, e a amiga ainda não tinha sorrido nem relaxado os ombros. Ela tentou pensar no que dizer, em como resolver a situação, mas não sabia o que poderia ajudar.

– Astrid, me desculpe – disparou, fazendo questão de olhar a amiga nos olhos, porque, no mínimo, devia isso a ela.

Astrid correspondeu ao seu olhar, mas não disse nada.

– Sei que as coisas entre você e Delilah são complicadas. Quando a gente começou a se encontrar, eu... bom, era uma coisa casual. Era... – Ela obrigou as palavras a saírem, por mais que não parecessem verdadeiras. Foi assim que tudo começou, e isso pelo menos era verdade. – Era só sexo, e eu sabia que seria temporário. Eu achava que não precisava contar pra nenhuma de vocês duas sobre uma ficada que tinha data pra terminar. E não queria te deixar mais estressada nem deixar as coisas ainda mais difíceis pra você tão perto do casamento.

Astrid inclinou a cabeça.

– Foi por isso mesmo que você não me contou?

Claire franziu o cenho. Ao seu lado, Iris pigarreou.

– Eu… bom… O que você quer dizer com isso?

Astrid soltou um suspiro e baixou o olhar. Agora que Claire observava a amiga mais de perto, ela parecia exausta. Estava sem maquiagem, o que era inédito para Astrid Parker, e seu cabelo estava um pouco opaco, como se não tivesse sido lavado nos últimos dias. Além disso, ela estava usando uma calça legging preta e uma camiseta cinza velha que dizia *Equipe de Corrida do Colégio Bright Falls*.

– O que eu quero dizer é que… – Astrid se virou de frente para Claire, sentando-se em cima das pernas. – Eu andei pensado muito nos últimos dias. Acho que dá pra chamar de *exame de consciência*.

– Ah, com certeza dá pra chamar assim – disse Iris.

Astrid olhou para ela, mas um sorrisinho discreto se formou nos cantos de seus lábios.

– Tá, eu andei fazendo um exame de consciência e percebi que… nem sempre é fácil conversar comigo.

Claire franziu o cenho.

– Astrid, querida…

– Não, me deixa concluir.

– É, deixa ela concluir – falou Iris.

– Dá pra você ficar quieta? – pediu Astrid, mas não havia maldade em sua voz.

Iris levantou as mãos, se rendendo.

– Nem sempre é fácil conversar comigo – continuou Astrid. – Sou exigente e inflexível e eu nunca… nunca dividi certas coisas com vocês. Muitas coisas.

Claire estendeu a mão e pegou a de Astrid, ficando aliviada quando ela não recuou.

– Tipo o quê?

– Tipo… – Astrid soltou um suspiro. – O que eu sentia em relação à Delilah. Quer dizer, como eu me sentia *de verdade* quando éramos mais novas. Quanto eu queria que ela fosse minha irmã, mas, quando ela não demonstrou querer a mesma coisa, eu simplesmente me afastei dela e como… como isso foi difícil. Como ainda é difícil, porque eu me sinto…

Ela engoliu em seco, fechando os olhos.

– Eu me sinto indesejada e parece que não sou boa o bastante, e falar sobre isso aprofundou ainda mais esses sentimentos.

– São muitos sentimentos – comentou Iris.

– E vocês sabem que eu odeio esse tipo de coisa – disse Astrid, sorrindo, mas sem humor.

– Querida… – falou Claire, com a voz suave.

Mas Astrid balançou a cabeça e continuou:

– Quando descobri o que estava acontecendo entre vocês duas, eu… surtei porque, pra falar a verdade, eu pensei: *Por que ela? Por que Claire e não eu?*

– Acho que aqui precisamos esclarecer que Astrid *não* está falando de você se pegar com a irmã dela – pontuou Iris, inclinando a taça de vinho na direção delas.

– Meu Deus, Iris – resmungou Astrid.

– O quê? Alguém tinha que dizer isso.

Astrid se concentrou em Claire, apertando sua mão.

– O que eu quero dizer é que você teve um *relacionamento* com ela. Ela significou alguma coisa pra você, e você pra ela, deu pra perceber. E eu… não entendo por que *eu* nunca signifiquei nada pra ela. Nada romântico, claro, mas só… alguma coisa. Qualquer coisa. Passamos por tantos momentos juntas, perdemos nossos pais, e eu queria dividir isso com ela. Sempre quis dividir isso com ela, porque Delilah era a única com quem eu *podia* dividir, e, depois que ela me ignorou tantas vezes, eu me senti…

– Péssima – Claire concluiu por ela.

Astrid assentiu.

– Mas eu não acho que seja culpa só da Delilah. Eu também não entendia grande parte da experiência dela. Coisas que eu não queria ver nem tentar entender. E, quando ela me afastou, eu retribuí, e nós meio que começamos a alimentar isso uma na outra.

Claire assentiu, sentindo um aperto na garganta de repente.

– Ainda assim, sinto muito por ter magoado você.

Astrid soltou o ar e sorriu para ela.

– Obrigada.

– E o Spencer? – perguntou Claire.

Astrid fechou os olhos por um instante.

– É. Spencer. Acho que ele era só uma saída fácil.

– Ele era um bota de merda – declarou Iris.

– Não está ajudando – disse Claire, mas Astrid riu.

– Não, Iris tem razão. Ele era um bota de merda completo.

– Um cinto de merda, uma meia de merda, uma camisa de merda, um cha…

– Sim, já entendemos, Ris – falou Claire, e se virou para Astrid. – Eu queria que você tivesse se aberto com a gente sobre ele.

– Eu sei. Me desculpem. Também tenho pensado muito nisso. Ele fazia minha vida parecer o que me ensinaram que ela devia parecer. Era fácil fazer o que ele queria e pronto, sabendo que isso deixava todo mundo feliz.

– Todo mundo, não – disse Iris.

– Eu sei – respondeu Astrid. – Mas ele era tudo que minha mãe sempre me disse que eu queria, então, quando ele apareceu, eu me *obriguei* a querer ficar com ele, porque o que é que eu poderia querer se não ele? No fundo, eu sabia que ele não me faria feliz, e sabia que vocês duas perceberam desde o começo, por isso eu nunca falava dele e por isso nunca o levava comigo quando a gente se encontrava. Eu não queria ouvir que ele era a pessoa errada, que *eu* estava errada.

– A gente também não devia ter escondido isso – disse Claire. – A gente devia ter falado a verdade desde o início.

– Eu não facilitei as coisas – argumentou Astrid.

– Ah, não facilitou mesmo – disse Iris.

Astrid revirou os olhos.

– Ris, nós duas já tivemos essa conversa, então, dá pra você fechar essa porra dessa matraca?

– Tá bom, tá bom, mas, sério, eu só falei pra ouvir Astrid Parker dizer *porra*.

As três riram, e Astrid abraçou Claire. Ficaram sentadas assim um bom tempo, Claire se deleitando na familiaridade do abraço da melhor amiga, o queixo apoiado no ombro ossudo dela.

– Ufa, tá, agora que isso está resolvido – disse Iris, batendo palmas uma vez quando as duas se separaram –, o que vamos fazer a respeito do seu probleminha?

Ela estava olhando para Claire, que se sentiu murchar.

– Não sei – respondeu ela. – Ruby está inconsolável, e Josh é…

– Não estou falando desse bota de merda honorário – falou Iris, levantando uma das mãos. – Porque, sério, o Josh é o Josh, e você e a Ruby podem contar com a gente. Pra sempre.

Claire franziu o cenho.

– Então do que você está falando?

Iris olhou para o teto, mexendo os lábios como se estivesse sussurrando um pedido de ajuda aos deuses, antes de olhar para Claire com os olhos arregalados.

– Da Delilah, minha queria amiga apaixonada. Delilah Green.

Claire balançou a cabeça.

– Nada. Não há nada a fazer.

Iris e Astrid se entreolharam por cima da cabeça de Claire.

– O que foi? – perguntou ela. – É verdade. E não estou apaixonada. Estou só… – Ela olhou para o ninho de melancolia ao seu redor, todos os sinais de um término devastador espalhados pela sala. – Isso não importa. Delilah foi embora.

– Ah, querida – disse Iris. – Se você acha que aquela mulher não está completamente apaixonada por você, você é ainda mais distraída do que eu pensava.

– O quê? Ela não está, não. Era só sexo.

– Claire, você não faz *só sexo* – argumentou Astrid com a voz mansa. – Nunca fez.

– Mas ela faz. Ela apostou – falou Claire, ignorando a observação de Astrid. – Ela *apostou* que conseguiria dormir comigo, você mesma disse, e…

– Ninguém que está só querendo irritar a irmã postiça olha pra alguém que só está pegando do jeito que Delilah olhava pra você – disse Iris. – No acampamento, no vinhedo, caramba, até na Casa de Chá da Vivian, ela não tirava os olhos de você.

Claire balançou a cabeça.

– Não, ela não está nem aí pra mim. Ela *foi embora*.

Astrid soltou um suspiro.

– Ela foi embora porque achava que ninguém aqui queria que ela ficasse.

– Eu pedi – disse Claire, as lágrimas finalmente se acumulando e caindo. – Eu pedi pra ela ficar.

Nenhuma das amigas disse nada. O que poderiam dizer? Delilah tinha ido embora. Não importava o que Claire sentia por ela nem o que ela pudesse sentir por Claire. Nova York era como outro planeta.

Claire bebeu em uma golada o resto do vinho, mas, antes que pudesse se levantar para oferecer mais às amigas, seu celular recebeu uma enxurrada de mensagens.

Todas de Josh.

Oi. Vou sair da cidade por alguns dias. Volto sexta, prometo.

O que é isso? Por que você mandou todas essas mensagens? Não recebeu a minha?

Merda, não recebeu. Tem um pontinho de exclamação vermelho do lado. Merda!

Ruby me mandou um milhão de mensagens. Eu só recebi agora.

Claire, me desculpa.

Estou indo aí agora mesmo.

Chego em meia hora.

Estou entrando na sua rua.

Ruby não atende o celular. Está sem bateria?

Merda, merda, merda.

Cheguei.

Claire se levantou de um salto, olhando para o celular com os olhos arregalados.

– Ai, meu Deus.

– O que foi? – perguntou Iris, se levantando também. – É a Delilah?

– É o Josh. Ele está aqui.

Ela correu até a porta e abriu a tempo de ver Josh pular da caminhonete, deixando a porta aberta e correndo pela calçada.

– Claire – disse ele, os olhos arregalados, em pânico. – Me desculpa, eu...

Mas, antes que ele conseguisse dizer mais alguma coisa, Iris passou voando por Claire, o cabelo ruivo pairando atrás dela como chamas, e acertou um soco bem na cara de Josh.

Tinha sangue jorrando por toda parte.

– Merda! – gritou ele, levando as mãos ao nariz. – Iris, que porra é essa?

– Aqui os botas de merda não têm vez – respondeu Iris, apontando o dedo pálido para a cara dele.

Ele recuou, as mãos ainda cobrindo o nariz. O sangue escorria entre seus dedos e por seus braços. Parecia uma cena de filme de terror, e Claire levou um tempo para entender o que exatamente tinha acontecido e o que fazer primeiro.

Então o sangue que estava começando a manchar a calçada virou prioridade, e Astrid trouxe uma toalha velha que Claire guardava embaixo da pia da cozinha para esse tipo de avacalhação com potencial de manchar.

Claire apertou a toalha contra o nariz de Josh, e ele limpou grande parte da sujeira, depois segurou a toalha no rosto para evitar mais derramamento.

– O que aconteceu? – perguntou Claire assim que ele pareceu mais ou menos estável.

– Iris socou a porra do meu nariz, foi isso que aconteceu – respondeu ele.

– E socaria de novo – garantiu Iris.

– Já tinha passado da hora de alguém fazer isso – disse Astrid.

Ele encarou as duas, mas sua expressão suavizou ao olhar para Claire. Ele balançou a cabeça.

– Eu não fui embora. Desta vez, não... Eu disse que não ia fazer isso.

– Mas fez – respondeu Claire. – Sumiu por dois dias sem explicação, e mais uma vez eu fiquei com uma filha inconsolável que mal consigo tirar de dentro do quarto.

Os olhos de Josh – que eram tudo o que Claire enxergava – se apertaram de dor. Então ele tirou a toalha, e as três respiraram fundo. Seu rosto estava manchado de sangue, o nariz já inchado, a área embaixo dos olhos escura e insinuando os hematomas que logo se formariam.

– Está tão ruim assim, é? – perguntou ele.

– Combina com você – respondeu Iris.

Claire lançou um olhar para ela, mas não conseguiu deixar de sorrir. Sabia que as amigas estavam cansadas dos joguinhos e da irresponsabilidade de Josh, como ela também estava. E não ia mais deixá-lo se safar sem consequências.

– Você não pode continuar fazendo isso – disse. Iris e Astrid se aproximaram dela, cada amiga segurando uma de suas mãos. – Aliás, esta é sua última chance. Pra mim chega. Ruby não vai aguentar, Josh. Eu não vou aguentar. Não é justo, e eu não entendo por que você…

– Eu construí uma casa em Winter Lake – falou ele.

Claire piscou, aturdida. Winter Lake era uma cidade minúscula, com muita floresta, e o centro era do tamanho de um botão.

– Como é que é? – perguntou ela.

– Era lá que eu estava. Estou trabalhando em alguns projetos por lá nos últimos meses, e um deles… bom, é o meu. Eu precisava terminar a documentação na quarta e passei a quinta arrumando algumas coisas na casa. Na quarta, quando estava me preparando pra ir, meu celular ficou sem bateria. Carreguei na caminhonete e mandei mensagem assim que deu, mas o sinal em Winter Lake é uma merda, vou ter que trocar de operadora quando me mudar pra lá de vez, e não percebi que a mensagem não tinha ido. Só hoje, quando eu estava voltando, é que começou a chegar um monte de mensagens assim que cheguei à rodovia. Eu teria ligado pra Ruby enquanto estava lá, mas como eu disse não tinha sinal, e ainda não tenho Wi-Fi.

Claire ficou olhando para ele, ainda segurando as mãos das amigas. Elas ficaram em silêncio, deixaram que ela tomasse a frente.

– Por que você não me contou o que ia fazer antes de ir? – perguntou ela. – Você só precisava *conversar* comigo, me dizer o que estava acontecendo. Caramba, podia ter deixado um bilhete na minha porta!

Ele soltou um suspiro.

– Você teria acreditado em mim se eu dissesse há dois meses que estava construindo uma casa em Winter Lake?

Ela contraiu os lábios. A resposta era óbvia.

– Por isso eu não te contei nada – disse ele. – Queria deixar a casa pronta. Sei que minhas palavras não valem muito, Claire. Queria te mostrar que estava falando sério desta vez.

Ele ficou olhando para ela com os olhos inchados, sem desviar o olhar.

– Você construiu mesmo uma casa em Winter Lake? – perguntou ela.

Ele deu um sorriso amarelo.

– Construí mesmo. E, se você concordar, eu gostaria de levar você e Ruby pra ver.

– Pai!

Ruby apareceu à porta, os olhos arregalados e o sorriso contagiante, correndo até ele e lançando os braços ao redor de seu pescoço. Ele a levantou e a abraçou forte, tirando os pés da garota do chão, e encostou o nariz dolorido em seu cabelo.

– O que aconteceu com a sua cara? – perguntou Ruby quando ele a colocou no chão.

Ele levantou uma das mãos.

– Nada que eu não tenha merecido.

– A tia Iris finalmente te deu um soco, é? – perguntou ela.

– Fico feliz que meu trabalho seja reconhecido – disse Iris.

Josh revirou os olhos, mas estava sorrindo. Todos estavam, e Claire parecia não conseguir parar. Estava tão aliviada, tão positivamente chocada, que não sabia o que fazer enquanto Josh explicava a Ruby o que tinha acontecido com seu celular e o que estava fazendo em Winter Lake.

Depois de alguns abraços apertados e uma despedida emocionada da parte de Claire – com planos de passar o dia seguinte, que seria o casamento de Astrid, se embebedando e comendo chocolate –, Astrid e Iris foram embora. Claire sabia que precisava de um tempo com a filha e Josh.

Depois que Josh limpou o sangue seco do rosto no banheiro, Claire e Ruby subiram na caminhonete e os três foram até Winter Lake. Era uma viagem curta – uma passagem rápida pela interestadual, seguida de estradas sinuosas ladeadas de bosques frondosos. Passaram pelo centro de Winter Lake, dois quarteirões sem um único poste de iluminação pública, com um café, duas lojas de materiais de construção e um cinema antigo sensacional chamado Andrômeda. Apesar dessa pérola, a área fazia Bright Falls parecer uma metrópole em expansão. Enfim, a uns dez minutos do centro, seguiram por uma estrada estreita com casinhas que ficavam no mínimo a 800 metros umas das outras, até que Josh parou na entrada de um chalé digno de cartão-postal. Era maior do que Claire esperava, com telhado em formato de A, varanda ampla, paredes da cor de um uísque dos bons e uma chaminé de pedra que subia em direção ao céu. Pinheiros rodeavam a propriedade, e Claire via uma faixa prateada minúscula atrás da casa – o lago Winter.

– Josh – disse, ofegante. – Isso é... isso é...

– Incrível! – completou Ruby. – É incrível!

Ela abriu a porta da caminhonete com tudo e correu até a varanda, espiando pelas janelas antes de se jogar em uma das cadeiras de balanço.

– É incrível mesmo – concordou Claire, sorrindo para Josh. – Não acredito que você fez isso.

Ele piscou para ela.

– Espera só até ver o interior.

Desceram da caminhonete e Josh abriu a porta. O interior era... bom, Claire ficou sem fôlego. Toda a parede dos fundos era de janelas, deixando o sol poente entrar e enchendo a casa de um brilho âmbar e lavanda. A cozinha, a sala de estar e a de jantar eram um único espaço amplo, com as mesmas paredes de troncos de pinho da fachada, combinadas com eletrodomésticos e design modernos. A cozinha era clara e rústica ao mesmo tempo, com armários creme intercalados com a parede cor de uísque, uma ilha com uma pia de fazenda, muito espaço de trabalho e bancadas de madeira. Sofás macios de couro marrom ocupavam a sala, ao lado de uma poltrona macia e verde-escura que parecia grande o bastante para comportar dois adultos. Almofadas azul-marinho e verdes decoravam o espaço, e os quadros nas paredes exibiam lagos, rios e florestas nas mesmas cores. Havia uma fotografia de Ruby em preto e branco sobre a lareira, ao lado de uma foto dos três – Claire, Josh e Ruby – quando a menina tinha 9 anos.

– Posso ver meu quarto? – perguntou Ruby. – Por favor?

– Claro, filhota – disse Josh, sorrindo. – Eu deixei meio vazio, porque quero que você escolha as suas coisas, tá? Quem sabe a gente faz isso amanhã?

Ele olhou para Claire e ela assentiu. Então Ruby correu pelo corredor que saía da sala de estar.

– Posso ficar com o quarto que tem a cama enorme e o banheiro grande? – gritou ela.

– De jeito nenhum – gritou Josh em resposta, rindo.

– Argh, tá bom – concordou Ruby, mas Claire percebeu que ela estava brincando.

Claire continuou percorrendo o espaço devagar, assimilando todos os detalhes. Era lindo. Não tinha outra palavra para descrever. E quando Josh perguntou, tímido, o que Claire achava, ela disse a verdade.

Ele sorriu.

– Vem aqui. Quero te mostrar a vista da varanda dos fundos.

Ele pegou Claire pela mão e a levou até a área externa. A varanda era simples, só duas cadeiras rústicas de madeira e uma mesa entre elas, mas a vista...

– Nossa – disse ela, apoiando os braços no parapeito e vendo o sol brilhar sobre a superfície do lago.

– Localização boa, né? – indagou ele, parando ao lado dela.

– Muito boa. – Ela se virou para ele e cutucou seu ombro com o dela. – Não acredito que você fez isso.

Ele deu de ombros, observando a vista de sua própria varanda. Então levou a mão ao bolso de trás e pegou a carteira, de onde tirou um cartão branco.

– Fiz isso também.

Claire pegou o cartão e sentiu o papel espesso entre os dedos, as letras azul-marinho brilhantes com um leve relevo.

Casas Josh Foster Ltda.

Ela levantou a cabeça.

– Espera aí... os projetos que você estava tocando... Não eram da empresa do Holden?

Ele balançou a cabeça, então parou.

– Bom, sim, os primeiros eram. Mas os dois últimos, os que fiz aqui, são meus.

– Você conseguiu.

– Eu consegui.

Ela sorriu para ele, o peito de repente apertado e aquecido ao mesmo tempo.

– Josh, eu... Desculpa, eu não...

Ele balançou a cabeça, levantando a mão para interrompê-la.

– Não, não faz isso. Eu mereci sua dúvida. Sei disso.

Ela soltou um suspiro, e ele se virou para encará-la.

– Mas agora estou aqui – disse. – E vou ficar. Não sou o mesmo garoto idiota que eu era quando Ruby nasceu. Caramba, não sou nem o mesmo garoto idiota que eu era dois anos atrás. Espero poder reconquistar a sua confiança.

Claire estendeu a mão e apertou a dele.

– Também espero. É um ótimo começo.

Ele riu e apertou a mão dela.

– Eu quero que a gente seja uma família.

Ela assentiu.

– Eu também.

Então a expressão de Josh se fechou e os cantos da boca murcharam um pouco.

– Mas, quer dizer, não uma *família* família.

Ela inclinou a cabeça, franzindo o cenho.

– Quer dizer... – Ele soltou a mão dela e passou os dedos no cabelo. Na penumbra, era difícil saber, mas Claire poderia jurar que ele estava corado. – Sei que às vezes quando eu voltava pra cidade a gente... a gente... – Ele fez um gesto com a mão indicando o que faziam.

– Transava? – perguntou ela. Ele arregalou tanto os olhos que ela riu. – Ah, Josh. Por favor. Nós somos adultos. Podemos chamar as coisas pelo nome que elas têm.

Ele relaxou os ombros e riu também.

– Tá, certo. Mas acho que não devemos mais fazer isso.

Ela apenas levantou as sobrancelhas. Ele balançou a cabeça.

– Isso não ajuda nenhum de nós dois a ser um pai ou uma mãe melhor pra Ruby. E, pra falar a verdade, no passado, fico pensando se o fato de transarmos não era parte do motivo pelo qual eu ia embora. Não que fosse culpa sua. A culpa era toda minha, mas, bom, o sexo me deixava confuso. Assustado. E eu só quero ser um bom pai e um bom parceiro pra você nessa jornada.

Claire assentiu, chocada com a sabedoria que ele estava demonstrando.

– É. Isso tudo faz sentido.

– E a gente não se ama nesse sentido. Não mais.

– É verdade.

– E quero ter isso com alguém um dia.

Ela sorriu.

– Eu também quero que você tenha isso.

– E também tem o fato de você estar completamente apaixonada por outra pessoa.

O sorriso dela se desfez.

– Como é que é?

Ele riu.

– Admite.

– Não posso admitir uma coisa que nem entendi.

– Ah, por favor, Claire. Você e Delilah. É óbvio.

– Não é óbvio coisa nenhuma. Você nos viu juntas, o quê? Uma vez?

– Uma vez foi o suficiente. Sei que ela tem um passado complicado em Bright Falls – continuou Josh –, mas nunca vi ninguém olhar pra você como ela olha. E você olhava pra ela do mesmo jeito.

– E que jeito era esse?

– Como se você fosse capaz de ir até a Lua atrás dela.

Ela mordeu o lábio inferior e se virou para o lago. Não entendia por que as pessoas não deixavam isso para lá. Por que pareciam pensar que o jeito como Delilah olhava para ela queria dizer que ela estava loucamente apaixonada? Não dá para saber isso pelo olhar. Não dá para saber nada pelo olhar.

Então por que de repente ela ficou com vontade de chorar, soluços longos e trêmulos que talvez arrancassem aquela dor de seu peito? Ela balançou a cabeça, resmungou *Porra* baixinho, porque, se tinha uma situação que exigia um palavrão, era essa.

Josh a cutucou com o ombro.

– Do que você tem tanto medo?

Ela riu enquanto as lágrimas caíam, limpando os olhos.

– Por onde eu começo?

Josh olhou para Claire, esperando, e ela percebeu que ele realmente queria ouvir a resposta.

Ela se escorou nele.

– Tenho medo de me machucar. Tenho medo que Ruby se machuque. Tenho medo de dar pra ela, pra qualquer pessoa eu acho, tudo de mim, e ela acabar simplesmente indo embora. Eu não sou simples, Josh. Tenho uma filha que está prestes a entrar na adolescência, pelo amor de Deus. Tenho você. Tenho uma loja. E tenho… bom, acho que tenho dificuldade de confiar nas pessoas.

Ele assentiu.

– E grande parte disso é culpa minha.

Ela não disse nada. Os dois sabiam que era verdade.

– E do meu pai – disse ela. – E da Nicole e, caramba, sei lá. De cada coração partido que já ouvi em uma música triste.

Ele a abraçou, e ela apoiou a cabeça no ombro dele.

– Você ama ela? – perguntou ele.

– Isso não importa.

Ele a abraçou mais forte.

– Você ama?

Ela deixou a pergunta pairar entre eles por um tempo. O sol desceu mais um pouco tornando o ar dourado lavanda e depois violeta escuro. Ela sabia a resposta para a pergunta dele, mas era uma resposta ridícula. Impossível.

Josh soltou um suspiro.

– Você passou a vida inteira colocando os outros em primeiro lugar, Claire. Sua mãe. Astrid e Iris. Eu. Ruby. Tudo bem querer uma coisa só pra você.

Aquelas palavras tinham o som da sabedoria, da verdade. Acenderam algo dentro dela que pareceu esperança, e em qualquer outra circunstância Claire talvez tivesse concordado. Mas ela já tinha tentado. Tinha tentado fazer algo só para si mesma quando pedira à mulher que amava que ela ficasse, que resolvessem as coisas juntas.

E Delilah Green havia partido assim mesmo.

Mas, embora fosse impossível ter o que realmente queria, Claire gostou de estar ali – ela e Josh na varanda que ele mesmo construiu, a cabeça no ombro dele enquanto conversavam sobre a possibilidade do amor.

CAPÍTULO TRINTA E UM

DELILAH TINHA CERTEZA de que estava prestes a vomitar.

O sol estava se pondo, lançando um brilho dourado sobre a Gansevoort Street, e uma brisa soprava sua pele, finalmente oferecendo à cidade um alívio do calor entorpecente do verão. Estava usando seu macacão preto favorito, o cabelo volumoso e ousado, os cachos definidos à exaustão com todo tipo de gel e creme. A maquiagem estava perfeita: olhos esfumados e delineados em estilo gatinho, e lábios vermelho-escuros que a faziam se sentir poderosa e sexy, uma criatura da noite em um romance paranormal.

Mas não era um romance. Porque, olhando para o Whitney, um prédio cinza imponente, todo moderno e envidraçado, onde ela já tinha entrado um milhão de vezes antes e duas vezes desde a volta a Nova York quase duas semanas atrás, seu estômago se revirava como se estivesse arrependido da última refeição.

Ela engoliu em seco, respirou fundo, engoliu de novo, mas nada a acalmava. Era a noite do lançamento de *Vozes Queer* no Whitney. Ela estava pronta. Tinha trabalhado feito doida desde a volta para Nova York. Até pedira a Michaela que cobrisse seus turnos no River Café. Quando os honorários pelo casamento Parker-Hale caíram em sua conta, dois dias depois de ela sair de Bright Falls – sem nenhum e-mail de Astrid, nenhuma mensagem, apenas uma grana que era dela por direito –, ela havia deixado todas as preocupações com dinheiro e aluguel de lado e mergulhado no trabalho.

Dez obras.

Era o que o Whitney queria, e ao voltar a Nova York ela tivera uma semana para se preparar antes que o museu recebesse todas as obras para emoldurar. Os sete dias foram um borrão – ela mal comia, cochilava no sofá e se debruçava o tempo todo sobre o portfólio que já tinha, procurando peças que mostrassem ao mundo quem era Delilah, qual era seu nicho. Mas tinha conseguido. Trabalhara até em uma peça nova, uma foto que havia tirado em Bright Falls depois do acampamento, durante aqueles longos dias antes de levar Claire para andar de patins. Ela fora até as cataratas, que ficavam a cerca de 15 quilômetros da cidade, uma área de floresta onde o rio se acumulava sob uma série de pequenas cascatas brancas que caíam de um penhasco. Tinha levado o tripé e a câmera, e passado o dia todo perdida em centenas de fotos do mundo natural, ela mesma de camisa branca ensopada como tema principal.

– Uau – disse Alex Tokuda olhando para a foto cinco dias antes da exposição, quando Delilah levou tudo até lá.

Delilah batizou a peça de *Encontro*. Não sabia por que, mas foi a única coisa que surgiu em sua cabeça quando terminou de editar a foto escolhida.

– Isso é… poderoso – declarou Alex, inclinando o retângulo de papel fotográfico para cá e para lá. Seu cabelo era curto e escuro, e elu usava terno grená e camisa preta de seda, a elegância em pessoa. – Doloroso, até.

– É. – Foi só o que Delilah conseguiu dizer.

Mas por dentro ela se sentia como se fosse feita de purpurina, uma sensação que só aumentou enquanto Alex analisava as dez peças, fazendo comentários simples mas autênticos.

Mais tarde, naquele mesmo dia, ao voltar sozinha para o apartamento no quinto andar do prédio sem elevador no Brooklyn – o lugar era uma confusão de roupas e embalagens de comida, taças de vinho abandonadas em mesinhas e trocadas por goles mais nutritivos de água –, ela pegou o celular e abriu as mensagens que tinha trocado com Claire.

Uma conversa que estava parada havia uma semana.

Seus dedos pairaram sobre a tela, desesperados por contato, mas sem saber o que dizer. O que ela poderia dizer? A aposta com Astrid, é claro, fora idiota, maldosa e egoísta. Ainda que a irmã não tivesse aceitado. E, assim que Delilah e Claire começaram a ficar juntas, ela raramente pensava nas palavras de despeito que tinha dito a Astrid no quarto da Pousada Caleidoscópio.

Mesmo assim…

Não era nada bom, ela sabia. Quando pensava na viagem, repassando cada momento como um filme, analisando a si mesma como uma aspirante a atriz estudaria Hepburn, ela via.

Os comentários sarcásticos constantes.

A maldade.

A falta de consideração.

O modo como atacava Astrid em qualquer oportunidade, e por quê? Por vingança? Por diversão? Não era de se admirar que Claire tivesse deixado Delilah ir embora, sair da Casa das Glicínias e de Bright Falls sem ao menos fazer uma pergunta. Delilah não a culpava por isso. Tinha se esforçado muito para que todos em Bright Falls soubessem que ela não estava nem aí para eles.

E não estava mesmo.

Agora, contudo, olhando para o Whitney, sentiu o peito estranhamente oco. Havia entusiasmo ali, é claro. Entusiasmo profissional, artístico, do tipo isso-pode-mudar-tudo, o que não era pouco. Mas não conseguia conter nem ignorar aquele aperto no peito. O desejo de algo mais. *Alguém*, talvez.

Ela fechou os olhos, só por um segundo, e imaginou como seria.

A vida com os dedos de alguém entrelaçados aos dela em noites como aquela.

A vida com sua pessoa.

Mas, ao imaginar alguém caminhando ao seu lado naquele momento importante, aquele alguém ganhou um rosto, um toque de familiaridade, a pele macia e os olhos castanhos reluzentes atrás dos óculos.

Claire não era como Jax.

Não era como ninguém em toda a vida de Delilah.

Ela era… Tinha sido…

Delilah balançou a cabeça e endireitou a postura. Naquela noite, tinha trabalho a fazer e não podia se dar ao luxo de se distrair.

Não importava quem fosse Claire Sutherland.

A exposição começou às oito. Às nove, Delilah já tinha conversado com quatro agentes que lhe deram seus cartões, pedindo que enviasse seu portfólio, estabelecido contato com outros dois artistas cujo trabalho tinha temas semelhantes para conversar sobre projetos colaborativos e vendido três fotos por mais dinheiro do que era capaz de compreender no momento.

Também tinha chegado perigosamente perto de cair no choro cinco vezes. Não havia nenhum motivo para chorar.

A noite foi perfeita, a exposição, um sucesso. A iluminação da sala era ao mesmo tempo forte e suave, artistas e clientes bebiam champanhe espalhados pela varanda do museu, com vista para a cidade. Havia fotos queer incríveis penduradas pelo espaço, imagens que mostravam resiliência, dor, sexo, determinação, esperança, desespero, celebração e amor. Era o auge não apenas da vida profissional de Delilah até então, mas também de sua vida como pessoa lgbtq+. Ali, naquele salão, estava tudo que ela sempre havia desejado, temido ou evitado.

Então por que aquela sensação constante de que algo dentro dela estava prestes a transbordar? Não sabia dizer se estava perplexa, feliz, assustada ou triste. Finalmente tinha conseguido um momento para respirar e pegar uma taça de álcool borbulhante, que esperava muito que a acalmasse, quando ouviu seu nome.

Virou-se em direção ao som e viu uma mulher com um corte curtinho louro e um vestido branco, justo e fabuloso vindo em sua direção.

– Lorelei – disse Delilah quando a mulher chegou mais perto.

– Você lembrou – respondeu Lorelei, batendo a taça na de Delilah, um sorriso sacana nos lábios.

Delilah estremeceu.

– Desculpa não ter mandado mensagem.

Lorelei levantou uma das mãos.

– Deixa disso. Eu sei quando uma coisa é casual.

Delilah assentiu, mas alguma coisa naquelas palavras – a insinuação de *só sexo* – fez algo se revirar em seu estômago.

– Nem sei como te agradecer – disse, afastando aquele sentimento. – Por mostrar meu trabalho a Alex.

– O prazer foi meu. Conheço Alex há anos. Estudei com elu na Vassar. E, embora eu seja apenas uma das muitas advogadas sanguessugas do Whitney – aqui Delilah riu –, sei reconhecer uma bela fotografia.

– Bom, agradeço assim mesmo.

Lorelei assentiu, mantendo os olhos em Delilah por cima da taça de champanhe.

– Que tal a gente tomar um drinque de verdade depois? Talvez até aprender o segundo nome uma da outra?

Delilah abriu a boca para dizer sim. Sempre dizia sim quando uma mulher maravilhosa a chamava para sair depois de um evento ou antes de um evento ou, caramba, em qualquer momento durante um evento. Mas a resposta ficou presa na garganta, recusando-se a rolar por sua língua.

A expressão de Lorelei se fechou.

– Entendi.

– Desculpa – disse Delilah, esfregando a testa. – Eu… eu quero dizer sim.

Lorelei inclinou a cabeça.

– Mas…?

Delilah balançou a cabeça.

– Não sei. É que eu…

– Tem outra pessoa?

Mais uma vez, Delilah abriu a boca, desta vez um *não* definitivo e pronto para sair.

Mas também não conseguia expulsar aquela palavra. Piscou muito, engoliu em seco e tentou mais uma vez. Nada.

Lorelei sorriu, alheia ao turbilhão interior de Delilah, soltando um suspiro e acenando para a multidão de beleza anônima à volta delas.

– Sorte a sua.

E, com isso, beijou o rosto de Delilah e saiu. Delilah ficou olhando para ela, lutando de repente contra o desejo feroz de chamá-la de volta e arrastá-la até algum armário vazio para transar com ela até ficar tonta só para se sentir normal de novo.

Ela se virou, voltando a suas fotos na parede. Restavam pelo menos mais duas horas de evento, precisava se concentrar. Não podia desperdiçar essa chance. Não podia…

Delilah ficou paralisada ao ver uma figura familiar parada em frente à peça *Encontro*. A mulher observava a imagem com a cabeça inclinada, o quadril realçado pela saia lápis preta, segurando uma taça de champanhe com dois dedos como se fosse a bebida mais barata que ela já tinha experimentado.

Piscar não a fez desaparecer, o que Delilah meio que esperava que acontecesse, temendo tratar-se apenas de uma alucinação induzida pelo estresse.

Mas não. Astrid Parker estava ali. Em Nova York. Na exposição de Delilah Green.

Delilah ficou olhando para ela por alguns segundos, imaginando se não podia simplesmente se virar e sair do Whitney, mas sabendo que não podia. O estranho era que nem queria fazer isso. A curiosidade era maior que o susto, e ela foi até a irmã postiça, se aproximando bem devagar, como quem aborda um animal ferido.

Quando chegou perto o bastante, decidiu que o silêncio talvez fosse a melhor escolha, parando ao lado de Astrid e olhando para seu próprio rosto em preto e branco. Ela ainda adorava aquela foto, talvez mais que qualquer outro autorretrato que já tinha feito. Os autorretratos eram complicados e demorados, pois era preciso configurar a foto sem o objeto ali e repetir de novo e de novo até acertar. As complicações dobravam caso a água fosse o tema central da obra. Esse não era diferente, e tinha valido a pena.

Alex tinha razão.

Era poderoso.

Na imagem, Delilah estava com água até a cintura, com uma camisa branca totalmente ensopada e sem sutiã. O cabelo estava encharcado, lambido para trás, e ela apoiava o braço em uma pedra. O corpo estava virado para o lado, a cabeça descansando na dobra do cotovelo, e a água caía em suas costas. Gotas de água voavam no ar. A faixa de céu acima estava nublada, as árvores espessas e rígidas. A água ondulava ao seu redor, ao redor do ponto de pressão das cataratas. O cenário era o caos. A natureza, bàrulhenta, bela e poderosa.

Mas a mulher…

Delilah.

Seu rosto estava… sereno. Um terço da expressão se escondia no braço, mas os olhos estavam visíveis, deslocados do centro em relação à câmera. A água formava gotas em seus lábios levemente abertos, no rosto, na ponta do nariz. Mesmo com tudo isso, ela parecia em paz. Não havia sorriso nos lábios, nem brilho extasiado nos olhos. Havia apenas… calmaria. Não tinha sido sua intenção. Ela estivera simplesmente passando o tempo, tentando não pensar em quanto queria ver Claire, fazendo experimentos com a profundidade da água e vendo se era capaz de fazer um autorretrato usando o temporizador e um tripé montado no meio de um rio com um metro de profundidade em Bright Falls.

O resultado foi aquele. Uma calma chocante em meio à cacofonia natural.

– Que título interessante – disse Astrid, apontando com a taça a placa branca embaixo da peça que identificava a artista e outras informações pertinentes.

Delilah soltou um suspiro. Não tinha explicação para o título – *Encontro*. Ou talvez tivesse, e por isso mesmo houvesse convencido a si mesma, várias vezes durante a última semana, de que o título era arbitrário, algo para ocupar o espaço obrigatório.

– O que você está fazendo aqui? – perguntou.

Astrid não respondeu de imediato e, quando falou, sua voz saiu mansa.

– Não sei ao certo.

Ela se virou, seus olhos encontraram os de Delilah, e as duas se encararam. Delilah se deu conta de que talvez nunca tivesse *olhado* de verdade para a irmã durante tanto tempo. Passara anos aperfeiçoando a arte de evitar, de se proteger, de nunca deixar Astrid ver quanto ela estava magoada. Se os olhos eram as janelas da alma, as de Delilah estavam fechadas havia muito tempo.

Agora, porém, ela se obrigou a olhar, todos aqueles registros sobre ela no diário de Astrid flutuando em sua mente. Queria dizer alguma coisa sobre eles, entender, mas nunca se abrira com Astrid Parker.

Nem uma vez.

Isso a pegou de surpresa, e algo que parecia arrependimento e tristeza se abateu sobre seus ombros. Era um peso, aquele fardo de mágoa e ressentimento, de mal-entendidos. Ela estava cansada e dolorida, e queria se livrar daquilo. Perceber isso foi quase um alívio, mesmo que Astrid risse de sua cara – ela estava pronta para ver aquela parte de sua vida chegar ao fim, ou pelo menos mudar. Talvez isso significasse que ela e Astrid se afastariam para sempre. Talvez elas só precisassem se despedir, desejar felicidades uma à outra e ir embora.

Ela se virou e olhou para o próprio rosto mais uma vez, uma expressão que mal reconhecia, mas que queria ver no espelho todas as manhãs. Queria que a Delilah que estava pendurada naquela parede fosse a Delilah verdadeira. Forte e adaptável. Afetada pelo mundo e por circunstâncias além do seu controle, claro, mas, em vez de ressentida e zangada, aquela mulher estava calma. Em paz. Serena. Grata. Tinha um lugar no mundo, apesar dos anos de deslocamento emocional. Havia encontrado alguma coisa. Fora encontrada por alguém.

Ou talvez por muitos alguéns.

– Astrid...

– Sabe o que eu percebi? – perguntou Astrid.

Delilah olhou para ela, aliviada por poder adiar as palavras que queria dizer, porque não sabia ao certo como dizê-las.

– O quê? – indagou.

Astrid respirou fundo.

– Percebi que nesses doze anos que você morou em Nova York eu nunca vim te visitar até agora.

Delilah piscou.

– Eu reclamava e resmungava quando você dizia que ia pra Bright Falls.

– Astrid...

– E aí eu reclamava e resmungava mais ainda quando você não aparecia, mas nunca planejei uma viagem pra cá. Nunca nem tentei preencher essa lacuna, né?

Ela olhou para Delilah, a franja quase tocando os cílios. Parecia cansada. Sua roupa estava impecável e a maquiagem natural e mínima, mas nada escondia o roxo sob seus olhos. Enquanto elas olhavam uma para a outra, olhavam de verdade, Delilah sentiu algo dentro de si se libertar.

– Era uma lacuna bem grande a ser preenchida – disse.

Astrid assentiu.

– É.

– E eu... – Delilah soltou um suspiro, esforçando-se para manter o contato visual. Era intenso, e aquela sensação de transbordamento estava de volta, mas também parecia adequada. Dura, terrível e certa. – Eu fiz tudo o que pude pra aumentar ela o máximo possível.

Algo surgiu na expressão de Astrid. Algo que pareceu... dor. Mágoa.

– Desculpa – disse Delilah, antes que pudesse se convencer a não fazê-lo.

Pedir desculpa não resolvia tudo aquilo e ela sabia disso. Mas talvez fosse um começo. Porque, por mais que sua infância tivesse sido difícil e solitária, Astrid Parker era sua família. Sua irmã. Delilah finalmente entendeu isso, vinte anos depois de seu pai morrer e deixá-la sozinha. Ela não precisava ficar sozinha. Só se quisesse e, caramba, não queria. Estava cansada de tentar esquecer que tinha uma irmã, cansada de fingir que não queria entender Astrid porque se importar com ela poderia levar à dor ou à rejeição.

Mas também poderia levar a muitas outras coisas.

– Também peço desculpa – respondeu Astrid. – Eu também não facilitei nada. Sei disso. Você tinha perdido tanta coisa. Eu também, e éramos crianças. Acho que… bom, acho que nenhuma de nós sabia como lidar com a outra. Como lidar com a dor.

– É, acho que não.

As duas pareceram… soltar tudo. Literalmente. Soltaram um suspiro, liberando o que parecia ser todo o ar dos pulmões, risadinhas discretas surgindo no fim.

– Nossa – disse Astrid. – Levamos só doze anos pra dizer isso.

Delilah sorriu e balançou a cabeça, os ombros de repente liberando seu pescoço.

– Acho que mais que isso.

Astrid assentiu e ergueu a taça.

Delilah tocou as taças em um brinde, e as duas beberam, o ar entre elas um pouco mais limpo, um pouco mais leve. Ficaram ali por um tempinho antes que Astrid seguisse para a próxima foto de Delilah… e a próxima e a próxima. Delilah a acompanhou, observando-a assimilar seu trabalho. Descobriu que na verdade se importava com a opinião da irmã. Talvez desde sempre, e por isso nunca dividia nada daquilo com ela. Pelo menos, não de propósito, agora que sabia que Astrid checava seu Instagram fazia anos.

– São muito bonitas, Delilah – falou Astrid, finalmente.

Ela nunca era efusiva com elogios, então Delilah não esperava nenhum naquele momento. Mas aquela frase simples tinha um peso, uma autenticidade que ela sentiu na boca do estômago.

– Obrigada – disse, com sinceridade.

– Esta aqui foi a que mais gostei.

Astrid estava parada diante da peça favorita de Delilah, tirando o autor-retrato.

Renda e fúria era o nome. Na imagem, Claire Sutherland aos 25 anos entrava no rio Bright com um vestido de renda, tudo nela suave e belo e ao mesmo tempo desesperado e enraivecido. Delilah se lembrou do momento em que havia tirado a foto, olhando para a tela da câmera depois de cada disparo, algo nela se ligando à raiva de Claire. Ao ver a foto alguns dias antes, Alex ficara só observando por um tempo, depois balançara a cabeça.

– Tenho certeza de que todas as pessoas lgbtq+ do mundo se identificam com essa foto – tinha dito, passando para a peça seguinte.

E elu tinha razão. Fora por isso mesmo que Delilah havia tirado a foto. Claire representava uma contradição, o casamento desconcertante da beleza e da dor. Mas agora, olhando para ela através do vidro, Delilah percebia que não era uma contradição. Ela simplesmente *era*. Complexidade e clareza, medo e esperança, amor e ódio e indiferença. Ela era tudo isso.

– Também gostei – disse Delilah então, olhando para o perfil de Claire.

– Você está apaixonada pela minha melhor amiga?

Delilah virou a cabeça para Astrid com tudo.

– Quê?

Astrid apenas ergueu as sobrancelhas.

– Eu... é... eu... – Delilah soltou o ar, a palavra certa pairando fora de seu alcance. Uma palavra simples, assustadora.

Astrid assentiu, como se Delilah tivesse pronunciado a palavra, e levantou a taça em direção à foto de Claire.

– Bom, eu não venderia essa. Tenho a impressão de que uma pessoa gostaria de ver.

CAPÍTULO TRINTA E DOIS

A LIVRARIA RIO SELVAGEM SÓ ABRIA ÀS DEZ, mas Claire sempre chegava por volta das nove, pronta para começar o dia de trabalho. Às vezes, já estava posicionada à mesa às oito, vasculhando faturas ou catálogos on-line, fazendo agendamentos e tentando entender como incluir um e-commerce nos serviços da loja. Principalmente naquela semana, que Ruby estava passando no chalé de Josh em Winter Lake, ela precisava de uma distração. Iris fez o que pôde para estar disponível, mas tinha a própria vida e o próprio relacionamento com que se estressar, e Astrid, então, já tinha problemas suficientes.

Agora, três dias depois da exposição de Delilah no Whitney, Claire abriu a porta da loja e entrou no espaço iluminado por cordões de luzinhas às 8h47. Deixou as luzes principais apagadas, como sempre fazia até abrir a loja, e ligou os dois computadores que ficavam no balcão frontal, ouvindo-os ganhar vida e iniciar o sistema.

Seus pensamentos se dispersaram enquanto ela esperava, vagando sem permissão até Delilah, como tinha sido a exposição, se tinha conseguido um agente. Nos últimos dias, Claire havia pegado o celular mais de uma vez, se coçando para mandar uma mensagem para perguntar sobre a exposição, sobre ela, perguntar qualquer coisa. Mas sempre se continha. Não tinha sentido fazer isso, e, como Delilah também não havia entrado em contato durante os mais de catorze dias desde que fora embora de Bright Falls, Claire precisava concluir que ela concordava.

Esfregou a testa, a exaustão turvando os olhos. Não andava dormindo muito bem, o que não fazia o menor sentido, mas era o que estava acontecendo. Chegara a comprar lençóis e um cobre-leito, travesseiros e uma colcha para dobrar aos pés da cama, tudo novinho. Nada adiantou. Era como se o cheiro de Delilah, a sensação de tê-la ali, estivesse impresso nas paredes, no próprio colchão. Além disso, a cama de Claire era muito cara. Ela jamais a trocaria.

O sistema de pagamento apareceu na tela dos computadores e Claire fez o login nos dois caixas. Tinha acabado de dar a volta no balcão e estava começando a ziguezaguear pelas prateleiras até o escritório quando viu.

Fazia algum tempo que estava tentando decidir o que pendurar nas paredes. Queria arte local, uma maneira de unir a comunidade, mas até então ninguém tinha demonstrado interesse real em vender suas obras na livraria. Ou isso, ou o estilo do artista não combinava com a estética da livraria, que Claire queria manter simples. Havia mais de um ano que ela tirara os quadros escolhidos pela mãe, capas de livro em molduras de plástico, a maioria escrita por caras brancos mortos, e as paredes estavam vazias desde então.

Até hoje.

Ela estava perto do balcão, os olhos passeando pelas fotografias em preto e branco que agora decoravam as paredes da loja, todas em molduras de madeira rústica nas cores de um pôr do sol no deserto – terracota e verde-acinzentado, um azul bem pálido. As imagens eram grandes, com pelo menos cinquenta por cem, e Claire viu rostos familiares atrás do vidro de cada uma.

Ela e Ruby na Casa de Chá da Vivian, o rosto de Claire encostado no cabelo da filha.

Claire, Iris e Astrid no vinhedo, Astrid no meio delas, as três com taças de vinho nas mãos e a boca aberta, rindo, fileiras de videiras no fundo.

Uma fogueira na escuridão, Iris e Claire aconchegadas em um banco comprido, a boca de Iris perto da orelha de Claire como quem conta um segredo.

Ruby nos ombros de Josh nas termas, os braços abertos e um sorriso lindo e eufórico no rosto.

Imagem a imagem, a vida de Claire a rodeava. As amigas, a família, a cidade. Tinha até uma foto da fachada da Taverna da Stella, toda de madeira bruta e metal. Ela sentiu um nó na garganta e estava prestes a ligar para Iris e Astrid para perguntar o que é que estava acontecendo quando viu mais uma foto.

A imagem em preto e branco de uma mulher.

Claire. Sozinha.

Entrando no rio Bright cinco anos antes com um vestido de renda.

Ela arfou e levou uma das mãos à boca. Virou-se, os olhos vasculhando a iluminação fraca. Astrid teria acesso a todas as outras fotos, pois ela sabia que Delilah tinha mandado um arquivo com aquelas que tirara em Bright Falls. E este era o tipo de coisa que Iris faria por ela – organizar uma composição incrível exatamente com o tipo de arte e de fotografias que Claire gostaria que decorassem sua loja.

Mas essa foto… só uma pessoa podia ter pendurado ali. Só uma pessoa tinha essa foto, e ela não teria motivo para mandá-la para Astrid nem Iris. Pelo menos, nenhum motivo que Claire conseguisse imaginar. Ela atravessou a loja depressa, a esperança e o medo se misturando em seu íntimo. Fez a volta ao redor de uma das estantes soltas com livros de referência e a área de leitura que tinha montado com poltronas de couro macias entrou em seu campo de visão.

E lá estava, em uma das poltronas, Delilah Green sentada com os cotovelos apoiados nos joelhos.

Tudo em Claire ficou paralisado – o corpo, a respiração, o coração. Essa foi a sensação, de que sua pulsação tinha parado para ver o que ia acontecer.

– Oi – disse Delilah.

Claire não retribuiu o cumprimento. Não conseguiu. Só piscou, de boca aberta.

– Eu estou aqui mesmo, você não está tendo uma alucinação – explicou Delilah com um sorrisinho. Ela estava com um jeans skinny cinza e uma camiseta preta justa com decote em V, as tatuagens lindas à mostra.

Claire fechou a boca.

O sorriso de Delilah desapareceu, e quando ela voltou a falar sua voz saiu suave.

– Diz alguma coisa. Por favor.

Claire finalmente encheu os pulmões de ar. Seu cérebro estava a toda, tentando processar aquilo tudo. Percebeu mais uma moldura de madeira verde-clara na mesinha de centro em frente a Delilah. Era muito menor que as que estavam nas paredes, talvez treze por dezoito, e, como estava virada para baixo, Claire não viu a imagem.

– Como… como foi a exposição no Whitney? – finalmente perguntou.

Delilah demonstrou surpresa.

– É isso mesmo que você quer me perguntar agora?

– Eu… sei lá. Estava só… imaginando.

O olhar de Delilah se iluminou.

– Foi boa. *Muito* boa.

Claire sorriu. Não conseguia evitar. Queria coisas boas para ela, mesmo que essas coisas não a incluíssem. Mas, pensando bem, Delilah estava ali em Bright Falls, na loja de Claire. A curiosidade e a confusão guerreavam em sua mente.

– O que você está fazendo aqui? – perguntou.

Delilah riu; o som saiu baixinho e meio nervoso.

– Achei que você não fosse perguntar.

Claire deu um passo à frente, e mais um, e mais um, até afundar na poltrona em frente a Delilah, com a mesinha entre elas.

– E aí? – perguntou, uma vez que Delilah não continuou.

Delilah engoliu em seco e assentiu. Depois, deslizou até a beirada da poltrona, entrelaçando as mãos.

– Primeiro, eu queria te trazer essas fotos.

– Você podia ter mandado pelo correio.

O tom de Claire saiu mais ríspido do que ela pretendia. Sentiu suas defesas se ativarem, e talvez fosse mesmo necessário. Talvez ela não tivesse admitido nem para si mesma, mas aquela mulher havia partido seu coração quando fora embora duas semanas antes. Ela não passaria por isso de novo. Já tinha estado nessa posição tantas vezes com o próprio pai e com Josh. Então, qualquer que fosse o jogo de Delilah, Claire não ia participar dele.

Delilah respirou fundo.

– Podia, mas isso me leva ao outro motivo pelo qual eu vim.

– E qual é?

– Você.

Uma palavrinha tão pequena, mas que caiu como uma bomba.

– Eu.

– Você.

– O que tem eu?

Delilah baixou o olhar, olhando para as próprias botas, como se estivesse pensando. Mordeu o lábio inferior, como fazia quando ficava nervosa, e Claire teve que se obrigar a continuar no lugar, a *não* ir até Delilah, tocar seu rosto e dizer que ia ficar tudo bem. Precisava ouvir o que quer que ela fosse dizer, e precisava que ela dissesse sozinha. Não podia ajudá-la.

– O que tem eu, Delilah?

Delilah tomou nas mãos a moldura que estava em cima da mesa, olhando para a imagem atrás do vidro.

– Depois que eu fui embora – disse – não tive muito tempo pra pensar em nada. A exposição do Whitney estava chegando e eu sabia que não podia colocar tudo a perder. Trabalhei dia e noite nas fotos e, quando chegou a hora da exposição, tudo que eu sempre quis, a sensação não foi a que eu esperava.

Claire franziu a testa.

– Como assim?

Delilah olhou para ela, os olhos claros e brilhantes, quase febris, como se talvez também não tivesse dormido muito bem nas últimas semanas.

– A noite da exposição foi tudo que eu sonhei. Mas também não foi, porque eu estava… eu estava completamente sozinha.

Claire sentiu algo em seu peito começar a se partir, mas jogou os ombros para trás e levantou o queixo.

– Tenho certeza que você poderia ter arranjado alguém pra levar.

– Ah, eu também tenho.

Claire contraiu os lábios.

– Mas eu não queria alguém – declarou Delilah. – Eu queria você.

Claire balançou a cabeça, mas sentiu todas aquelas defesas desmoronando uma a uma, os olhos já começando a arder.

– Você foi embora – disse, porque foi a única coisa que surgiu em sua mente. – Você foi embora sem dar nenhuma explicação.

Delilah assentiu.

– Fui, sim. E foi um erro e peço desculpa.

De novo, palavras tão simples, mas, pelo modo como a voz de Delilah se enrolava nelas, Claire se pegou acreditando, o que era perigoso.

– E a aposta? – perguntou. – Você tentou mesmo se aproximar de mim pra irritar Astrid?

Delilah olhou para Claire, que prendeu a respiração.

– Tentei – respondeu Delilah depois de um segundo. – Foi uma atitude de merda, e não vou inventar pretexto pra isso. Mas eu juro, Claire, depois que a gente se beijou aquela primeira vez no Lírio Azul, tudo se resumiu a você. A nós. Talvez até antes disso. Você foi tão linda e doce, mas eu nunca soube o que fazer com linda e doce. Eu não sabia como… não sei. Aceitar isso. Tratar do jeito certo.

Os olhos de Claire se encheram de lágrimas, e ela balançou a cabeça. Prezava a sinceridade, mas o fato de aquilo tudo ter começado como um jogo para Delilah ainda doía.

Mas não foi assim que terminou, foi? Nem foi assim que progrediu. Claire sabia que isso também era verdade, porque conseguia sentir, porque Delilah estava lá, em sua livraria. Tinha voltado. Tinha voltado por ela.

Delilah se levantou, a moldura ainda nas mãos, e deu a volta na mesinha até ficar bem na frente de Claire. Sentou-se na mesinha, os joelhos das duas quase se tocando, e se aproximou de Claire, só um pouco. Apenas o suficiente para que ela também se aproximasse, seu corpo querendo ficar mais perto como por instinto.

Depois de se acomodar, Delilah virou a moldura para que Claire visse a imagem. Era em cores, uma selfie de duas mulheres deitadas em uma cama, uma bagunça de cabelos escuros em um fundo de lençóis brancos e lavanda, ambas sorrindo, de rosto colado.

Claire e Delilah.

Delilah e Claire.

Claire se lembrava da foto: era da última vez que dividiram a cama antes de tudo ir pelos ares, depois que andaram de patins e Delilah passara a noite lá. Na manhã seguinte, fizeram amor, vestiram calcinha e regata e comeram bagels na cama. Depois Delilah tinha pegado o celular e tirado várias fotos das duas, fazendo cócegas em Claire para que ela risse e beijando-a até não poder mais para que ficasse séria.

Tinha sido a manhã perfeita. O despertar perfeito. Tudo perfeito.

– É isso que eu quero – disse Delilah. – A vida inteira foi isso que eu quis. Uma melhor amiga. Alguém que me entenda, que me aceite. Alguém que faça de tudo pra eu perceber que sou amada. Alguém que me deixe retribuir esse amor. Alguém tão linda que faça meu coração não caber dentro do peito. Alguém que mande a real sobre as merdas que eu faço. Alguém que me faça rir. Alguém pra quem eu olhe assim e que me olhe assim também. Alguém que... que seja meu lar.

As lágrimas escorreram pelo rosto de Claire, livres e silenciosas.

– Mas... Nova York. Sua arte. Você...

– Eu posso fotografar em qualquer lugar. Posso viajar quando precisar. Você pode vir comigo. A gente dá um jeito.

– Você detesta Bright Falls.

Os ombros de Delilah murcharam um pouco, mas ela balançou a cabeça.

– Eu detestava quem eu era aqui, o jeito como eu me sentia aqui. Mas você mudou tudo. Ruby mudou tudo. Iris. Caramba, até Astrid mudou tudo.

Claire franziu a testa.

– Astrid? Você… falou com ela?

Delilah abriu um sorrisinho meio triste.

– Ela foi pra Nova York. Pra exposição.

– Ela foi?

Delilah assentiu.

– E a gente conversou. Muito. Ela ficou alguns dias, não na minha casa, claro que não, e jantamos e resolvemos muitas coisas. Ainda temos muito pra resolver, mas é um começo. É o que eu quero. Ela me ajudou a enviar essas fotos pra que chegassem ontem, e na verdade voltamos juntas ontem à noite. Ela abriu a livraria pra mim hoje cedinho.

Claire sabia que Astrid não estava na cidade nos últimos dias, mas ela sempre respondia às mensagens das amigas dizendo que estava bem, porém sem dizer onde estava nem o que estava fazendo.

Claire pegou a foto das mãos de Delilah. Na imagem, ela estava tão feliz. Meu Deus, como estava feliz. Estava… apaixonada. Agora, podia admitir. Mais apaixonada do que já estivera por qualquer outra pessoa. Mas…

– Eu sou complicada, Delilah – disse baixinho, olhando para a foto. – Tenho uma filha, um ex que sempre, sempre vai estar na minha vida. Não posso simplesmente ir pra Nova York do nada, e você está acostumada com esse estilo de vida louco. Sou uma garota de cidade pequena. Sempre vou ser. Josh construiu uma casa…

– Eu sei, Astrid me contou.

– Então você sabe que estou aqui pra ficar. Ruby vem em primeiro lugar sempre, e não posso…

– Não estou te pedindo pra colocar a Ruby em segundo lugar. Não faria isso.

Delilah pegou a moldura das mãos de Claire e a deixou em cima da mesa. Então entrelaçou os dedos nos dela e encostou a testa na dela.

– *Eu* estou colocando você em primeiro lugar, Claire. Caso você não tenha percebido, é isso que está acontecendo aqui.

Claire riu, mais lágrimas escorreram.

– Sério?

– Sério. Quero tentar. Adoro a Ruby, você sabe disso. E vou aceitar o que você decidir sobre nós duas em relação a ela. Vou fazer o que você quiser. A Astrid já está procurando um lugar pra eu alugar no centro e...

– Mas e a sua arte? – Claire se afastou para poder olhar para Delilah com mais clareza. – Você precisa estar em Nova York. Se conseguir um agente, você...

– Eu consegui uma agente. – Delilah sorriu. – O nome dela é Julia Vasquez e ela é um gênio e eu já disse pra ela que vou passar muito tempo em uma cidadezinha do Oregon.

Claire apertou as mãos de Delilah.

– Isso é incrível. Eu sabia que você ia conseguir. Parabéns.

– Obrigada, sim, é incrível, mas você ouviu a parte em que eu disse que vou passar muito tempo aqui? Apartamento? Você? Eu? Uma vida?

Claire deu um sorrisinho. Estava mesmo acontecendo. Delilah tinha ido embora, mas voltara.

Por ela.

Para ficar.

Claire não fazia ideia de como aquilo ia funcionar, *se* ia funcionar. A única coisa que ela sabia era que queria aquilo. Queria Delilah Green. E, pela primeira vez na vida, caramba, ela ia se permitir ter exatamente o que queria.

– Claire? – Delilah inclinou a cabeça para olhar nos olhos dela.

– A gente pode parar de falar agora?

Delilah franziu o cenho.

– Hum, acho que sim, mas você...

Claire não a deixou terminar. Percorreu o espaço entre elas e encostou os lábios nos de Delilah, segurando seu rosto como se fosse uma obra de arte preciosa. Meu Deus, como estava com saudade. E, pelo modo como Delilah suspirou de leve, depois levou as mãos ao quadril de Claire e puxou-a até a beirada da poltrona, as duas abrindo as coxas para se encaixarem como peças de quebra-cabeça, Delilah também estava.

– Isso quer dizer sim? – perguntou Delilah entre um beijo e outro.

Claire se afastou.

– Pra qual parte?

– Pra tudo. Você. Eu. Nós.

– É sim – sussurrou Claire em seus lábios. – Sim pra tudo.

CAPÍTULO TRINTA E TRÊS

A TAVERNA DA STELLA ESTAVA CHEIA. Claro, como era o único bar da cidade, geralmente estava. Também como de costume, o cheiro de serragem, cerveja e perfume barato pairava no ar, os clientes tagarelando, rindo e relaxando ao final de um dia de trabalho.

Delilah Green entrou pela porta de jeans, botas, regata e jaqueta, como tantas vezes antes. Mas hoje havia algo diferente. Hoje, pela primeira vez na vida, ela não entrou sozinha.

O ombro de Claire Sutherland estava encostado no seu, os dedos entrelaçados e as duas procurando o resto do grupo.

– Aqui, putada! – chamou Iris de uma mesa no meio do bar, o cabelo ruivo preso em dois coques à la Princesa Leia e um drinque de vodca com refrigerante na mão.

Astrid também estava lá, dando um aceno muito mais discreto, mas ainda assim um aceno.

Durante as três semanas que se passaram desde que Delilah voltara a Bright Falls, ela havia se mudado para um apartamento que ficava em cima do antigo escritório de arquitetura do pai. Por acaso, era o apartamento onde Josh tinha morado. Era surpreendentemente limpo e exatamente o que precisava. Ruby estava ajudando a decorar, aos poucos, porque, apesar das vendas no Whitney e de várias exposições novas que a agente tinha conseguido, ela ainda precisava ficar de olho no orçamento. Iris até foi lá uma noite, com uma garrafa de bourbon em uma das mãos e um rolo de pintura na outra, e a ajudou a pintar as paredes de azul-cinzento. A noite acabou com as duas bêbadas no chão da sala, gargalhando de qualquer coisa. Na manhã seguinte, a maior ressaca que Delilah já tinha experimentado atacou sua cabeça e seu estômago, mas ela não conseguia parar de sorrir. Tudo parecia tão novo, todos os dias – a vida em Bright Falls, Claire e Iris, que parecia uma amiga de verdade. Ela até tinha saído para almoçar com Astrid. Duas vezes. Isabel era outra história. Delilah não sabia se estava pronta para escalar essa montanha, mas repetia para si mesma que tinha tempo. No momento, estava redescobrindo Bright Falls, vivendo naquela cidadezinha aconchegante como sempre quis, como seu pai sempre quis.

Agora, Claire puxou Delilah em direção à mesa, beijando-a na boca uma vez antes que as duas se acomodassem nas cadeiras.

– Vocês duas precisam ser fofas assim o tempo todo? – disse Iris, revirando os olhos.

– Fofas? – perguntou Delilah. – Você quer dizer assim?

Ela estendeu a mão e enganchou o dedo na gola da camisa estampada de bolinhas de Claire e a puxou mais para perto para dar mais um beijo. De boca fechada, sem língua, suave e brando e, Delilah imaginava, a coisa mais fofa que aquela cidade já tinha visto.

– Exatamente assim – respondeu Iris, e fez uma careta de ânsia.

Claire corou e deu um sorrisinho, e Delilah piscou para ela. Nunca ia se cansar de deixar o rosto daquela mulher rosado daquele jeito.

Astrid só sorriu e serviu uma taça de vinho da garrafa de Riesling que já estava na mesa para Claire. Delilah pediu um bourbon puro, e logo as quatro estavam com copos nas mãos.

– A que a gente brinda? – perguntou Iris. – Ah, já sei, já sei: a Astrid conseguir uma transa daquelas.

Astrid engasgou com o vinho.

– O quê?

– Faz quase um mês e meio que você mandou o bota de merda pro olho da rua – explicou Iris. – Está na hora.

– Está na hora é de você parar de dar palpite na vida sexual dos outros – respondeu Astrid.

– Apoiada – disse Claire.

Iris ficou boquiaberta.

– Como é que é? O meu *palpite* foi o que juntou as duas pombinhas grudentas aí. – Ela fez um gesto indicando Claire e Delilah.

– Como é que é? – perguntou Delilah.

– Iris… – resmungou Claire.

Iris caiu na gargalhada.

– O que está acontecendo? – indagou Astrid.

– Ah, meu Deus, esqueci que a gente nunca te contou essa história – disse Iris, batendo na mesa.

– O-oi, também não sei do que estão falando – insistiu Delilah.

Claire apoiou o rosto nas mãos enquanto Iris começava a contar a história de quando tinha tentado arranjar uma transa para Claire dois meses antes naquele mesmo bar, desafiando-a a conseguir o telefone de alguém, o que a havia levado a dar em cima de Delilah Green sem saber.

– Foi *assim* que tudo isso começou? – perguntou Astrid, de olhos arregalados.

– Bom, minha bunda fica mesmo fabulosa com o jeans certo – disse Delilah.

– Ah, meu Deus – murmurou Claire, e Delilah riu.

Astrid balançou a cabeça.

– Não acredito que você não sabia quem ela era.

– Estava escuro! – exclamou Claire, e as outras três olharam para ela. – Meio escuro. E, tá, tudo bem, mas, sério, olhem só pra ela. – Ela fez um gesto indicando Delilah, um sorriso no rosto ainda corado.

– Ah, lindeza, você me achou gata? – perguntou Delilah, em tom de provocação, pegando e beijando a mão de Claire.

Claire fez um biquinho.

– Acho que sim.

– E olha só as duas agora! – disse Iris. – Então, minha intromissão funcionou, e agora é sua vez, minha cara Astrid.

Ela se levantou e colocou as mãos em concha ao redor da boca.

– Aí, Bright Falls! Quem quer uma chance com essa bela mulher ao meu lado? – Fez um gesto indicando Astrid. – Ela está precisando desesperadamente de uma boa trep…

– Ah, meu Deus, Iris, cala a boca – pediu Astrid, puxando a amiga para baixo.

Claire estava ocupada demais rindo para defender Astrid, e Delilah ficou só curtindo ver aquilo tudo se desenrolar, a dinâmica das amigas, velhas e novas, a troca de farpas bem-humorada. Era maravilhoso. Um milagre, se fosse sincera e um pouco dramática. Mas o drama parecia certo. Parecia perfeito para uma noite como aquela.

– Não estou procurando namorado, tá? – disse Astrid.

– Quem falou em namorado? – perguntou Iris, erguendo as sobrancelhas.

– Bom, estou cansada disso também – respondeu Astrid. – Chega de homem. Nunca mais.

– Mulher, então? – perguntou Iris.

Delilah não conseguiu conter um sorriso ao ouvir o tom esperançoso em sua voz. Um clã todo queer devia ser o sonho de Iris, mas Astrid apenas piscou para ela, fazendo cara de paisagem.

– Tá bom, tá bom – disse Claire quando parou de rir. Ela se endireitou na cadeira e ergueu a taça de vinho, a outra mão apoiada na coxa de Delilah embaixo da mesa. – Um brinde de verdade.

– Que não seja sobre minha vida amorosa, por favor – disse Astrid.

Iris mostrou a língua.

Delilah levantou o bourbon e respirou fundo.

– A nós – disse. – Todas nós.

As outras se entreolharam, todas com sorrisos nos lábios.

– Perfeito – concordou Claire.

– Viva! – gritou Iris.

Astrid assentiu e levantou a taça, um sorrisinho no rosto ao olhar para Delilah.

– A nós.

– A nós – disse Iris.

– A nós – repetiu Claire.

Elas bateram os copos, a música e as risadas e a vida fervilhando à sua volta. Uma sensação de pura felicidade tomou conta do peito de Delilah quando ela olhou para suas amigas, sua namorada, seu lar. Levantou o copo no ar mais uma vez, inclinando-o para cada uma delas.

– A nós.

AGRADECIMENTOS

Escrever uma história de amor era um sonho antigo. Os romances me ajudaram a passar por vários estágios da vida, desde os 20 e poucos anos, quando eu mal sabia quem era, até a mulher de 36 que compreendeu a si mesma de verdade pela primeira vez, graças a um pouco de romance entre as páginas de um livro. Então, primeiro, quero agradecer a quem escreve romances. Obrigada por escrever aqueles felizes para sempre, por perseverar diante da desvalorização, por acreditar que o amor, em todas as suas formas, pode mesmo superar tudo. Eu não teria escrito este livro – nem seria tão feliz nem conhecedora de mim mesma quanto sou hoje – sem todas as suas obras.

Gratidão infinita a Rebecca Podos pela amizade e por seu talento como agente. Estamos no mesmo barco desde que comecei. Navegamos pelas águas tempestuosas da publicação de livros infantojuvenis e para jovens adultos, editamos uma antologia em dupla, viramos colegas de agenciamento e elu me guiou em segurança neste mundo maravilhoso do romance adulto. Existe um motivo pelo qual este é o segundo livro que dedico a elu, e eu estaria perdida sem sua sabedoria, seu humor e sua amizade.

Muito obrigada, Angela Kim, minha editora brilhante, gentil e perspicaz. Eu não conseguiria imaginar uma pessoa melhor para editar este livro. Você entendeu Delilah e Claire desde o início, e sou muito grata por ter trabalhado neste livro – e espero que em muitos mais – com você.

Agradeço a toda a equipe da Berkley, incluindo Christine Legon, Megan Elmore, Jessica Brock, Fareeda Bullert e Elisha Katz, que demonstraram paixão e entusiasmo pela história de um jeito que excedeu minhas expectativas.

Vocês fizeram este meu sonho virar realidade e foi um prazer trabalhar com vocês.

Obrigada, Marianne Aguiar, por suas habilidades incríveis de preparação de texto. Estou maravilhada com todos os detalhes que vocês guardam na cabeça e que ajudam a fazer os ajustes finos de um livro!

Obrigada, Katie Anderson, pelo design lindo da capa, e Alison Cnockaert, que fez um projeto gráfico dos sonhos para o miolo. Agradeço muito a Leni Kauffman, cuja ilustração de capa maravilhosa retratou Delilah e Claire à perfeição – fiquei sem ar quando vi pela primeira vez o que ela havia criado. Ela é extraordinariamente talentosa e estou honrada por este livro carregar uma de suas criações.

Agradecimentos sem fim a Talia Hibbert, Meryl Wilsner, Kosoko Jackson, Rachel Lynn Solomon, Karelia Stetz-Waters, Rosie Danan e Lana Harper por suas palavras generosas. Sou fã de vocês e me sinto muito honrada e lisonjeada por vocês terem lido a história de Delilah (e gostado dela!).

Obrigada, Courtney Kae, pelo entusiasmo e pela gentileza. Você é uma grande defensora da sua comunidade literária e espero poder ajudá-la a ter tanta confiança no seu trabalho quanto você me ajudou a ter no meu.

A Craig, Benjamin e William, agradeço por terem criado um espaço onde eu pudesse pensar, criar e ser eu mesma. Vocês são meu lar e meu repouso, e meus livros não seriam metade do que são sem o seu apoio.

Finalmente, a você, que me lê, por chegar até aqui, dividir isso comigo e estar presente. Passamos por uma época muito difícil – escrevi este livro durante a pandemia porque isso me fazia feliz, me dava um propósito a cada manhã. Agora a gente superou os dias mais difíceis (meu Deus, que seja verdade), e espero que este livro também dê a você um pouco de felicidade, algum consolo, umas risadas e, é claro, alguns suspiros.

Astrid Parker nunca falha

Para Astrid Parker, falhar não é uma opção. Por isso, desde que rompeu com o noivo, ela está focada na carreira. E, ao ser convidada para realizar a modernização da tradicional Pousada Everwood em um reality show de reformas, ela tem uma chance de ouro para brilhar.

O projeto não só promete ser a solução para os problemas financeiros de sua empresa como pode fazer com que ela finalmente conquiste a aprovação da mãe, que nunca parece satisfeita com nada.

Até que surge uma pedra em seu sapato. Jordan Everwood, neta da dona da pousada, detesta todas as ideias de Astrid e está decidida a preservar a essência da hospedaria da família.

Logo seus pequenos atos de sabotagem começam a rachar a fachada de perfeição de Astrid, revelando uma vulnerabilidade que ela nunca se permite demonstrar – e isso faz com que a antipatia entre as duas se transforme em algo muito parecido com desejo.

Agora Astrid precisa decidir se quer continuar se esforçando para corresponder às expectativas alheias ou se mergulha de cabeça em um futuro incerto, assustador e muito, muito emocionante.